MICHAEL MORLEY

SPIDER

VAN HOLKEMA & WARENDORF
Unieboek BV, Houten/Antwerpen

Oorspronkelijke titel: *Spider*
Vertaling: Hugo Kuipers
Omslagontwerp: Wil Immink
Opmaak: ZetSpiegel, Best

www.unieboek.nl
ISBN 978 90 475 0068 1 NUR 332

First published in English by Penguin Books 2007

Voor *La gloriosa donnadella mia mente* X

Hij die tegen monsters vecht moet ervoor waken zelf geen monster te worden

– Friedrich Nietzsche

Proloog

Zaterdag 30 juni

Aan het koele, schemerige einde van een zinderend hete dag spuwen barbecues hun vlammen. Er heerst een feeststemming en lachende stemmen schallen over de oevers van South Carolina's kronkelende Blackwater River.

Aan de andere kant van de stad betreedt een sombere gestalte de begraafplaats van Georgetown en zoekt naar het graf van iemand die hem eens dierbaar was. Zijn pelgrimstocht hierheen heeft dagen geduurd en hij is lichamelijk en emotioneel volkomen uitgeput. In zijn armen heeft hij een bos bloemen, haar favoriete Rocky Shoals-spinnenlelies. De eerste keer dat hij met haar sprak, had ze in een park gezeten, omringd door duizenden van deze bloemen, en de lelie had daarmee een bijzondere betekenis voor hen beiden gekregen.

De grafstenen staan dicht opeen en dragen namen die bijna zo oud zijn als Amerika zelf. Er zijn hier mensen begraven sinds de eerste Spaanse kolonisten van het land hier oud werden en stierven, halverwege de zestiende eeuw al.

Het graf dat hij zoekt is niet van een beroemdheid. Geen imposant beeld, geen rijk versierd familiegraf geeft aan waar zij haar rustplaats heeft. Haar anonimiteit werd alleen even opgeheven toen haar verminkte jonge lichaam gezwollen en rottend werd aangetroffen in de Tupelo Swamp, een uitloper van de oude onstuimige Black River, die in koloniale tijden een belangrijke handelsweg was en de voornaamste waterweg voor de plantages in South Carolina.

Eindelijk ziet hij haar steen. Eenvoudig zwart marmer, betaald door de gemeenschap uit fondsen voor de armen. Haar naam is in goudkleurige reliëfletters aangebracht: Sarah Elizabeth Kearney, maar zo noemde hij haar niet. Voor hem was ze altijd 'Sugar' en hij wist dat hij voor haar altijd alleen maar 'Spider' was. Amper tweeëntwintig was ze, ontluikend als de spinnenlelies die hen bij elkaar hadden gebracht, zich nog maar net bewust van haar schoonheid, haar dromen juist ontkiemd.

Spider trekt wat onkruid tussen de kiezelstenen op het graf vandaan en legt de grote bloemen neer. Hij denkt terug aan hun geweldige ontmoeting, vandaag op de dag af twintig jaar geleden.

Sugar was zo bijzonder.
Ze was zijn eerste.
De eerste die hij ontvoerde.
De eerste die hij vermoordde.

Deel 1

Zondag 1 juli

1

San Quirico D'Orcia, Toscane

Jack Kings nachtmerrie rukte hem uit zijn slaap. Hij zat ineens rechtop in bed en greep, hoe ademloos en gedesoriënteerd hij ook was, instinctief naar het pistool in zijn holster. Alleen was er geen pistool. Dat was er niet meer sinds hij meer dan drie jaar geleden ontslag had genomen als profiler bij de FBI.

'Wakker worden!' drong zijn vrouw aan. 'Wakker worden, Jack! Er is niets aan de hand. Je droomde weer. Het is maar een droom.'

Maar er was wel iets aan de hand met Jack.

Hij probeerde zijn ademhaling tot bedaren te brengen, zijn hartslag te laten dalen, maar de beelden sisten nog na in zijn gedachten: gebleekte, bloedeloze lijken die in de Black River dreven; het zoemen van vliegen om afgezaagde jonge lichaamsdelen; vette krantenkoppen die de nieuwste schanddaad van de Black River-killer bekendmaakten. En zo ging de horrorshow maar door, als een korrelige, versneld afgedraaide oude film die hij veel te vaak had gezien.

Nancy kwam uit bed en deed het licht aan.

'Die nachtmerries van jou maken me doodsbang. Jack, je moet echt naar iemand toe.'

De meeste dagen zag Jack eruit alsof hij nog steeds droomde. Hij had een hotelletje in een Toscaans dorp waarop de tijd nauwelijks vat had gekregen en waar bijna geen misdaad voorkwam. Maar sommige nachten... Nou, sommige nachten kon hij de schijn gewoon niet meer ophouden. En dit was beslist zo'n nacht.

Jack tuurde in het lelijke felle licht van de slaapkamer. Het zweet stond op zijn blote borst en liep over zijn rug.

'Heb je me gehoord? Jáck?'

De beelden waren weg, maar nu zat zijn hoofd vol geluiden; vrouwen die gilden van pijn, hun wanhopige kreten om hulp die galmend uit de duistere krochten van zijn geheugen kwamen, en ten slotte het onmiskenbare geluid van vlijmscherp staal dat in menselijk vlees sneed.

Jack liet langzaam zijn hete adem ontsnappen. 'Ik heb je gehoord, Nancy. Geef me even tijd.'

Zijn burn-out was drie jaar geleden en hoewel hij nu in een ander werelddeel woonde en een heel ander leven leidde, spookten alle verschrikkingen uit het verleden nog steeds door zijn hoofd.

Misschien had zijn vrouw gelijk. Misschien moest hij eindelijk hulp inschakelen.

2

Georgetown, South Carolina

Soms, laat op de avond, als hij op de rand van de slaap balanceert, gesust door geheime gedachten en emoties, kan Spider de klok terugzetten en naar zijn favoriete daad teruggaan.

De eerste.

Op dit moment, nu er zoveel opwindende dingen met hem gebeuren, wil hij graag terug, wil hij graag opnieuw de momenten beleven die hem hebben gemaakt tot wat hij is.

Hij ligt op zijn bed, zijn speciale bed; de kamer is donker en zijn ogen zijn min of meer dicht. Algauw flitsen er maanden, jaren en decennia voorbij, tot twintig jaar geleden.

Hij is in het zonnige Georgetown, op de Harborwalk langs de waterkant. Een jonge vrouw loopt voorbij, opgewekt en zorgeloos. Ze is slank, donkerharig en netjes en eenvoudig gekleed: roze T-shirt, stijlvol gebleekte spijkerbroek, sportschoenen. Ze heeft een weekje vrij en ze ontspant zich. Ze let niet op haar omgeving, niet op de man die ze zojuist tot zich aantrok als een magneet.

Spider ziet haar eten, alleen.

Hij ziet haar alleen naar haar appartement boven de bakkerszaak gaan.

En dagenlang observeert hij haar. Hij ziet dat ze daar alleen woont.

Alleen en kwetsbaar. Precies zoals hij hoopte.

Sarah Kearney ziet hem niet, daar zorgt Spider wel voor. Hij is zo behoedzaam dat hij bijna onzichtbaar is. Maar hij is er wel. Hij is er altijd. Hij strijkt langs haar in supermarkten, waar ze boodschappen doet voor één. Hij staat met haar in de rij voor de bioscoop, waar ze in haar eentje van de nieuwste romantische komedie geniet.

Hij is er als ze naar een boekwinkel gaat en ten slotte een kookboek koopt met eenpersoonsgerechten.

Die herinneringen zijn verrukkelijk. Spider geniet van elke seconde. O, de herinneringen aan die vroegere keren, vooral de eerste keer, zijn bijna net zo goed als de plannen die hij maakt – vooral voor de volgende keer.

Sarah was heerlijk geweest. Zo heerlijk zoet als suiker.

Spiders hart bonkt bij de herinnering. Hij was haar gevolgd in zijn oude Chevrolet toen ze de bus naar Landsford nam, een groot park van honderdzestig hectare, richting Richburg. Onzichtbaar als altijd had hij langs de negentiende-eeuwse kanalen gewandeld. Hij had een tijdje bij een oud sluiswachtershuis gezeten en ten slotte de drukte achter zich gelaten om naar een eenzame plek bij de rivier de Catawba te gaan.

Na twintig jaar kon hij zich nog steeds elk woord herinneren dat ze hadden gezegd.

Je eerste moord vergeet je nooit. Geen enkele seconde ervan.

Er had een geur van dennen en gras in de lucht gehangen, de zon had hoog aan de hemel gestaan, en Sugar, ach, Sugar had lieflijk op een tapijt van witte bloemen gezeten. Ze koesterde de grote, puntige bloemen in de kom van haar hand.

Zo mooi als een plaatje.

En toen was hij ten tonele verschenen. Kalm en zelfverzekerd, beleefd en niet-bedreigend. Precies zoals zijn bedoeling was. Zoals hij had gedroomd.

'Wat zijn ze mooi,' zei hij, terwijl hij zelfverzekerd naar haar toe liep. 'Wat voor soort is dat?'

Ze schrok even, maar antwoordde toen: 'Lelies. Rocky Shoals-spinnenlelies.'

Haar aarzelende stem had een beetje lijzig geklonken. Een stem die hij heel graag wilde horen. Een stem waarvan hij wist dat hij straks de laatste zou zijn die ernaar luisterde.

Ze hadden zitten praten. Hij had haar aan het lachen gemaakt, haar gevleid met complimenten en haar zelfs een beetje laten blozen. Het was een volmaakte middag. Precies zoals hij had gehoopt.

Ze hadden koffie gedronken op het drukke terras van het park. Hij had haar verteld dat hij accountant was, een saaie baan waaraan hij een hekel had, en dat hij naar het park was gegaan voor de ruimte en de frisse lucht.

Ze had precies geweten wat hij bedoelde; ze was zelf ook graag buiten.

Toen het tijd werd om op te stappen, zei hij dat hij het erg leuk had gevonden om met haar te praten. Hij kon zich eigenlijk niet eens herinneren wanneer hij voor het laatst zo had genoten. Ze had opnieuw een kleur gekregen en had gezegd dat ook zij het leuk had gevonden. Het brak bijna zijn hart dat hij weg moest gaan. Hij moest saaie papieren naar saaie ondernemers ergens ten oosten van Georgetown brengen.

Ze had teleurgesteld gekeken. Daar was hij zeker van. Ze had langer bij hem willen zijn – dat kon hij zich heel duidelijk herinneren. Achteraf leek het bijna wel of ze hem had uitgekozen, net als hij haar.

Zeggen ze niet dat de vrouw uiteindelijk altijd kiest?

Ze waren bijna drie uur bij elkaar geweest toen ze eindelijk door de poort van het park liepen. Achteraf lijkt het ongelooflijk, maar heel even had hij er toen over gedacht zijn plan niet door te zetten.

Hij glimlachte.

Het niet doorzetten? Hoe kon hij zoiets hebben gedacht? Wat zou alles toch anders zijn gelopen als hij gewoon afscheid had genomen en zijn eigen weg was gegaan.

3

San Quirico D'Orcia, Toscane

Jack en Nancy konden niet meer in slaap komen. Het was al routine geworden. Zijn vrouw was de enige met wie hij kon praten, de enige die tot op zekere hoogte begreep wat er met hem was gebeurd en wat voor uitwerking dat op hem had gehad.

De echte nachtmerrie was veel eerder begonnen dan de droom die hem in zijn slaap teisterde. Te veel werk en te veel spanningen hadden ertoe geleid dat Jack op het vliegveld JFK, na een congres over onopgeloste zaken in Los Angeles, was ingestort. In die tijd had hij midden in de jacht op de BRK – de Black River Killer – gezeten, en binnen enkele dagen zou hun zoon worden geboren. Keer op keer hadden ze erover gepraat, op zoek naar gemoedsrust: Jacks weken op de intensive care toen hij niet kon praten, niet kon lopen en bang was dat hij zou doodgaan of de rest van zijn leven invalide zou zijn. Ze praatten over de angst die Nancy had gehad, de angst dat zijn werk hun huwelijk zou verwoesten; ze had indertijd overwogen hem te verlaten, met Zack naar haar ouders te gaan en opnieuw te beginnen.

Zoals gewoonlijk liet ze geen steen op de andere. En zoals gewoonlijk kwam ze geen stap verder.

Nancy King was lang, slank en taai. Als dochter van een marinier wist ze met iedere crisis af te rekenen. Tenminste, dat dacht ze.

Nadat Jack was ingestort, hadden ze La Casa Strada op een internetveiling gezien. Nancy had meteen geweten dat ze het hotel moesten kopen om in een ander land opnieuw te beginnen.

Een nieuw begin.

Een nieuwe manier van leven.

Ze had gezegd dat ze dat nodig hadden en ze was vastbesloten geweest het voor elkaar te krijgen. Alleen leek het erop dat het nieuwe begin nog even op zich liet wachten.

En daar nam Nancy beslist geen genoegen mee.

Het eerste daglicht scheen al langs de luiken voor de ramen toen ze eindelijk terugkwam op het gevoelige onderwerp dat Jack professionele hulp moest zoeken. 'De FBI heeft je het nummer gegeven van een psychiater in

Florence, een goede die zegt dat je bij haar kunt langskomen wanneer je maar wilt. Bel haar nou morgenochtend.'

'Vind je echt dat ik naar die vrouw moet gaan, naar die zielenknijpster?' vroeg Jack.

Zijn vrouw trok haar wenkbrauwen op. 'Schat, we weten allebei dat het nodig is. Wil je het regelen?'

Hij gaf toe. 'Oké, ik zal het doen.' Hij klonk verslagen, maar terwijl hij dat zei, voelde hij zich al een beetje beter. Na al die tijd was er misschien hulp op komst. 'Wil je ontbijt?' vroeg Jack. Hij stond in zijn boxershort voor een open raam en klopte op zijn buik. Achter hem zag Nancy de schittering van de zon die opsteeg boven het fluweelgroene dal. Beneden hen hoorde ze hun kok, die de keuken binnen kwam en zijn reusachtige koelkasten openmaakte om er van alles uit te halen en voorbereidingen te treffen voordat de rest van het personeel er was. Ze hield van dit hotel, van de frisse start en ze wilde heel graag dat Jack er ook van hield. 'Paolo is er. Hij kan eieren voor ons klaarmaken, misschien ook wat *pancetta*.'

Jack boog zich naar zijn vrouw toe en kuste haar. 'Ik haal ook koffie. Dat hebben we allebei nodig, denk ik.'

Ze zag hem zijn trainingsbroek en een T-shirt aantrekken. Ondanks zijn emotionele kwetsbaarheid was hij nog op en top de sportman op wie ze verliefd was geworden en met wie ze was getrouwd. 'Elf jaar, Jack King. Over een paar dagen zijn we elf jaar getrouwd. Hoe is het allemaal zo snel voorbijgegaan?'

Jack had het antwoord niet. 'Ik denk dat de goede tijden altijd het snelst gaan en de slechte tijden te lang blijven hangen.'

Hij kuste haar opnieuw en ze gaf een geruststellend kneepje in zijn hand. 'Maak je geen zorgen, schat. Het komt allemaal wel goed.'

Jack beantwoordde haar glimlach. Onderweg naar de keuk probeerde hij er niet bij stil te staan dat 8 juli, zijn trouwdag, ook de dag was waarop de Black River-killer zijn zesde en jongste slachtoffer had gemaakt.

4

Georgetown, South Carolina

Ongeveer zoals oude mannen zich hun eerste liefdesverhouding herinneren, voelt Spider zich getroost en gestimuleerd door de gedachte aan zijn eerste moord. Bijna weer wegzakkend in de slaap, zijn ogen nog dicht, gaat hij twintig jaar terug in de tijd en herinnert hij zich de laatste ogenblikken van zijn gedenkwaardige ontmoeting met Sarah Kearney. De zomerzon en zoete bloemengeuren van het park in South Carolina komen weer bij hem op. Sugar en hij staan dicht bij elkaar, een verrukkelijke onhandigheid aan het eind van hun eerste ontmoeting.

'Regen op komst,' had hij gezegd, met een blik op de slagschipgrijze wolk die de zon nu volledig aan het oog onttrok. 'Ben je met de auto?'

Sugar had haar hoofd geschud. 'Nee. Met de bus.'

Natuurlijk, mijn schat, natuurlijk ben je met de bus.

'Waar moet je heen? Kan ik je ergens afzetten?'

'Hé, zou je me een lift naar Georgetown willen geven? Je komt daar toch langs. Je gaat er zelfs dwars doorheen en ik weet een kortere weg.'

'Natuurlijk. Het zal me een groot genoegen zijn.'

De wandeling naar zijn auto was opwindend geweest. De spanning had door zijn aderen geknetterd als een afgebroken elektriciteitskabel in een onweersbui.

Maar hij had zich beheerst. O ja, hij had zich als de volmaakte gentleman gedragen, helemaal tot het eind.

'Dank je. Dat is heel aardig van je.'

Wat nu gebeurde, was het mooiste. Hij had het zich tientallen keren voorgesteld, had het zelfs in zijn garage gerepeteerd om er zeker van te zijn dat het goed zou werken.

'Regel één van de weg: altijd de gordel om. Je kunt nooit voorzichtig genoeg zijn.' Hij had dat glimlachend gezegd en naar haar gordel gewezen.

Ze had naar hem gelachen.

Stel je voor, ze had echt naar hem gelachen. 'Jij bent een echte heer,' had ze gezegd. 'Heel aardig voor de dames. Dat is tegenwoordig heel ongewoon.'

Heel ongewoon. Hij glimlachte weer bij de herinnering. Ze had de spijker op zijn kop geslagen.

Toen had ze gedaan wat hij had gevraagd.

Die lieve Sugar had haar gordel vastgemaakt en leunde achterover om comfortabel bij haar nieuwe vriend, die een echte heer was, in de auto te gaan zitten.

Arme Sugar.

Ze zou nooit meer comfortabel gaan zitten.

Toen ze haar haar naar achteren had gestreken en het klepje omlaag had getrokken om zichzelf in de spiegel te bekijken, was Spider in actie gekomen. Hij had twee vingers bij de knokkels gebogen en aan weerskanten van haar luchtpijp diep in haar keel gedrukt. Een onverbrekelijke wurggreep.

Alleen al bij de herinnering ging er een tinteling door hem heen. Hij bewoog zijn hand en beleefde opnieuw de opwinding: hij drukte harder en harder, duwde haar nek tegen de hoofdsteun en kneep haar adem af.

Sugar had zich verzet, maar was tegengehouden door de gordel; precies zoals hij had gehoopt. Ze had naar zijn arm gegraaid, maar daar had hij ook aan gedacht: haar nagels braken alleen maar af op de mouwen van zijn wollen jasje.

Hij had aan alles gedacht. Dat deed hij altijd en dat zou hij altijd blijven doen.

En die laatste kus zou hij nooit vergeten.

Zijn lippen op de hare, op het moment dat hij de laatste ademtocht uit haar lichaam perste en voelde dat haar laatste ademtocht naar binnen ging.

Hij ademt uit. Hij voelt haar warmte weer, voelt dat deel van haar dat nog in hem zat, misschien zelfs in zijn ziel was gaan zitten.

God, wat was het opwindend geweest. Het opwindendste, geweldigste moment van zijn leven.

En toen was ze van hem geweest. Echt van hem. Wat een fantastische, goddelijke ervaring was dat geweest.

Was het echt al twintig jaar geleden? Hij kon het bijna niet geloven.

O, wat vloog de tijd.

Het leek hem pas gisteren dat hij naar Sugars dode lichaam op de passagiersplaats had gekeken en had beseft dat ze nu voor altijd verenigd waren, als man en vrouw.

Spider opent zijn ogen in de somberheid van het heden en glimlacht. Ja, Sugar was bijzonder geweest. Het was goed dat hij haar weer in zijn leven had.

5

Georgetown, South Carolina

De vijftienjarige Gerry Blake en zijn jongere neefje Tommy Heinz konden hun ogen niet geloven. Op alle uren van de dag en de nacht gingen ze binnendoor over de begraafplaats, en de oude grafstenen en sombere kerk hadden hun nooit enige angst ingeboezemd.

Tot nu toe.

Vandaag hadden ze haast om bij hun vriend Chuck te komen, want ze zouden met de boot van Chucks vader op de Black River gaan vissen. Halverwege de begraafplaats bleven de jongens plotseling op het grof verharde pad staan. Tommy liet zich op zijn knieën zakken.

'*Muuutherfucker!*' riep Gerry uit. Hij rekte de obsceniteit zoals hij het rappers op MTV had horen doen.

Tommy was al overeind gesprongen; hij hijgde als een hond en wilde heel hard weglopen. Hij zou het op een lopen zetten zodra Gerry bij zijn positieven kwam en met hem mee rende. Maar nog heel even bleven de jongens instinctief schouder aan schouder staan en keken ze alleen maar. Wat ze zagen, was al voor de rest van hun leven in hun geheugen gebrand.

Het graf dat voor hen lag, was geopend.

Een goedkope vurenhouten kist was opengebroken en het geraamte van een jonge vrouw in een met aarde bevuilde jurk zat rechtop tegen de steen. Zwart uitgeslagen knokige armen en benen bungelden uit het vuile katoen. Maar het beeld dat de jongens tot aan de dag van hun dood zou blijven achtervolgen, was dat van het hoofd. Of beter gezegd, de plek waar het hoofd had moeten zijn.

6

Florence, Toscane

De psychiater in Florence had zich aan haar woord gehouden. Jack had naar haar mobiele telefoon gebeld, en hoewel ze verrast was door zijn telefoontje, was *Dotoressa* Elisabetta Fenella bereid geweest hem later op diezelfde dag te ontvangen. De macht van de FBI reikte tot over de oceaan. Jack vermoedde dat het vele geld dat de FBI ongetwijfeld had beloofd ook enige invloed had uitgeoefend.

De treinreis van Siena naar Florence was snel gegaan en meer een genoegen dan een last geweest. Jack had het grootste deel van de anderhalf uur durende reis van het landschap genoten dat voorbijgleed langs het stoffige raam van de benauwde, vervallen, volle coupé. Hij keek gefascineerd naar de wijn- en olijfgaarden die om de beste terrassen op de steile hellingen streden, aangetrokken door het zonlicht maar ook vechtend om stukjes kostbare schaduw. Op sommige plaatsen had de zon zo fel op de omgeploegde velden gebrand dat het leek of de grond uit brokken grijze steen bestond. In dalen met meer watertoevoer verhieven zich goudkleurige stenen huisjes uit vruchtbaarder velden, als boerenbrood in een oven.

En Toscane was zeer zeker een oven.

Jack zweette toen de trein Florence binnenreed. Hij gaf de schuld aan het feit dat er geen airconditioning was, maar hij wist dat het iets anders was.

Twijfel.

Hij twijfelde eraan of hij de confrontatie met wat binnen in hem zat wel aankon, de confrontatie met gedachten die krachtig en duister genoeg waren om hem zelfs in zijn slaap de stuipen op het lijf te jagen.

De feiten, de kille harde feiten, gingen weer door zijn hoofd.

De Black River-moorden hadden hem gebroken.

Dat waren niet zomaar woorden van hem. Die woorden waren geschreven door elke misdaadverslaggever in Amerika nadat hij op het vliegveld JFK in elkaar was gezakt.

Het was hem niet gelukt iemand te pakken te krijgen die minstens zestien jonge vrouwen had vermoord en er nog meer zou vermoorden.

Hij had gefaald.

Dat hadden ze ook geschreven. Ze hadden het zo vaak geschreven dat het geen pijn meer deed. Tenminste, dat zei hij tegen iedereen.

Misschien was het beter om gebroken te blijven. Dat hij gebroken was wilde niet zeggen dat hij volkomen verlamd was, volkomen verwoest, alleen dat hij niet meer zo goed was als vroeger. Misschien zou het alleen maar erger worden als hij naar een psychiater ging.

Zijn hoofd vulde zich met ruis, een soort oorsuizing, een sissend geluid, en toen werd het helderder. Het siste niet; het sneed. De geluiden waren terug; snijgeluiden. Staal op huid.

Hij legde zijn handen over zijn oren en deed zijn ogen dicht.

De geluiden stierven langzaam weg.

Had hij ze gehoord of had hij het zich verbeeld? Misschien was het de trein geweest die het station binnenreed, de wielen op de rails.

Hij trok zijn handen weg en deed zijn ogen open.

Stilte.

De trein was gestopt en de rijtuigen waren leeg.

Het was tijd om een besluit te nemen.

7

San Quirico D'Orcia, Toscane

San Quirico D'Orcia ligt in een prachtig dal ten oosten van Montelcino, op een derde van de adembenemend mooie route die de meeste toeristen naar Montepulciano nemen. Een kilometer in de andere richting, aan de stijgende, kronkelende weg van San Quirico naar Pienza, bevindt zich de dramatische, met cipressen begroeide helling die Ridley Scott gebruikte voor de flashbackscènes van de vrouw en het kind die in de film *Gladiator* op de terugkeer van Maximus wachten.

De muren van het stadje zijn op veel plaatsen afgebrokkeld en hebben veel van hun historische gezag en schoonheid verloren. Maar daarachter staan gebouwen die zijn opgetrokken van een glorieus goudgeel gesteente, dat Nancy altijd deed denken aan de ruwe brokken zoete honingraat die ze als kind zo lekker vond.

La Casa Strada ligt aan de rand van de stadsmuren en was een olijfoliebedrijf tot het midden van de jaren zeventig, toen een verzengend hete zomer een golf van faillissementen over veel boerderijen in de dalen van Toscane joeg. De eigenaren, Laura en Sylvio Martinelli, gaven het op en gingen bij Laura's familie in Cortona wonen. De zestigjarige Sylvio vond een baan als taxichauffeur, terwijl de vijfenzestigjarige Laura *Torta della Nonna* ging bakken voor een winkel in het stadje. Daarna waren hun vroegere huis en bedrijfsgebouwen onherkenbaar gemoderniseerd en uitgebreid; alleen het schitterende uitzicht over de golvende heuvels van Val D'Orcia was onveranderd en onveranderbaar.

Nancy begon langzaam aan haar werkdag. Ze had Zack naar het huis van een vriendje gebracht, waar hij de hele dag zou blijven spelen, en wilde net aan haar planning voor de komende week en maand beginnen. Ze was blij dat hun driejarige kind enigszins aan de dagelijkse gang van zaken gewend was geraakt. Een jaar geleden had hij altijd vreselijk veel stampei gemaakt als ze hem in de internationale crèche in Pierza wilde achterlaten. Toen schreeuwde en krijste hij altijd, klampte zich aan haar schouders of haar jurk vast om te voorkomen dat ze hem neerzette, en wat nog het ergst was: als ze buiten liep, zag ze zijn betraande gezichtje tegen het raam gedrukt, haar smekend om hem niet achter te laten. Maar tegenwoordig was Zack een 'grote jongen', een 'brave jongen' en begreep hij dat mammie en pappie overdag moesten werken.

Ze stak haar hoofd om de deur van de keuken, waar de laatste ontbijten werden klaargemaakt, riep 'Goedemorgen, iedereen!', wachtte tot er in koor '*Buon giorno*' werd geantwoord en liet de deur weer dichtklappen.

Ze zag dat hun klusjesman, Guido, een problematische afzuigkap boven Paolo's gasstel aan het repareren was. Hun temperamentvolle kok had al enige tijd bij Nancy op een heel nieuw fornuis aangedrongen, zoals zijn achterneef in Rome had, maar Paolo zou moeten wachten, ze zaten op het moment nogal krap. Ze had tegen hem gezegd dat hij zich, totdat ze hun zomerinkomsten binnen hadden, zou moeten behelpen met de 'koopjes' die ze op plaatselijke horecaveilingen kochten. Nancy glimlachte. In werkelijkheid had Guido nu zoveel van de apparaten gerepareerd dat noch zij noch Jack ze nog echt als koopjes kon beschouwen.

Er waren nog wel meer dingen die gerepareerd moesten worden. Maanden geleden was het achterste eind van het tuinterras voor een deel ingezakt, en daar zat nu een merkwaardig gat in de helling en ging het steil omlaag naar het volgende terras. Carlo dacht dat daar misschien een oude waterput zat, terwijl Paolo meer exotische mogelijkheden verzon door erop te wijzen dat daar vroeger een Medici-bolwerk had gestaan. Hoe dan ook, het was haar een doorn in het oog, een bron van ergernis, en misschien zelfs gevaarlijk. In de loop van de komende dagen zou een van Carlo's vrienden komen om, zoals hij had beloofd, de zaak voor weinig geld in orde te maken.

'Morgen, Maria,' zei Nancy toen hun twintigjarige receptioniste eindelijk op haar werk verscheen.

'Goedemorgen, mevrouw King,' zei Maria Fazing. Haar mopperige Amerikaanse bazin had haar verboden Italiaans te spreken. Omdat buitenlandse toeristen hun voornaamste doelgroep vormden, stond Nancy erop dat ze gesprekken altijd in het Engels begon. Maria legde zich daarbij neer, want op een dag zou ze aan de Miss Italië-verkiezingen meedoen, en dan aan die voor Miss World, en uiteindelijk zou ze blij zijn dat ze gedwongen was Engels te leren. Tenminste, dat zei ze tegen zichzelf.

Nancy checkte zijn e-mail, luisterde naar de ingesproken telefoonboodschappen en werkte de lijst van kamerreserveringen bij. Ze voegde ook vier mensen aan de dinerreserveringen van die avond toe en keek op hun website of daar mensen om inlichtingen vroegen. Er waren enige verzoeken om een menu en enkele brieven in het Italiaans die Nancy uitprintte om ze door Maria te laten beantwoorden. Iemand vroeg om een offerte voor een vijfjarig huwelijksfeest.

Omdat Maria met potentiële gasten aan het telefoneren was, moest Nancy even wachten tot ze haar de afgedrukte mailtjes kon geven. Terwijl ze dat deed, keek ze in *La Nazione*. Op de voorpagina zag ze de kop 'OMICIDI!' en de foto van een aantrekkelijke, donkerharige jonge vrouw die Cristina Barbuggani heette. Nancy had de foto van het meisje ook in het televisienieuws gezien en ze had haar personeelsleden horen vertellen dat het lichaam in stukken gehakt in zee was gegooid. Ze wendde zich af en slaakte een diepe zucht bij het besef dat zelfs hier, op de mooiste plaats waar ze ooit had gewoond, niet aan moord te ontkomen viel.

8

Florence, Toscane

Jack stapte uit de stilte van de lege trein en kwam in het lawaai en de gloeiende middaghitte van Florence, een smoorhete stad met overal mensen en toeterend verkeer. Met zijn gedachten nog bij zijn nachtmerrie kwam hij bij de praktijk van Dottoressa Elisabetta Fenella aan. Het gebouw bevond zich bij de Piazza San Lorenzo in de befaamde marktwijk van de stad. Hoog daarboven troonde de majestueuze Basilica di San Lorenzo, een kerk uit de vierde eeuw die in verval was geraakt, waarna hij was herbouwd door de de' Medici.

Jack kwam uit het schroeiende zonlicht in de koele schaduw van de portiek van het gebouw. Hij nam een kleine, ouderwetse lift met ijzeren hek naar de tweede verdieping en werd beleefd door een ingetogen receptioniste naar een spreekkamer met marmeren vloer en hoog plafond geleid. Twee plafondventilatoren die eruitzagen alsof ze ouder waren dan Florence zelf, wentelden gracieus maar zinloos rond. Ze deden in feite niets anders dan warme luchtstromen van de ene naar de andere kant van de kamer drijven, zonder verkoeling te schenken aan de ruimte beneden. In een hoek stond een antiek eikenhouten bureau met brede, sierlijk bewerkte poten. Daarboven, aan de achterste muur, hing een bescheiden crucifix. Het bureaublad was bedekt met papieren en fraai ingelijste foto's van een grote Italiaanse familie. Hij pakte er een op waarop ze schouder aan schouder met een al even elegante man stond. Ze had lang donker haar, een symmetrisch volmaakt gezicht, ogen zo donker als steenkool en een onberispelijke glimlach. Haar man, als hij dat was, leek veel ouder. Hij had een bos wit haar die elegant naar achteren was gekamd. Jack schatte hem achter in de vijftig, misschien net in de zestig.

De deur achter hem ging open en de vrouw op de foto schrok blijkbaar toen ze hem bij haar bureau zag staan.

'*Signor* King?' vroeg ze. Aan haar stem was te horen dat ze zijn nieuwsgierigheid niet op prijs stelde.

'Ja,' antwoordde Jack, beschaamd omdat hij op snuffelen was betrapt. 'Neemt u me niet kwalijk. Oude politiegewoonten zijn hardnekkig.'

'Alstublieft,' zei ze. Ze negeerde zijn indiscretie en wees naar twee met roomwit katoen beklede banken die aan weerskanten van een salontafel met een vierkant glazen blad stonden.

Jack liep naar haar toe en stak zijn hand uit. 'Jack King. Ik stel het op prijs dat u me wilt ontvangen, vooral op zondag.' Ze droeg een gouden trouwring met grote diamanten die een FBI-agent drie maandsalarissen zou hebben gekost.

'Niets te danken. Als het niet deze zondag was geweest, had ik u pas over een aantal maanden kunnen ontvangen.' Elisabetta Fenella legde een bruine map op de salontafel en Jack zag meteen dat zijn naam daar al op stond. Ze had een dossier over hem.

Ongetwijfeld had de FBI dat dossier naar haar toe gestuurd, met alle gruwelijke details van zijn burn-out, zijn onvermogen om de grote werkdruk aan te kunnen. Het had hier op hem liggen wachten. Het had stof liggen verzamelen, maar het had klaargelegen voor het moment waarop hij onvermijdelijk zou toegeven en contact met haar zou opnemen.

Die gedachte maakte hem sprakeloos.

Dottoressa Fenella kwam ter zake. 'Je kantoor heeft me een jaar of twee geleden gebeld. Waarom heb je dit moment uitgekozen om naar me toe te komen?'

Dat was een goede vraag. En hij wilde een goed antwoord geven, wilde zonder omhaal zeggen dat hij haar hulp nodig had. Ze moest hem helpen het kwaad tegen te houden dat hem elke nacht belaagde. Maar hij kon het niet. De woorden wilden er gewoon niet uitkomen.

'Laat me je helpen, Jack.' Ze zag zijn blik weer op het dossier vallen. 'Lees het maar, als je wilt.' Ze schoof het naar hem toe. 'Er staat vast niets over jezelf in wat je nog niet weet.'

Jack staarde naar de map, maar raakte hem niet aan. Het was een test van kracht en vertrouwen. Ze zou niets achterhouden, mits hij sterk genoeg was om dat ook niet te doen.

Maar was hij dat?

Er ging een witte flits door zijn gedachten, zo wit als de tegels van het mortuarium, zo wit als de bloedeloze huid van meer dan tien dode vrouwen.

'Oké,' zei Jack. 'Laten we beginnen. Ik heb al genoeg van uw tijd verspild.'

9

Days Inn Grand Strand, South Carolina

Zodra Spider van de begraafplaats had meegenomen wat hij wilde hebben, ging hij regelrecht terug naar zijn kamer in het Days Inn Grand Strand, enkele minuten rijden van het vliegveld Myrtle Beach International.

De grafschennis had Spider geen slapeloze nacht bezorgd. Verre van dat. Die daad had hem net zo opgewonden en uitgeput als welke denkbare seksuele marathon dan ook, en na afloop had hij de hele nacht goed doorgeslapen.

Nu wordt hij wakker in zijn hotelkamer en kijkt om zich heen om zich te oriënteren. Hij vraagt zich af hoe die tent zelfs maar één ster heeft kunnen bemachtigen, laat staan twee. Buiten hoort hij kinderen schreeuwend en lachend in het zwembad springen. Hij beseft dat hij behoefte heeft aan eten, drinken en veel meer rust, maar dat moet wachten. Het is nu eerst zaak te ontsnappen.

Hoewel hij meer dan vijftig kilometer bij het geschonden graf vandaan is, is het hem toch te dichtbij. Ondanks het immense verlangen om in de buurt te blijven, onder de mensen te komen en hen te horen praten over wat er is gebeurd, weet hij dat hij moet vertrekken. Inmiddels doorzoekt de politie natuurlijk elke vierkante centimeter van de begraafplaats, en dat betekent dat het verhaal uitgebreid op radio en televisie komt. Hij is uiterst voorzichtig geweest, en hij zal nog voorzichtiger zijn voordat hij de kamer verlaat, maar ondanks al zijn voorzorgsmaatregelen is er altijd een kans dat mensen hem zien, al heeft hij hen niet gezien.

Spider gaat naar het toilet en neemt dan een lange, warme douche. Er zijn twee witte badhanddoeken. Hij pakt er een, droogt zich voor een deel af, slaat hem om zich heen en gaat op het bed zitten.

Hij merkt dat hij diep ademhaalt en dat zijn handen beven. Zelfs na al die jaren, al die moorden, heeft hij de volgende dag nog steeds de bibbers. Hij weet dat het alleen maar spanningen zijn, het begin van een paniekaanval. In deze fase is de angst betrapt te worden het grootst, en hij weet uit ervaring dat die angst des te sneller verdwijnt naarmate hij verder bij de plaats van het misdrijf vandaan komt.

Als hij zich wat beter voelt, gaat hij naar het bed terug en laat zich daarop zakken. Met de afstandsbediening gaat hij de tv-stations langs, van het ene naar het andere kanaal, op zoek naar nieuws uit Georgetown. Het station WTMA is bezig met een waarschuwing voor tropische depressies en wervelstormen, en WCSC zit midden in een reportage over een vrouw in Mount Pleasant die is verdronken terwijl ze met een boot voor de kust van Sullivan's Island voer. Hij gaat naar WCBD en herkent meteen de videobeelden van de begraafplaats die hij zojuist heeft verlaten. Na enkele seconden verschijnt er een verslaggever, vermoedelijk een latino, in beeld. Hij praat met een presentator in de studio: 'Hier in de hechte gemeenschap van Georgetown heersten vandaag alom verbijstering en verontwaardiging. De meeste mensen hier vinden het niet alleen schandelijk maar ook monsterlijk weerzinwekkend. Tv-ploegen en journalisten zijn buiten de begraafplaats gehouden, maar zoals je hebt gezien aan de opnamen die we vanaf de openbare weg hebben genomen, is de grafschennis verschrikkelijk en extreem. Men vraagt zich hier af of dit het werk is van trofeejagers of anders van een diep gestoorde persoon met een geestesziekte die hem ertoe brengt de graven van moordslachtoffers te schenden. De politie van Georgetown heeft vandaag categorisch verklaard dat ze in dit stadium geen reden ziet het incident in verband te brengen met de moordenaar van Black River, de vermoedelijke seriemoordenaar van wie wordt aangenomen dat hij verantwoordelijk is voor de moord op Sarah Elizabeth Kearney.'

Spider is tegelijk geamuseerd en geërgerd. Gelooft de pers echt zulke onzin? Hebben ze niet het verstand om te beseffen wat er echt aan de hand is? Hij betwijfelt dat de politie zo dom is. Ze zullen de betekenis van wat er is gedaan toch wel inzien?

Hij gaat weer op het bed liggen, zijn natte haar op het kussen. Op het kussen naast hem ligt de andere badhanddoek, die voorzichtig om het voorwerp van zijn genegenheid is gewikkeld. De losse schedel van Sarah Kearney. Spider draait zich op zijn linkerzij en strijkt met de vingers van zijn rechterhand heen en weer over het gladde bot. Is het echt al twintig jaar geleden? Twintig jaar sinds hij de intimiteit van haar dood met haar deelde, en de geheime genoegens van haar koele lichaam?

'We moeten straks weg, mijn kleine Sugar,' zegt hij zachtjes, en hij drukt een lichte kus op het midden van haar voorhoofd. 'Slaap nog maar even, maar dan moeten jij en ik weg. We hebben allebei nog veel te doen.'

10

San Quirico D'Orcia, Toscane

Nancy King ontspande zich op het schaduwrijke terras. Onder het genot van haar eerste cappuccino van die ochtend bekeek ze Paolo's nieuwe zomermenu. Tot haar genoegen stonden de meeste van haar oude favorieten er nog op, inclusief een aantal klassieke '*La Pasta Fatta in Casa*', met een verbazingwekkend eenvoudige tomatensaus bij de fantastische zelfgemaakte linguini of tagliatelli. Hoe haalden de Italianen zoveel smaak uit zo weinig ingrediënten? Ze legde het menu neer, nam een slokje van haar koffie en tuurde door het waas van de zon dat over de dalen hing. Het Toscaanse landschap golfde als een groene zee die zich naar een ver, onzichtbaar strand rolde. De pastelblauwe hemel was wolkeloos, eindeloos en smetteloos. Nancy voelde zich levendiger, meer ontspannen dan in jaren. Toscane was inderdaad de juiste plaats om opnieuw te beginnen.

Jovanna, een van de twee serveersters, legde schone, witte tafellakens neer voor de lunch. Ze klakte met haar schoenen over de patiotegels en het houten terras en verbrak daarmee Nancy's moment van meditatie.

'*Scusi, Signora,*' zei ze respectvol. 'Er is iemand voor u bij de receptie. Van de politie.'

Nancy hield haar adem in. Ze stak haar blote voeten in haar sandalen en liep vlug van het door de zon verwarmde terras de koelte van de hotelreceptie in. In die weinige seconden gingen alle denkbare rampen door haar hoofd. Was Jack weer ingestort? Had een krankzinnige amok gemaakt op Zacks school in Pienza? Waarom stond er onaangekondigd een Italiaanse politieman bij haar op de stoep?

Nancy had een politieman verwacht, een zwartharige *carabiniere* met een stoppelbaard en de obligate witte handschoenen. In plaats daarvan stond er een mooie jonge vrouw in een antracietgrijs pakje van onberispelijke snit op de marmeren vloer van de receptieruimte.

'*Buon giorno, Signora King?*' vroeg de vrouw.

'*Sì.*' Nancy aarzelde. Haar hart sloeg over.

'*Buono, sono Ispettore Orsetta Portinari. Ho bisogno...*'

'In het Engels, zeg het in het Engels!' snauwde Nancy, die haar angst niet kon bedwingen.

'Neemt u me niet kwalijk,' zei de politievrouw. Ze zweeg even en schakelde toen moeiteloos op de andere taal over. 'Ik ben Orsetta Portinari en ik ben gestuurd door mijn baas Massimo Albonetti in Rome. Mijn baas en meneer King hebben enige tijd geleden samengewerkt en nu heeft Signore Albonetti me hierheen gestuurd om te vragen of meneer King ons wil helpen.'

Nancy's angst nam wat af. 'U bedoelt dat er niets aan de hand is? Er is Jack niets overkomen, of mijn zoon?'

De jonge inspecteur keek verbaasd. 'Het spijt me. Ik begrijp het niet. Uw zoon?'

Nancy streek haar haren uit haar gezicht. 'U komt me niet vertellen dat er iets ergs is gebeurd met mijn man of mijn zoon Zack? Er is hun niets overkomen?'

Orsetta schudde haar hoofd. 'Nee. Er is hun niets overkomen.'

Nancy leunde tegen de zwart granieten balie van de receptie en slaakte een zucht van verlichting. Ze beheerste zich en keek de rechercheur weer aan. 'Het is vreemd, maar als je iemand van de politie ziet, denk je altijd het ergste – al ben je tien jaar met een politieman getrouwd.'

'*Sì*,' zei Orsetta.

'Jack is er momenteel niet. Hij is de hele dag weg,' zei ze. 'Waar gaat het precies over?'

Orsetta's gezicht verried al dat ze Nancy geen duidelijk antwoord zou geven. 'Met alle respect, mevrouw King, dit is een politiezaak en ik wil het liever rechtstreeks met uw man bespreken.'

Na tien jaar huwelijk met een politieman wist Nancy dat ze werd afgescheept. Ze wist ook dat de politie vragen alleen uit de weg ging als de zaak erg belangrijk was. Ze dacht meteen weer aan Maria's krant. 'Gaat het over dat vermoorde meisje?'

De rechercheur fronste haar wenkbrauwen. 'Ik moet echt rechtstreeks met uw man praten. Hebt u misschien zijn mobiele nummer?'

Nancy keek haar fel aan. Blijkbaar was de Italiaanse politie net zo grof en opdringerig als de Amerikaanse. 'Dat geef ik u liever niet. Wij hebben niets meer met de politie te maken. Nou, wilt u een boodschap achterlaten of niet?'

Orsetta kreeg een kleur. 'Dit is mijn kaartje,' zei ze. Ze legde het snel op de koude balie neer. 'Het is een dringende politiezaak. Wilt u hem vragen mij te bellen zodra u hem ziet?' Ze keek Nancy strak aan. 'Dit is geen verzoek, Signora. Het is een opdracht.'

Een seconde keken de twee vrouwen elkaar aan. Toen glimlachte Orsetta zo vriendelijk als ze kon, alvorens zich elegant op haar volmaakte hakken om te draaien en het hotel te verlaten.

11

Days Inn Grand Strand, South Carolina

De mevrouw die de telefoon opneemt bij UMail2Anywhere komt haar belofte na. Binnen een uur nadat hij heeft gebeld, brengt Stan, de boodschappenjongen, hem een eind noppenfolie, vier kartonnen dozen, drie vellen bruin papier en een rol plakband. Spider komt met zijn handen onder de motorolie naar de deur, laat de jongen de artikelen op zijn bed leggen, wast dan vlug zijn handen en geeft hem een fooi. Hij heeft net alle vingerafdrukken van de schedel geboend en is niet van plan nieuwe te maken op het verpakkingsmateriaal waarin hij Sugar naar huis wil sturen.

Stan blijft bij het zwembad rondhangen. Hij drinkt cola met citroen en kijkt naar de meisjes, terwijl de cliënt die hem een fooi heeft gegeven een of ander breekbaar voorwerp inpakt dat diezelfde middag per luchtpost verzonden moet worden. Het lijkt hem een sympathieke kerel. Niet veel klanten geven tegenwoordig nog een fooi, laat staan dat ze naar zijn naam vragen en hem bedanken voor de moeite. Voor zo iemand wil hij ook best even wachten. Die man zei zelfs dat hij hem misschien aan ander werk kon helpen, dingen wegbrengen voor wat meer dan het minimumloon dat hij bij UM2A krijgt. Hij zei dat hij later die dag misschien iets voor hem heeft, als hij eerst dit pakje wegbrengt en er heel goed op past.

Intussen trekt Spider katoenen handschoenen aan. Nog niet zo lang geleden heeft hij gelezen dat de politie afdrukken kon vinden van mensen die rubberen handschoenen hadden gebruikt. Hij weet niet of dat zo is, maar hij neemt geen risico's. Als hij klaar is, zal hij de handschoenen meenemen. Intussen gebruikt hij een klein mesje om een stuk van de noppenfolie af te snijden en in Sara Kearneys schedel te proppen. Het plastic dat uit de oogkassen en kaak puilt, is net een groteske illusie van membranen, spierweefsel en zelfs leven. Hij doet ook een vel noppenfolie om de buitenkant, doet daar weer plakband omheen en stopt het geheel in een van de kleinere dozen die Stan voor hem heeft gehaald. Hij doet daar plakband omheen en verpakt dat alles weer in een vel bruin papier. Hij snijdt nog meer noppenfolie af, plakt dat om de doos heen en legt hem in een van de grotere dozen. Het past precies. Hij doet plakband op alle naden en bedekt de buitenkant dan zorgvuldig met de twee overgebleven vellen bruin papier. Hij pakt een zwarte viltstift uit zijn tas en schrijft het adres in onpersoonlijke hoofdletters die geen enkele indicatie van zijn echte handschrift geven. Hij onderbreekt zijn werk enkele seconden en snuift langzaam en tevreden aan de pen. Die ruikt naar zuurtjes. Spider denkt aan deze snoepjes en glimlacht om de ironie ervan. Wie had kunnen denken dat de onschuldige genoegens van de jeugd nog eens bij je opkomen als je bezig bent het losse hoofd te verpakken van een vrouw die je twintig jaar geleden hebt vermoord?

Hij maakt de overgebleven dozen plat en stopt ze met het plakband en de noppenfolie in zijn tas. Vervolgens draagt Spider de doos naar de galerij en zet hem bij de voordeur neer. Zijn kamer bevindt zich op de eerste verdieping van het motelblok met twee bovenverdiepingen en vanuit de deuropening kan hij Stan goed zien. De jongen kijkt naar tienermeisjes met zulke smalle bikini's dat je ze als floss zou kunnen gebruiken.

'Hé, Stan!' roept hij.

De boodschappenjongen onderbreekt zijn puberale dagdromen en steekt zijn hand op om te laten weten dat hij het heeft gehoord. Als Stan op de galerij verschijnt, heeft Spider zijn handschoenen al uit. Hij heeft een mobiele telefoon tussen zijn linkeroor en schouderblad en schrijft iets op een blocnote van het motel terwijl hij zogenaamd met iemand staat te praten.

'Ja, goed. Ik ben daar ongeveer over een uur mee klaar en ik kan de papieren in de loop van de middag naar je faxen. Maak je maar geen zorgen.'

Stan ziet dat de man het heel druk heeft. Hij knikt naar het pakje op de vloer en vraagt: 'Kan het weg?'

'Wacht even,' zegt Spider tegen zijn gesprekspartner. Hij houdt zijn hand over het mondstuk van de telefoon en zegt tegen Stan: 'Ja, neem maar mee. Nogmaals bedankt voor het wachten. Ik bel je later over die baan.'

'Graag gedaan,' zegt Stan. Hij pakt de doos op en loopt glimlachend weg.

Spider doet weer alsof hij aan het telefoneren is. Hij kijkt de jongen na tot hij uit het zicht verdwenen is en gaat dan de motelkamer weer in. Hij haalt een fles inkt uit zijn tas en morst daaruit opzettelijk op de lakens en het kussen. Vlug gebruikt hij de handdoeken van het motel om de inkt op te vegen, waarna hij de hele troep in de douche legt en de kranen opendraait. Vervolgens belt hij de roomservice en zegt dat hij is gestruikeld en overal inkt heeft gemorst, maar dat hij de lakens aan het weken is om de vlekken eruit te krijgen. Een Mexicaans kamermeisje is vlugger in zijn kamer dan een honderdmeterloper die aan de steroïden is. Ze schreeuwt hem in het Spaans toe, maar komt tot bedaren als hij haar tien dollar geeft, haar helpt de drijfnatte spullen uit te wringen en ze in haar wagentje te leggen. Hij voelt zich beter nu hij weet dat alle lakens, de sprei, de kussens en de handdoeken die sporen van zijn DNA kunnen bevatten binnen tien minuten in de kookwas zitten.

Spider controleert de hele kamer nog eens om er zeker van te zijn dat hij niets heeft achtergelaten. Dan pakt hij zijn bezittingen, doet de deur op slot en gaat naar de dag en nacht geopende receptie, waar hij om zijn rekening vraagt. Hij doet alsof hij zich schaamt voor 'het ongeluk' en is beleefd en verontschuldigend. Na een telefoontje naar de huishoudelijke afdeling wordt hem verteld dat alles in orde is en dat hij niets extra's hoeft te betalen. Hij bedankt de receptioniste, betaalt cash en gaat naar buiten om zijn zilverkleurige Chevrolet Metro-huurauto van het parkeerterrein te halen. Het is maar een paar minuten rijden naar de Thrifty Rent-a-Car aan Jetport Road, waar hij een vals rijbewijs heeft gebruikt om de auto van tachtig dollar per dag te huren en ook cash heeft betaald. Die goeie ouwe onnaspeurbare cash, de internationale valuta van de misdaad.

Het duurt een eeuwigheid voordat de baliebediende bij hem komt, en dan maakt hij net als iedereen heftig bezwaar als ze hem een extra bedrag voor benzine in de maag splitsen. Hij doet nog steeds alsof hij ontevreden is als hij de bus naar de hoofdterminal van het vliegveld neemt. Spider gaat eerst naar de ticketbalie van Delta, waar hij cash betaalt voor zijn enkele reis om South Caroline te verlaten. Hij levert zijn tas in, haalt zijn instapkaart op en gaat ergens iets eten.

Hij heeft nog tijd genoeg voordat zijn vlucht vertrekt.

Hij moet nog één ding doen. Nog één belangrijke zaak afhandelen voordat hij in het vliegtuig kan stappen.

12

Florence, Toscane

Waren de nachtmerries altijd hetzelfde? Durfde hij niet meer te gaan slapen als hij ze had gehad? Had hij, als hij wakker lag, flashbacks van wat er in de dromen was gebeurd? De vragen kwamen snel op Jack af, maar hij ontweek ze niet, zelfs niet toen Elisabetta Fenella hem vroeg of hij depressief, huilerig, overdreven emotioneel of zelfs impotent was.

Uiteindelijk wist ze Jack over te halen haar over zijn kinderjaren te vertellen. In tegenstelling tot degenen op wie hij had gejaagd toen hij nog bij de FBI zat, waren er geen trauma's in zijn eigen verleden: geen mishandeling of ontberingen, alleen de solide liefde en steun van twee ouders die in hun tienerjaren al verliefd op elkaar waren geworden. Ze bleven meer dan dertig jaar getrouwd, onafscheidelijk tot vijf jaar geleden, toen zijn vader kort na zijn pensionering werd doodgereden door een automobilist die doorreed. Zijn vader, Jack senior, was zijn hele werkende leven bij de politie van New York geweest en zijn moeder, Brenda, was nachtzuster geweest in het Mount Sinai Medical Centre bij Central Park. Zijn moeder was ruim drie jaar geleden midden in de nacht in haar slaap aan een hartaanval gestorven; ze was alleen geweest. Jack dacht nog steeds dat het niet alleen door de cholesterol kwam die volgens de artsen haar aderen had verstopt, maar ook doordat haar hart gebroken was.

'Zou het redelijk zijn om te zeggen...' zei Fenella, die in haar dossier keek, '... dat je onder ontzaglijke druk stond voordat je instortte?'

'Dat hoort bij het werk,' merkte Jack op. 'Ik weet niet of ik toen meer onder spanningen gebukt ging dan anders.'

'Maar als we naar de tijden kijken dan zien we dat je moeder sterft en dat je weken later instort op een vliegveld. Denk je dat die twee dingen helemaal los van elkaar staan?'

Jack had een hekel aan pasklare psychologie. Het leven zat vol rottige toevalligheden. Soms gebeurden veel goede dingen tegelijk en soms kreeg je de ene na de andere beroerde kaart gedeeld. 'Ik geloof geen moment dat de dood van mijn moeder op welke manier ook heeft bijgedragen aan mijn ziekte,' zei hij een beetje geërgerd. 'Natuurlijk hield ik van haar, natuurlijk werd ik er heel verdrietig van, maar dat heb ik verwerkt. Ik zag in dat er een eind aan dat deel van mijn leven was gekomen. Luister,' ging Jack op scherpe toon verder, 'elke werkdag van mijn leven kwam ik met een of andere vorm van dood in aanraking. Ik heb allerlei dode moeders, dode kinderen en zelfs dode baby's gezien. Ik zag de dood in mappen met politiefoto's, op marmeren platen in het mortuarium onder de snorrende schedelzaag bij een sectie, en ik zag de hunkering naar moord in de ogen en zielen van alle rotzakken die een medemens van het leven hadden beroofd. Ik ken de dood; die is mijn hele leven al dicht bij me.'

Fenella zweeg. Ze liet het vuur van zijn monoloog vervliegen in de lucht om hen heen. Ze wist dat ze hem ruimte moest geven. Uiteindelijk zou hij inzien dat zelfs hij zich de tijd had moeten gunnen om echt om zijn ouders te rouwen. Ze ging verder en maakte de map op de salontafel open. De gruwelijke details van wat de Black River-killer had gedaan waren verschrikkelijk om te lezen, zelfs voor een geharde professional. 'Dat was de zaak waaraan je werkte toen je ziek werd. Zestien slachtoffers, misschien meer, in een periode van minstens twintig jaar.'

'Ongetwijfeld meer,' zei Jack. Hij keek naar de papieren in de map, en meteen gingen de sluisdeuren van zijn geheugen open: gezichten van slachtoffers, glazige dode ogen, lijken die verminkt waren doordat de moordenaar het lichaamsdeel had afgezaagd dat hij altijd als trofee hield. Al die gruwelen gingen weer door hem heen.

'Vertel me over hem,' drong Fenella aan.

Jack kon zoveel vertellen dat hij niet wist waar hij moest beginnen. 'BRK, zoals de pers hem noemde, begon als zovelen van hen. Zijn eerste prooi – dat wil zeggen, de eerste voorzover wij weten – was een jonge vrouw die in haar eentje woonde. Hij ontvoerde en vermoordde haar en gooide haar lichaam in de Black River; vandaar zijn bijnaam. Toen hij eenmaal besefte dat hij straffeloos kon moorden, kreeg hij de smaak pas goed te pakken. Hij kreeg meer zelfvertrouwen en sloeg aan het experimenteren. Zijn afwijkende seksuele gedragingen gingen waarschijnlijk verder, zijn fantasieën gingen dieper, en we ontdekten dat hij de vrouwen nu martelde voordat hij ze doodmaakte.'

Fenella nam een slokje water en maakte aantekeningen. Jack ging verder. 'Het hoorde bij zijn werkwijze dat hij de lijken zo lang mogelijk bij zich hield. Zodra het ontbindingsproces zichtbaar werd, deed hij ze snel weg door ze in de Black River te dumpen. Toen hij meer ervaring kreeg, hakte hij de lichamen in stukken en werden de losse delen met extra gewicht in vuilniszakken gedaan die kilometers bij elkaar vandaan in de rivier werden gegooid. Bij elke moord werd het moeilijker hem te pakken te krijgen.'

'Hoe vaak denk je aan de Black River-killer?' vroeg ze.

'Vaak. Ik denk vaak aan hem.'

Fenella keek naar enkele gegevens in haar aantekeningen. 'Het is meer dan drie jaar geleden dat je aan die zaak werkte. Waarom denk je nog zoveel aan hem?'

Jack haalde zijn schouders op.

'Denk je aan hem als er een nieuwe moord is gepleegd, of denk je zomaar aan hem, zonder een duidelijke reden?'

'Hij heeft geen moord meer gepleegd sinds ik aan het onderzoek werkte. De zaak waaraan ik werkte toen ik instortte, betrof zijn laatste slachtoffer.'

Fenella maakte weer een notitie en zei: 'Dus het is niet zo dat nieuws over hem je gedachten en nachtmerries in gang zet?'

'Nee. Hij is altijd ergens in mijn gedachten. Ik raak zijn schaduw nooit kwijt. Hij ligt altijd op de loer.'

'Vertel me wat je denkt als hij overdag in je gedachten komt.'

'Dan vraag ik me af wat hij doet, met wie hij zijn leven deelt, hoe hij met zichzelf kan leven. Hoe normaal hij misschien is, of lijkt.'

Fenella wist dat hij zelfcensuur pleegde. De moordenaar legde nog veel meer beslag op hem dan hij nu wilde laten blijken. 'En denk je vaak aan de gevoelens die hij had als hij die dingen deed?'

'Nee, niet zo vaak als vroeger,' antwoordde hij. 'Toen ik aan de zaak werkte, dacht ik daar veel aan. We zijn erin getraind om zo te denken, om ons in de positie te verplaatsen van de mensen op wie we jagen. We moeten proberen ons een voorstelling te maken van hun gedachten en gevoelens, te begrijpen hoe het is om te doen wat ze doen.'

'En hoe denk je dat het is?'

'Voor hen? Wat ik denk dat uitschot als BRK voelt als hij die dingen doet?'

'Ja.'

Jacks gezicht werd harder. 'Ik denk dat het voor hen een geweldige ervaring is. Iets goddelijks. Ze hebben letterlijk de macht over leven en dood. Voor de BRK's in deze wereld is iemand vermoorden de ultieme sensatie. Niets ter wereld is ermee te vergelijken, en als ze het eenmaal hebben ervaren, zijn ze er net zo goed aan verslaafd als wanneer moord een narcoticum zou zijn.'

De flashbacks kwamen terug: bloedspatten, lijken die in de rivier dreven, het zoeken naar vingertoppen. Jack zette die beelden weer uit zijn hoofd.

Fenella boog zich op de bank naar voren en dempte haar stem. 'Je klinkt niet veroordelend. Hoe doe je dat?'

Hij keek haar vragend aan. 'Hoe doe ik wat?'

'De walging onderdrukken, de weerzin die je moet voelen.'

Jack antwoordde meteen. Als hij eerlijk was, zou hij moeten zeggen dat hij helemaal niets meer voelde. Al die gruwelijke moorden hadden hem volledig afgestompt. Maar hoe kon hij dat hardop zeggen zonder onmenselijk over te komen? Hoe kon hij toegeven dat slachtoffers en moordenaars geen mensen meer voor hem waren maar objecten en raadsels, ijskoude algebra van geweld? 'Het is een goede vraag,' gaf hij toe. 'Als ik me veroordelend zou opstellen, zou ik mezelf oogkleppen opzetten, en dat kun je je als onderzoeker niet veroorloven. Een moordenaar of verkrachter die ik ondervraag, mag daar geen teken van zien. Wat ze ook hebben gedaan, of ze nu iemand van het leven hebben beroofd of niet, ik moet hun laten zien dat ik probeer te begrijpen waarom ze het deden. Ik moet hen niet direct veroordelen.'

Fenella merkte dat hij nog steeds sprak als een FBI-agent en zich ook in hoge mate zo gedroeg. Daar zou ze op terugkomen, misschien pas in een volgende sessie, als die er zou komen. Omdat hij openlijk en vertrouwelijk praatte, durfde ze zich op gevaarlijker terrein te wagen. 'Ik wil het nu over je nachtmerries hebben. Kun je daarover praten?'

Jack verschoof afwerend op de bank. 'Worden we nu freudiaans en jungiaans?'

Ze keek hem weer met een van haar glimlachjes aan. 'Misschien een beetje. Freud noemde dromen "de koninklijke weg naar het onderbewustzijn" en ik denk dat het de moeite waard is om die weg te volgen.'

'Goed, dan doen we dat.' Het verbaasde Jack dat hij zijn vingers had samengevouwen en zijn spieren spande. Hij merkte dat zijn temperatuur omhoogging en zijn hartslag versnelde. Hij deed zijn ogen even dicht en keek in de grijszwarte eierschaalduisternis van zijn geest. 'Ik ben bij een sectie. Die wordt midden in de nacht gehouden in een afgelegen stadje waar ik nooit eerder ben geweest. Het is niet mijn zaak. De rechercheur die de leiding heeft, heeft me op het laatste moment gevraagd erbij te zijn. We zijn allemaal in een souterrain of zoiets; het lijkt meer op de kelder van een huis dan op een sectiekamer. Het is koud en er hangt de weeïge lucht van verlopen olie en vochtige muren. De muren zijn van baksteen en wit gekalkt, de vloer is zwart en hard en knerpt onder je voeten, alsof je over brekend glas loopt. Er lopen roestige buizen langs het plafond en die sissen en ratelen zodat je denkt dat ze elk moment kunnen breken en barsten.'

Het valt haar op hoe beeldend en grimmig zijn taalgebruik is. Zelfs in zijn dromen heeft Jack een scherp waarnemingsvermogen. Hij is zich bewust van geluiden, geuren en zelfs dingen onder zijn voeten die hij niet kan zien.

'De patholoog-anatoom is verwoed aan het werk, bijna alsof hij een chirurg is die een leven probeert te redden, in plaats van iemand die langzaam en systematisch een lijk openmaakt. Hij beweegt zich zo snel om de marmeren plaat heen dat ik niet kan zien wie hij is. Telkens wanneer ik een positie inneem om iets tegen hem te zeggen, gaat die man naar de andere kant van het lijk. Het meisje op de marmeren plaat is de zestienjarige Lisa Maria Jenkins. Voorzover bekend is zij het laatste slachtoffer van BRK. Ze is in stukken gehakt alsof er een slager aan het werk is geweest. Hoofd, handen, benen, voeten, allemaal afgehakt. Haar linkerhand is nooit gevonden. Die heeft BRK als trofee gehouden. Maar in de droom is Lisa intact. Ze ziet er zo mooi uit als op haar laatste verjaardagsfoto, toen ze haar lange bruine haar in een staart droeg.'

Jack had er moeite mee om verder te gaan. Het was duidelijk dat de cognitieve ervaring hem dwarszat, maar Fenella vulde de stilte niet op en bood hem ook geen uitweg. Hij kneep zijn ogen even dicht en ging toen verder. 'Als ik naar haar gezicht kijk, besef ik dat er iets mis is. Ze haalt nog adem. Ik schreeuw: "Hé, kijk, ze leeft nog!", maar de patholoog-anatoom trekt zich daar niets van aan en snijdt haar gewoon open. Hij trekt darmen en organen uit een grote holte in haar buik. Plotseling springen de buizen langs de muren en stroomt er bloed op de vloer, alsof het gigantische aderen zijn. Ik schreeuw nu: "Stop! In godsnaam, snij niet in haar, ze leeft nog!" Maar hij gaat gewoon door. Als ik om de tafel heen ren om hem vast te grijpen, haalt hij de botzaag met één snelle beweging over haar hals om haar te onthoofden. Nu herken ik hem. Ik weet nu waarom hij me heeft ontweken, waarom hij me zijn gezicht niet heeft laten zien.'

'Je zegt dat je hem herkent. Wie is het, Jack?'

Hij keek haar zonder met zijn ogen te knipperen aan. 'Ik ben het. Het monster in mijn dromen ben ik zelf.'

Toen was het Fenella's beurt om te zwijgen. Haar pen drukte roerloos op het schrijfblok.

'Vertel me, alsjeblieft: hoe kan ik die nachtmerries bedwingen?'

Fenella had met hem te doen. Ze begreep zijn dilemma, dat duister en gevaarlijk was. 'Jack, je hebt ze al in bedwang. Je kunt die gedachten helder beschrijven. Dat betekent dat je ze opzettelijk ontketent. Onbewust wíl je die dingen zien. Je hebt er behoefte aan om de zaak waar je van weggelopen bent, opnieuw te onderzoeken, en bij gebrek aan nieuwe gegevens verzint je verbeelding ze.'

Jack sloeg zijn ogen neer. Hij knikte langzaam. Hij begreep het nu, maar wat was de uitweg? 'Wat moet ik precies doen om ze tegen te houden?'

De psychiater wachtte tot hij zijn ogen naar haar had opgeslagen. 'Dat weet je al, hè?'

Ja, hij wist het.

Jack wist heel goed dat hij een eind aan de nachtmerries kon maken wanneer hij maar wilde. Maar dan moest hij zichzelf wel toegeven dat zijn persoonlijke jacht op de Black River-killer echt voorbij was.

13

FBI-kantoor, New York

FBI-agent Howie Baumguard zat achter zijn bureau en verloor een rommelig partijtje worstelen van zijn lunch. De bagel spuwde aan de ene kant zalm uit en aan de andere kant magere kaas. Hij at de kaas weg, maar de zalm kwam op zijn papieren voordat hij het spul in zijn hongerige mond kon krijgen. Hij had geen ontbijt gehad en zich gedwongen gezien een lunchafspraak af te zeggen, dus op dit moment stonden de bagel en een gloeiend hete beker koffie hoog op zijn prioriteitenlijst. Howie was te dik, niet alleen in zijn eigen ogen, maar ook in die van Carrie, zijn bonenstaak van een aan botox verslaafde vrouw, die had gezegd dat de 'zwembandjes' eraf moesten of dat Howie kon leren koken voor één persoon van de paar centen die ze hem zou overlaten nadat ze de broek van zijn reet had geprocedeerd voor alle alimentatie die ze kon krijgen.

Niet veel mensen hadden zelfs maar aan eten kunnen denken bij de aanblik van wat er op Howies bureau lag, maar de FBI-man had veel ergere dingen gezien en dan toch nog veel meer gegeten. De foto's die zojuist door het secretariaat waren gedownload en op glanzend papier waren afgedrukt, waren opgestuurd door de politie in Georgetown. Het waren goede opnamen van de plaats van het misdrijf, kil en hard maar ook buitengewoon informatief. Foto's die met groothoeklenzen waren gemaakt lieten de omgeving zien, eerst vanaf de straten langs de begraafplaats. Dan waren er de 'luchtfoto's', genomen vanuit de hoogte, vermoedelijk vanaf de kerk daar in de buurt. Op die opnamen zag je hoe de begraafplaats was ingedeeld. Geleidelijk kwamen de foto's dichter bij de grafschennis. De opnamen waren van op een afstand gemaakt, toen wat dichterbij, toen nog dichterbij, toen close-up en ten slotte bijna microscopisch.

Howies dikke vingers deden stuntelige pogingen het ontsnapte stukje zalm op te pakken. Ten slotte had hij het te pakken en veegde toen per ongeluk met de vettige vis over een opname van Sarah Elizabeth Kearneys onthoofde geraamte. Het arme kind, dacht Howie terwijl hij het vet wegveegde, nog maar tweeëntwintig toen ze werd afgeslacht. Ze had nu tweeënveertig kunnen zijn, waarschijnlijk met zelf ook een dochter en misschien zelfs kleinkinderen. Wat voor een ziek misbaksel zou iemand van zo'n toekomst beroven? En wat nog meer ter zake deed: welk nog zieker misbaksel zou haar twintig jaar later opgraven en de schedel van haar geraamte trekken? Howie schudde ongelovig zijn hoofd. Voorzover hij wist, kwam grafschennis in de eenentwintigste eeuw heel weinig voor. De zeldzame keren dat het gebeurde, was de dader meestal een dolgedraaide drugsverslaafde, of misschien een gekke duivelaanbidder of een heel enkele keer een extreem gestoorde echtgenoot die gewoon niet kon accepteren dat zijn vrouw voor altijd weg was. De politie wilde dat soort zaken altijd stilhouden en de kranten wilden daar in de regel wel aan meewerken.

Maar deze zaak was met geen mogelijkheid buiten de publiciteit te houden. O nee, de persdraden gonsden al als een bijenkoningin in de paartijd. Blijkbaar had een of andere persmuskiet uit Georgetown kans gezien ook een paar foto's te maken. Dat stuk verdriet zou wel een tip van de politie of een ambulancebedrijf hebben gehad, of misschien had hij meegeluisterd met de politieradio. Hoe dan ook, hij had exclusieve foto's gemaakt en die vlogen nu door de nieuwswereld en leverden hem smakken geld op. Howie keek naar een van de opnamen van de persmuskiet, hem toegestuurd door Billy Blaine, een volgzame New Yorkse journalist die een persbureau had en vaak tips met de FBI uitwisselde. Het was in elk geval een goede opname. Howie veegde zijn vingers weer af en hield de foto omhoog die naar zijn kantoor was gefaxt. Het was een snel gemaakte telelensfoto, maar hij was volkomen stabiel, zonder waas of trilling. Die man zou wel een van die nieuwe stabilisatoren hebben gebruikt die meer kostten dan de camera van de meeste mensen. Howie plaagde de forensische jongens er altijd mee dat de pers betere foto's maakte dan zij, en dit was geen uitzondering. De opname was vanaf een laag punt gemaakt, tussen de grafstenen door, zodat de andere graven wazig waren en je nog net een glinstering zag van zonlicht dat zich achter de fotograaf bevond. Je zag niets van de politie en het afzettingslint die het ongelooflijk moeilijk zo niet bijna onmogelijk moesten hebben gemaakt om de foto te schieten. Ondanks alle problemen bij het maken van de foto was de uiteindelijke opname haarscherp, perfect belicht en absoluut in focus. Precies in het midden zag je Sarah Kearneys onthoofde geraamte, grotesk tegen haar grafsteen gezet.

Howie schudde zijn grote hoofd weer. De foto had een schokkende uitwerking. Hij hield hem van zich af, niet omdat hij een leesbril nodig had maar om zich te kunnen verbeelden dat hij op de plaats van het misdrijf was en een paar stappen achteruit was gegaan om de situatie beter in ogenschouw te kunnen nemen. Shit, dacht Howie, als Steven Spielberg ooit horrorfilms zou maken, zou hij voor dit soort opnamen kiezen. De opname was van unieke klasse; hij joeg de rillingen door je heen en was te gruwelijk voor het tv-journaal. Internet daarentegen kende zulke scrupules niet; daar was het plaatje al razend populair. Het was al vaker gedownload dan het ophangen van Saddam.

Howie nam een grote slok koffie en dacht aan Jack King. Het was bijna twee maanden geleden dat ze elkaar voor het laatst hadden gesproken, en zelfs toen hadden ze alleen maar een praatje gemaakt. Howie was alles wat oude wonden kon openhalen zorgvuldig uit de weg gegaan. Hoe gaat het met je? Hoe gaat het met Nancy en kleine Zack? Heb je gelezen over die Yankees-ster die in Queens is opgepakt? Mannendingen waarmee ze de persoonlijke vriendschap die ze als collega's hadden opgebouwd, in leven hielden. Ze hadden samen de verschrikkelijkste dingen meegemaakt en Howie was niet van plan om een oceaan en zes uur tijdverschil tussen hem en zijn ex-baas te laten komen. Maar nu zag hij zich genoodzaakt Jack te bellen en hem over de idiote toestanden bij Kearneys graf te vertellen. Hij moest hem waarschuwen dat de pers zich nu waarschijnlijk ook weer op hem en zijn burn-out zou storten. Verdraaid nog aan toe, kwam er dan nooit een eind aan die zaak?

Howie Baumguard keek weer naar de foto's en wist wat Jack zou zeggen. Hij wist dat net zo zeker als dat zijn bonenstaakvrouw hem op een dag zou verlaten voor een jongere, fittere man die vaker thuis was. Het leed geen enkele twijfel: dit was het werk van één bepaalde man, het werk van BRK, de moordenaar die hij, Jack en de rest van de hele FBI nooit te pakken hadden kunnen krijgen.

14

Montepulciano, Toscane

Ispettore Orsetta Portinari parkeerde haar auto en liep ondanks hakken die te hoog en te modieus waren voor de meeste vrouwelijke rechercheurs, elegant over de ronde en platte stenen van de Corso, de oude hoofdstraat van Montepulciano.

Orsetta's vriendin Louisa had koffie, foto's van de nieuwe baby van haar zus en nieuwtjes van achttien maanden beloofd. Het leek Orsetta een goede manier om de tijd te verdrijven totdat die verrekte ex-FBI-kerel terugkwam van waar hij ook maar was en haar belde. *Madonna Porce!* Zijn vrouw had moeilijk gedaan; geen wonder dat die man nu niet bij haar was maar ergens anders. Het moest pure ellende zijn om met haar te leven. Orsetta kocht bloemen en Toscaanse kersen bij een marktkraam en was het huis van haar vriendin tot op minder dan honderd meter genaderd toen haar telefoon ging.

'*Pronto*,' zei ze, nog net voordat de voicemail aanging.

'Inspecteur Portinari?'

'Sì.'

'Met Jack King. Mijn vrouw zegt dat u me wilde spreken.'

Ze ging uit de zon staan, in de koele schaduw van een portiek. 'Ach, *Signore* King, *grazie*. Dank u dat u belt. Mijn baas, Massimo Albonetti, is op dit moment op een Europol-bijeenkomst in België, en hij stuurde mij om met u...'

'Massimo?' onderbrak Jack haar verrast. 'Wat wil die ouwe bok?'

'Scusi?'

Jack lachte. 'Sorry. Mass en ik kennen elkaar al heel lang. We hebben heel wat tijd met elkaar doorgebracht op de Academy, in de tijd dat jullie nog maar net geïnteresseerd waren in het Violent Criminal Apprehension Program. Werkt u voor hem?'

'Sì,' bevestigde Orsetta, die meteen haar zestien uur per dag werkende workaholic van een baas voor ogen had, in zijn donkere kantoor, wrijvend over zijn bolle kale hoofd, kettingrokend, mappen aanreikend zonder zelfs maar op te kijken. 'Ja, ik werk erg hard voor hem.'

Dat wilde Jack wel geloven. Massimo was een buldog van een man. Hij was fysiek en mentaal gespierd, en als hij zich in iets vastbeet, liet hij niet meer los, al raakten zijn teams daardoor volkomen uitgeput. 'Doet u recherchewerk, forensisch werk, profileerwerk, of wat?'

Orsetta keek naar haar nieuwe schoenen, die stoffig waren geworden en dringend aan een liefdevolle poetsbeurt toe waren. 'Ik werk op een speciale afdeling van onze nationale Eenheid Analyse Geweldsmisdrijven. We worden gedragsanalisten genoemd, maar inderdaad, je zou me een psychologische profiler kunnen noemen.'

Jack begreep het. Politiekorpsen gaven hun afdelingen vaak vreemde namen, al naargelang de luimen van welke politicus op een bepaald moment ook maar aan de touwtjes trok. 'Ik heb wel ergere namen gehoord,' zei Jack. 'Maar, rechercheur, zoals u vast wel weet, ben ik hier niet op vakantie. Ik ben met pensioen en ik help mijn vrouw – die u trouwens nogal kwaad hebt gemaakt – hier een hotel te runnen. Ik doe het werk niet meer, dus waarom benaderen jullie mij?'

Orsetta vloekte in gedachten weer op de echtgenote. 'Massimo, ik bedoel *Direttore* Albonetti, zei dat ik dat moest vergeten. Hij zei dat u nooit met pensioen ging.'

Jack lachte weer. 'Zei hij dat?'

'Eh, nee, wat hij zei was: "Jack King is net zomin met pensioen als ik. Jack King kan het woord pensioen niet eens spellen."'

Jack zweeg een ogenblik. Massimo had gelijk. Hij mocht dan geen dagen van twaalf uur meer draaien in New York en niet hele nachten forensische rapporten doornemen, zijn brein werkte gewoon door en draaide de diensten. 'Wat wil hij?'

Een scootertje met twee tieners knetterde de helling op en overstemde het gesprek. 'Scusi?' schreeuwde Orsetta met haar hand over haar andere oor.

'Wat wil Massimo?'

'Ik heb hier een dossier,' legde Orsetta boven het scootergeknetter uit. 'Het gaat om de moord op een jonge vrouw. Hij denkt dat u ons daarmee kunt helpen. Bent u in uw hotel terug, meneer King? Ik kan daarheen rijden en het u laten zien.'

Jack keek op zijn horloge. Het was vijf uur in de middag en hij moest nog dwars door Florence om de trein naar Siena te nemen. 'Nee, daar ben ik niet. Ik zal pas erg laat in de avond in San Quirico terug zijn. Ik ben in Florence, dus nog wel een paar uur bij u vandaan.'

Orsetta wilde niet dat hij haar zomaar ontglipte. 'Meneer King, de zaak waarnaar we u willen laten kijken, speelt zich ten westen van Florence af, niet te ver bij u vandaan. Als u daar blijft, kan ik daar ook heen komen.

Alstublieft, neemt u een hotelkamer voor vannacht. Mijn dienst zal maar al te graag al uw kosten vergoeden.'

Jack zweeg even. Hij vroeg zich af hoe hij Nancy het nieuws zou kunnen vertellen. Ze zou uit haar vel springen, maar hij zou het toch doen. Het vooruitzicht weer bij een actief rechercheonderzoek betrokken te zijn, was gewoon te mooi om er weerstand aan te bieden.

'Oké,' zei hij. 'U krijgt vierentwintig uur van mijn tijd. Ik bel u als ik ergens een hotelkamer heb.'

Orsetta stompte in de lucht. 'Grazie,' zei ze.

Toen Jack afscheid nam, verbrak ze de verbinding en wierp ze een spijtige blik op het huis van de vriendin die ze in geen anderhalf jaar had gezien en van wie ze nu wist dat ze haar waarschijnlijk opnieuw in anderhalf jaar niet zou zien. Evengoed: Orsetta had haar man te pakken. Toen ze voorzichtig over de steile en bochtige weg van Montepulciano terugliep, zag ze een oude vrouw die op een keukenstoel bij een open voordeur zat te slapen, met een rode doek om haar hals. Orsetta legde de bloemen en kersen voorzichtig bij de voeten van de vrouw neer en liep weg. Toen ze dat deed, vroeg ze zich af of Jack King er ook maar enigszins zo sexy uitzag als hij klonk.

15

Sofitel Hotel, Florence, Toscane

Jack kocht op hun trouwdag altijd dezelfde drie dingen voor Nancy: iets om te dragen, iets om te eten en iets om te lezen. Die drie keuzen moesten appelleren aan de zinnen die haar het meest beheersten: het zicht, de tastzin en de smaak, en Jack mocht graag denken dat hij de verbeeldingskracht bezat om interessante aankopen te doen. *Iets om te dragen* was ooit een roze winterparka, niet al te romantisch, tot ze haar hand in de zak stak en de vliegtickets naar Zweden en de reservering voor het Ice Palace vond, waar ze de volgende week zouden doorbrengen. Dit jaar was *Iets om te dragen* rood en van kant en hij hoopte dat het de magie van vervlogen jaren weer tot leven zou wekken. *Iets om te eten* was altijd een bezoek aan een nieuw restaurant geweest, behalve in het jaar dat het plaatselijke amateurgezelschap *Romeo en Julia* op de planken had gebracht. Door op de juiste plaatsen zijn insigne te laten zien had hij het decor voor die middag kunnen huren. Hij had violisten en pizza laten komen en tijdens de gangen liet hij de twee hoofdrolspelers gedeelten van het stuk opvoeren. Zeker, het was eerder komisch dan romantisch geweest, maar gedenkwaardig mocht je het toch wel noemen. Dit jaar, nou, het eten liet hij over aan Paolo, die had beloofd iets gastronomisch van buitenaardse proporties te maken, met witte truffels en Italiaanse cognac. *Iets te lezen* was altijd het gemakkelijkst geweest. Soms was het een boek geweest, soms iets wat hun relatie weergaf. Met *Mannen komen van Mars, vrouwen van Venus* was de trend begonnen en soms was Nancy zo ondeugend geweest om haar eigen specifieke verzoeken bij hem in te dienen. Dan vroeg ze om werk van buitenlandse dichters als Szymborska en Saint-John Perse. Dit jaar had Jack zijn drietal geschenken nogal gehaast samengesteld. Met een Engelse vertaling van Dantes *Divina Commedia* ging hij het Sofitel aan de Via de Cerratani binnen. Hij had er nauwelijks in gekeken, maar omdat Dante uit Toscane kwam en een middeleeuwse dichter was, nam hij aan dat zijn opportunistische koopje relevant genoeg was om in goede aarde te vallen.

Het Sofitel was gevestigd in een verbouwd zeventiende-eeuws paleis en wat vooral belangrijk was: het bevond zich dicht bij het station waar Jack de volgende morgen de trein naar zijn vrouw terug hoopte te nemen. Hij dacht dat ze dan misschien wel weer tot bedaren zou zijn gekomen.

Jack baande zich een weg door een menigte Duitse toeristen die flarden van verhaspeld Italiaans op het receptiepersoneel af vuurden. Ten slotte lukte het hem een kamer op de eerste verdieping te bemachtigen, met uitzicht op het Duomoplein. Hij was vooral erg blij met de ijskoude airconditioning die hij in Amerika gewend was. Nadat hij de ventilator op de hoogste stand had gezet, plunderde hij de minibar om bloody mary's te maken. De sessie met de psychiater had hem van zijn stuk gebracht. Niet doordat het de onzin was die hij had verwacht, maar juist doordat er zinnige dingen waren gezegd.

Fenella had gelijk. Hij was gespannen. Hij was bang.

En al had hij zich voorgenomen terug te komen voor nog meer sessies, hij wilde nu al die afschuwelijke waarheden met een fikse dosis puike Russische wodka uit zijn hoofd verdrijven.

De eerste fietste zo naar binnen.

Hij streek met zijn vinger over de binnenkant van het glas en likte er tomatensap af. Enkele minuten later nam hij de tweede mee naar het bed, waar hij op neerplofte. Hij trapte zijn schoenen uit en belde Portinari om te horen waar ze was en te beslissen of hij nog even zou wachten met eten of niet. Hij kreeg een opname in het Italiaans en veronderstelde dat het de bedoeling was dat hij zijn naam en nummer insprak. Nadat hij de tweede wodka met tomatensap achterover had geslagen, zette hij CNN aan en besloot de tijd te verdrijven door Nancy's nieuwe boek te bekijken. Het had de oorspronkelijke Italiaanse tekst op de linker- en een Engelse vertaling op de rechterkant van de pagina's. Jack werkte de inleiding over Dante door: dat hij de grondlegger van de Italiaanse taal voor het gewone volk was, een kort verhaal over zijn ballingschap in een huis niet ver van het hotel waar hij nu logeerde, en enige opmerkingen over de twee schrijvers die de vertaling hadden verzorgd. Uiteindelijk kwam hij aan het eerste canto toe en las het Italiaans hardop voor met zo'n lelijk accent dat hij het land uit zou zijn gezet als hij het in het openbaar had gedaan. '*Nel mezzo del cammin di nostra vita, mi ritrovai per una selva oscura, ché la diritta via era smarrita.*' Jack begreep er geen woord van, maar genoot evengoed van elke lettergreep. De melodie van zijn woorden walste door zijn mond als goede oude wijn. Hij keek naar de vertaling en vond daarin zo'n persoonlijke weerklank dat hij er even stil van was. 'Midden op de weg van ons leven bevond ik mij in een donker woud, want ik was van het rechte pad geraakt.' Op dit moment voelde hij zich precies zo. Hij vroeg zich af hoe zijn leven in de elitaire profileereenheid van de FBI zo snel veranderd was in een leven als hotelhouder in Italië. Was hij hier uit vrije keuze of omdat hij niet meer tegen de duisternis bestand was geweest die in de Verenigde Staten over hem heen was gekomen?

Het volgende glas verdreef zijn melancholie. De alcohol liet hem algauw in slaap vallen, al was dat niet zijn bedoeling geweest. Deze keer droomde hij iets moois. Hij was ergens met Nancy, ver weg, op een golvende Toscaanse helling, de zon zo fel als altijd. Zack rende voor hen uit, een verjaardagsballon aan zijn pols gebonden. Toen Jack naar de ballon keek, plofte die met zo'n harde klap dat zijn bloed er sneller van ging stromen. Jack ging rechtop in bed zitten en besefte dat hij het geluid had gehoord van iemand die op zijn deur klopte. Toen hij erheen liep om open te doen, keek hij op zijn horloge en zag dat hij bijna drie uur had geslapen. 'Een ogenblik!' riep hij. Hij wreef over zijn ogen en bekeek zich in de spiegel van de kleerkast. Instinctief schoof hij de afdekking van het kijkgaatje opzij om te zien wie er voor de deur stond. Turend vermoedde hij dat het iemand van de receptie was met een boodschap voor hem. 'Signore King?' vroeg een donkerharig meisje toen hij opendeed. Ze had inderdaad een map bij zich die er nogal officieel uitzag.

'Hallo daar,' zei hij slaperig, en hij klopte op zijn zak. 'Wacht even, dan haal ik een pen.'

Hij liet haar daar staan. De deur klapte zo ongeveer in haar gezicht dicht, terwijl hij op zoek ging naar een pen en een paar losse euro's als fooi.

'Sorry,' zei Jack toen hij weer opendeed. De munten rinkelden in zijn hand.

Het meisje stond er verbaasd bij en Jack keek nog eens wat beter naar haar. Ze deed hem denken aan een Italiaanse Keira Knightley, maar dan groter en een beetje gespierder dan de vederlichte filmster. 'U hebt iets voor me?' zei hij, knikkend naar haar map. 'Moet ik eerst tekenen?'

'Signore, ik wil niet dat u iets tekent,' zei ze, en ze stak haar hand uit. 'Ik ben inspecteur Portinari.'

'Shit! Wat spijt me dat,' zei Jack. Hij stopte de euro's die hij haar als fooi wilde aanbieden behendig weg en schudde haar uitgestoken hand. 'Komt u binnen. Het is een lange dag geweest en ik verwachtte u al bijna niet meer.'

Deze keer hield hij de deur voor haar open. Toen ze zich langs hem perste, zag ze dat zijn uiterlijk niet onderdeed voor de krachtige mannelijkheid die ze door de telefoon in zijn stem had gehoord. In elk geval was hij veel langer en breder dan ze zich had voorgesteld.

'Sorry dat ik zo laat ben.' Ze deed de deur achter zich dicht. 'Het Italiaanse verkeer is altijd verschrikkelijk, en bij de receptie kostte het me moeite om een kamer te krijgen.'

'Te veel gasten en niet genoeg personeel,' zei Jack. 'Wilt u iets drinken?'

'Is dat koud?' antwoordde ze, knikkend naar een ongeopende fles Orvieto die Jack uit de minibar had gehaald om bij de wodka te kunnen komen.

'Min of meer.' Jack voelde de temperatuur van de fles. 'Wilt u het riskeren?'

'Ja, alsjeblieft,' antwoordde ze. Ze ging in een stoel naast het bed zitten en bekeek de kamer.

Jack ontkurkte de wijn en schonk twee glazen in.

'*Salute,*' zei ze, en ze liet haar glas tegen het zijne tikken.

'*Salute.*' Jack bedacht even hoe anders Italiaanse politievrouwen eruitzagen dan veel van de gewapende, negentig kilo zware dames met wie hij in de Verenigde Staten had samengewerkt.

Terwijl Orsetta een slokje nam, keek ze over de rand van het glas naar de man over wie ze zoveel had gehoord en gelezen. In profileerkringen waren Jack Kings gepubliceerde theorieën, lezingen en case study's even legendarisch als zijn burn-out. Hij had zich gespecialiseerd in seriezedendelicten en Orsetta had gelezen dat hij in de loop van zijn carrière rechtstreeks betrokken was geweest bij het onderzoek naar, en de veroordeling van, vijftien serieverkrachters en vijf seriekindermisbruikers. Zijn succes met seriemoorden was nog indrukwekkender: negenentwintig successen in de dertig zaken waaraan hij had gewerkt. Er was maar één serie waarbij dat hem niet was gelukt, en die stond in verband met de zaak die ze nu aan hem wilde voorleggen.

'We zitten met een moord,' begon ze, terwijl ze het wijnglas voorzichtig op een salontafel zette die voor de helft bedekt was met tijdschriften over Florence, 'die verontrustend veel overeenkomst vertoont met de Black River-zaak.'

Jacks gezicht verried niets, maar hij voelde dat zijn hart sneller ging slaan. Hij liet de wijn even door zijn glas walsen en vroeg: 'Hoeveel overeenkomst?'

'Veel,' zei Orsetta. 'Ik heb hier een kort dossier.' Ze tikte op de map die naast haar lag. 'Het bevat een vertrouwelijke briefing die Massimo Albonetti voor u heeft opgesteld.' Ze wilde de map pakken, maar hij stak zijn hand op.

'Nee, alstublieft, niet vanavond. Ik heb een lange dag gehad, en eerlijk gezegd ben ik op dit moment echt niet in de stemming voor dat soort dingen.'

Door zijn aarzeling vroeg Orsetta zich af of het echt alleen maar door het late uur kwam, of dat Jack gewoon nog niet over zijn burn-out heen was, met alle emotionele bagage die daar ongetwijfeld aan vast zat. 'Morgenvroeg ontbijt?' stelde ze voor. Ze glimlachte en keek intussen of er zich spanning op zijn gezicht aftekende. 'Dan kunnen we het bespreken.'

'Prima,' zei Jack, en hij schonk hun glazen nog eens vol. 'Wilt u olijven? Ik heb een potje olijven in de koelkast.'

De glimlach verdween. 'Meneer King, u zou beter moeten weten dan een Italiaanse dame olijven uit een potje in een hotelkamer aanbieden.'

Als blikken konden doden, plofte er al aarde op Jacks doodkist neer. Jack gooide een menu van de roomservice naast haar op het bed. 'Wilt u iets te eten uitkiezen en me helpen deze fles leeg te maken? Ik wil graag een biefstukje en wat salade, en dan ga ik slapen. We kunnen een tijdje praten en eten.'

De helft van Orsetta wilde naar haar eigen kamer gaan, een bad nemen en vroeg naar bed gaan. Maar haar andere helft won het altijd. 'Dat klinkt goed,' zei ze, en ze gaf hem het menu terug. 'Ik wil mijn biefstuk graag medium rare.'

Orsetta keek naar hem terwijl hij de telefoon pakte om te bestellen. Zijn haar was ravenzwart en modieus kortgeknipt, maar niet zo kort dat ze er geen handvol van vast zou kunnen pakken als ze haar vingers erdoorheen streek. Hij had markante jukbeenderen, maar zou zich moeten scheren, want hij had een vage stoppelbaard die sommige vrouwen ruig vonden maar die zij alleen maar slordig vond. Hij was eenvoudig gekleed: wit overhemd en zwarte broek. Het wit stak af tegen een gezonde, lichtbruine huid, het soort bruin dat van nature is ontstaan, niet het soort dat je krijgt door op het strand in de zon te liggen bakken. Aan de contouren van zijn schouders kon ze zien dat hij gespierd was, en ze vond het ook prettig dat hij niet met zijn lichaamsbouw te koop liep. Zijn overhemd was wijd en alle knoopjes zaten dicht, behalve het bovenste.

'Twintig minuten,' zei Jack, en hij legde de telefoon neer en keek haar aan. Orsetta wendde zich af. Ze geneerde zich een beetje; misschien had hij gemerkt dat ze naar hem keek.

Jack deed alsof hij niets van haar aandacht had gemerkt, maar er was hem niets ontgaan. Hij pakte zijn glas wijn weer op, ging in een stoel tegenover haar zitten en zei: 'Ik denk dat Massimo je om drie redenen heeft gestuurd. Ten eerste ben je ongetwijfeld een erg goede rechercheur en heeft hij respect voor je beoordelingsvermogen. Ten tweede wil hij dat je nagaat of ik opgewassen ben tegen de zaak waarvoor jullie hulp willen, of dat ik een druif ben en het tijdverspilling zou zijn om mij te vragen.'

Orsetta keek verward. 'Hoe zou jij een druif kunnen zijn?'

Jack lachte. 'Ja. Dat is een uitdrukking, een zegswijze van ons. Het betekent dat iemand niet veel waard is.'

'O,' zei Orsetta, en ze gebruikte de humor van dat moment om eerlijk te zijn. 'Ja, ik denk dat je gelijk hebt. Maar ik denk ook dat mijn baas het beste met je voor heeft. Ik moet van hem onderzoeken of een zaak als deze niet te onaangenaam voor jou zou zijn. Hij weet wat je hebt doorgemaakt en hij heeft alleen maar het grootste respect voor je.'

Jack glimlachte vaag. Hij wist dat Massimo bij het vragen om hulp behoedzaam te werk moest gaan en nam aan dat hij het zelf niet anders zou hebben aangepakt als het andersom was geweest. 'En ten derde: als je denkt dat ik het aankan, weet hij dat jij me moet overreden om jullie te helpen, want laten we het onder ogen zien: ik heb ongeveer evenveel behoefte aan zo'n klus als een afgekickte alcoholist aan een gratis doos whisky.'

'En ben je te overreden?' vroeg Orsetta.

Jack zei niets. Hij nam weer een slok wijn en merkte dat hij ontspande. Hij was blij dat hij deze avond gezelschap had, al was het gevaarlijk charmant gezelschap.

'Misschien niet?' ging Orsetta verder. 'Je zwijgt nu en daar leid ik uit af dat je iemand bent die eerst denkt, dan nog even denkt en dan pas spreekt. Een typisch introvert type dat logisch en objectief redeneert. Heb ik gelijk?'

Jack spuwde zijn whisky bijna uit. Hij kon het niet geloven; die verrekte vrouw was hem aan het profileren. 'Is dit een Myers Briggs-test?' vroeg hij met een speels glimlachje om zijn mondhoeken.

Ze nam een slokje wijn en voelde dat haar hart sneller ging slaan. 'Ik wed dat een MBTI-test jou eerder in de categorie "perceptie" dan in "beheersing" zou zetten.'

'Hoezo?' Hij ging met opzet dicht bij haar op het bed zitten, zo dichtbij dat de meeste vrouwen zouden opschuiven om wat ruimte te creëren, maar Orsetta verschoof geen centimeter.

'Je veranderde op het laatste moment van plan, besloot in de stad te blijven. Mensen uit de categorie "perceptie" zijn spontaan en flexibel, als ik het me goed herinner.'

Dit was Jacks eigen terrein en hij nam moeiteloos het initiatief over. 'Persoonlijkheidstests zijn nooit helemaal accuraat. Rorschach kan in sommige gevallen helpen, Holland Codes heeft ook zijn waarde, net als de Minnesota Multiphasic Personality Inventory en de rest, maar ze zijn niet erg leuk en dringen niet echt tot de geheimen van je fantasie door.'

'Fantasie,' zei Orsetta hem flirtend na. 'Nu ben ik nieuwsgierig. Vertel me wat je denkt dat er in mijn fantasie omgaat.'

Jack zette zijn glas neer. 'Doe even iets voor me. Doe je ogen dicht en zet alle gedachten uit je hoofd. Verbeeld je dat je ergens loopt waar het mooi is, bijvoorbeeld in een bos, in je eentje...'

'Dat zou ik nooit doen,' onderbrak ze hem. 'Ik heb aan te veel zaken gewerkt om in mijn eentje in een bos te gaan lopen.'

'Dit is een veilig bos. Geloof me, je kunt daar lopen.' Hij wachtte tot ze haar ogen sloot. 'Stel je voor dat je daar loopt. Kijk om je heen. Welke tijd van het jaar denk je dat het is?'

'Ik zie hoge bomen,' zei ze. Haar altijd beweeglijke handen beeldden ze uit. 'Het is zomer. Het zijn grote, altijdgroene bomen die zich naar de hemel uitstrekken. De zon schijnt door de takken en er hangt een sterke dennengeur. Dieren ritselen in het kreupelhout en een klein vogeltje vliegt de bomen in en uit. Het voelt goed aan. Ik ben hier graag.'

Jack bestudeerde haar. Hij zag dat ze zich gemakkelijk ontspande, blij dat ze kon ontsnappen uit de verschrikkingen van de zaakdossiers die haar ongetwijfeld elke dag weer een beetje geharder maakten. 'Volg je een pad of is het bos te dicht voor paden?'

Ze gaf vlug antwoord: 'Er zijn paden, het is een openbaar pad, maar ik volg het niet, ik dwaal af. Ik word door iets aangetrokken, ik denk dat ik een waterval hoor, maar ik zie hem niet. Ja, ik hoor stromend water. Als ik daarnaar zoek, zie ik rood-met-witte paddestoelen bij wat houtblokken die in stukken zijn gehakt. Het zijn die paddestoelen uit sprookjes.'

'Laat die paddestoelen maar. Ze zijn waarschijnlijk giftig of op zijn minst hallucinogeen. Laten we verdergaan met het spel. Stel je iets voor wat je bang maakt. Je kijkt om je heen en er is daar een dier. Een paar meter bij je vandaan. Wat is het?'

'*Orso*!' zei ze vlug, en toen kneep ze haar ogen dicht en zocht ze naar het Engelse woord.

'*Orso grizzly*, niet *orsacchiotto*, geen teddybeer. Het is een grote trage zwarte beer met wijd open armen, en hij heeft een glimmende snuit en spierwitte tanden.'

'Wat doe je?' Na zijn beproeving bij de psychiater, eerder die dag, vond Jack het prettig om weer de leiding te hebben, aan de juiste kant van de vraag-en-antwoordsessie te staan.

Orsetta likte over haar lippen en concentreerde zich. 'Ik loop langzaam. Heel langzaam. Ik kijk naar niets anders dan de beer. Als hij een stap dichterbij komt, pak ik een van die houtblokken bij de paddestoelen en sla ik tegen zijn poot, of misschien zijn snuit. En dan loop ik hard weg.' Bij de gedachte aan geweld gingen haar ogen open. Ze knipperde tegen het lelijke licht in de hotelkamer.

Jack begon spijt te krijgen van wat hij deed. Hij had nog maar een fractie afgelegd van een scenario dat hij in gedachten had en had nu al het gevoel dat hij meer te weten was gekomen dan hij behoorde te weten.

'Nou?' zei Orsetta, die aanvoelde dat hij zich niet op zijn gemak voelde. 'Wat heb je met al je perceptie geleerd van deze vreemde vragen over bossen en dieren?'

Als de wijn hem niet had beïnvloed, zou hij in afwachting van de biefstuk over alledaagse dingen hebben gepraat, maar nu kon hij zich niet inhouden. Hij ging met de stroom mee. 'Je bent optimistisch en romantisch,' zei hij. Het was geen compliment, maar de constatering van een feit.

Ze hield haar hoofd schuin, en dat vond hij aantrekkelijk. 'Waarom? Hoe ben je tot die conclusie gekomen?'

'Je bomen waren groen, altijdgroen, en je zag zonlicht. Als je het bos als donker en winters had beschreven, zou dat een indicatie van pessimisme zijn geweest. Kleuren zijn vaak sleutels tot onze stemmingen. En vergeet niet dat moeder natuur een geweldig goede undercoverspion is. Als je haar gebruikt zoals ik net deed, als je haar op een missie uitstuurt, diep in de gedachten en fantasieën van iemand anders, zal ze altijd geheimen van die ander aan het licht brengen.'

'Ga verder,' drong Orsetta aan. Ze vond zijn woorden verrassend boeiend. Het leek wel of hij als een voyeur in haar fantasie had gekeken, als een geheime reiziger in haar innerlijke wereld.

'Je bent erg sensueel,' zei Jack, behoedzaam en bijna klinisch. 'Ik vermoed dat je ook erg hartstochtelijk bent...'

Orsetta werd een beetje rood. 'Scusi?'

'Ik vertel je alleen maar wat ik heb afgeleid uit de beschrijvingen die je gaf, de taal die je gebruikte.'

Orsetta keek nog steeds verbaasd.

'Laat me het uitleggen. Ik vroeg je welke tijd van het jaar het was, en je zei niet gewoon dat het zomer was, maar je vertelde ook wat je zag, hoe je je voelde en wat je hoorde. Je beschreef bijna alles wat tot je zintuigen doordrong. Je vertelde wat je kon ruiken – de dennenbomen in het bos – wat je kon horen – de vogels en de dieren, en dat het bos goed aanvoelde en dat je er graag was.'

Hij heeft zoveel gezien en toch heb ik hem zo weinig verteld, dacht Orsetta terwijl hij hun glazen nog eens vol schonk. Het leek wel of hij met één flits van zijn profileertalent een röntgenfoto van haar hele persoonlijkheid had gemaakt. 'Wat betekende dat water? Ik hoorde water maar kon het niet zien. Wat betekende dat?'

Jack schraapte zijn keel. 'Goed. Het water waarover je het had... Nou, water vertegenwoordigt vaak onze belangstelling voor seks. Ik denk dat je op dit moment geen relatie hebt. Het water waarover je het hebt, is niet te zien, maar je zoekt er wel naar, en het water waarnaar je verlangt is luid genoeg om hoorbaar te zijn al kun je het niet zien. Dat wijst op de behoefte aan krachtige, intense seksuele intimiteit.'

Orsetta slikte. Ze wilde dat ze het niet had gevraagd. Ze stelde zich watervallen voor, en naakte paringen in snelstromende riviertjes. Ze probeerde helderheid in haar hoofd te krijgen en besefte toen dat haar gezicht gloeide. Ze dronk haar glas leeg in de hoop dat het haar zou afkoelen en haar zou helpen zich te beheersen. 'Dit is geen standaardtest, hè?' zei ze voor de grap. 'Je doet dit vast niet met de meeste verdachten.'

'Nee, niet zo standaard,' zei Jack. 'Ik gebruik het soms om mensen aan het praten te krijgen. Het werkt trouwens goed bij verdachten. Het overrompelt ze en geeft je een beeld van hen voordat je specifieke vragen over de zaak gaat stellen.'

'Was er verder nog iets?' vroeg Orsetta. Ze bewoog haar hand over haar gezicht om de spot te drijven met haar blos. 'Of kan ik me nu ontspannen?'

'Nou,' zei Jack, die zich niet meer kon inhouden. 'Op grond van wat je me hebt verteld, denk ik dat je ook koppig, eigenzinnig, egocentrisch, avontuurlijk en gedreven bent.'

'Wát?'

'Je zei dat er een pad door het bos liep. Dat pad vertegenwoordigt de route van je leven, het pad dat je ouders, je opvoeding en je opleiding voor je hebben uitgezet. Maar je ging er met opzet af. Je zei dat je afdwaalde. Dat betekent dat je de dingen op je eigen condities wilt hebben, of anders maar niet.'

Orsetta voelde zich volkomen blootgelegd. Haar Myer Briggs-spel was bedoeld geweest om het ijs te breken, een beetje geflirt, maar dit was iets anders. Haar blik viel op het nieuwe boek dat Jack had gekocht. Ze zag het als een kans om onder zijn psychologisch onderzoek uit te komen. 'Aha, Dante,' zei ze. 'Een van mijn favoriete schrijvers.'

'Voor mijn vrouw,' zei hij snel en nadrukkelijk.

Orsetta werd een beetje minder rood. Heel even was ze vergeten dat hij getrouwd was.

'Het is een goede keuze. Ik hoop dat ze het mooi vindt,' zei ze zo vriendelijk als ze kon.

De stilte die nu viel was pijnlijk, niet voor Jack, die stiltes altijd even informatief vond als de conversatie van de meeste mensen, maar wel in hoge mate voor Orsetta. Ten slotte bezweek ze. Ze probeerde een beetje dapper te klinken. 'Oké, maak het maar af. Kom op, Jack, je moet me de rest van je analyse vertellen.'

Hij keek haar aan. De slimme politievrouw met het uiterlijk van een filmster leek opeens een verlegen schoolmeisje. Alle seksuele chemie was uit de kamer verdwenen en de atmosfeer was nu zo doods en muf als in een lege kroeg op maandagmorgen.

'Betrokkenheid,' zei hij zacht. 'De beer in je verhaal vertegenwoordigt de man die je heeft gekwetst, het probleem dat steeds opduikt, juist als je gelukkig bent en het niet verwacht.'

Orsetta keek naar haar samengevouwen handen. Daar was het dan. Nu was het uitgesproken. Ze had het weggestopt, had er van alles opgestapeld, en deze vreemde, deze briljante vreemde, vond het zonder enige moeite. 'En moet ik een andere manier vinden om ermee af te rekenen, iets anders dan dat ik het met een houtblok sla?' Ze keek op en produceerde een glimlach, al kon Jack zien dat ze daar al haar moed voor nodig had.

'Nee. Je kunt dat houtblok best gebruiken. Sla er maar op los; geef die beer er maar van langs. Dat is betrokkenheid: dat je daar blijft, dat je de beer in de ogen kijkt en op jouw manier je gemoedsrust terug wilt krijgen.'

Ze knikte en merkte opeens dat ze in zijn hand kneep. Ze troostte zich met zijn kracht en zijn nabijheid.

De klop op de deur verraste hen beiden en voorkwam een nieuwe stilte, een stilte die veel eerder fascinerend dan pijnlijk was.

'Eten!' zei Jack. 'Geweldig. Ik verga van de honger.'

16

FBI-kantoor, New York

Niet sinds de dag waarop hij had ontdekt dat zijn zus lesbisch was, was FBI-agent Howie Baumguard ooit zo stomverbaasd en sprakeloos geweest als nu.

De airconditioning in zijn kantoor was defect – opnieuw – en het was er nu zo heet als in een sauna. Met de duim en wijsvinger van zijn linkerhand wreef hij zweet van zijn gerimpelde voorhoofd. Intussen vroeg hij zich af wat hij nu moest doen.

Howie klikte met de muis en sleepte het beeld dat zojuist was doorgestuurd naar zijn flatscreen. 'Verdomme! Verdomme!' zei hij tegen een leeg kantoor.

Hij draaide het beeld honderdtachtig graden de ene kant op, en toen weer terug. Hij veranderde de kleur een aantal keren, bekeek het toen ondersteboven en van achteren naar voren.

'Jezus christus!' vloekte hij opnieuw tegen de lege kamer.

Howie verkleinde het beeld tot een kwart en zette het in de linkerbovenhoek van zijn scherm en maximaliseerde twee andere verkleinde frames, waarna hij ze op dezelfde manier onderzocht: kantelen, draaien, verkleuren. De nieuwe 360-graden-imaging-kit die hij gebruikte, gaf zo'n scherp en realistisch beeld dat het was of hij de voorwerpen zo van het scherm kon pakken en ze als een bal tussen zijn handen kon overgooien.

'Verdomme!' schreeuwde hij. Zijn geduld was op.

Howie stond op en ging naar de herentoiletten. Niet alleen omdat hij zoveel koffie had gedronken dat hij dringend moest urineren, maar ook omdat hij een beetje denktijd nodig had.

Howie friste zich op en keerde pijnlijk traag naar zijn bureau terug, bijna alsof hij bang was daar aan te komen. In plaats van te gaan zitten, bleef hij achter zijn draaistoel staan. Zijn vingers, dik als worsten, trommelden op de bovenste ronding van zijn stoel en zijn blik was strak op de monitor gericht.

'Verdomme!' Er was niets veranderd. Het beeld was nog net zo verontrustend als de eerste keer dat hij het had gezien.

De computer liet drie duidelijke foto's zien.

Een foto van een kartonnen doos.

Een foto van Sarah Kearneys losse schedel.

Maar de derde foto liet Howie hardop vloeken in de lege kamer. Het flatscreen vertoonde het adres op de doos, de reden waarom de luchthavenbeveiliging het pakje had gescand en Howies kantoor op de hoogte had gesteld. Met zwarte viltstift stond geschreven: 'Breekbaar. Ter attentie van Jack King, FBI.'

Deel 2

Maandag 2 juli

17

Brighton Beach, Brooklyn, New York

De politie zegt altijd dat wat hoeren betreft één jaar op straat tien jaar op hun gezicht betekent. Op die manier is Ludmila Zagalsky vijfentwintig en tegelijk honderddertig jaar oud. In werkelijkheid ziet Lu er iets beter uit dan je op grond van de rekensom zou denken, al voorspellen twee abortussen en een drugsprobleem waarvoor de wildste popster zich zou schamen weinig goeds voor de toekomst.

Lu tippelt al sinds haar vijftiende. Ze werkt voor Oleg, een Russische pooier die min of meer de hele prostitutie op Beach Avenue onder controle heeft. Oleg is een bruut, een berg spek met onderarmen zo groot als de achterpoten van een stier, bedekt met tatoeages, en een groot, kaalgeschoren hoofd dat zo gerimpeld, rond en aantrekkelijk is als een overrijpe pompoen. Maar hij slaat haar niet, tenminste niet zoals haar dronken moeder altijd deed, een vergrijsde Moskoviete die jaloers was op de schoonheid van haar dochter. En hij komt niet in haar bed om 'dicht bij haar' te zijn, zoals haar stiefvader altijd deed. Zeker, toen ze uit Moskou wegliep en voor Oleg ging werken, was dat niet de slimste zet die ze ooit had gedaan, maar het was in elk geval beter dan het alternatief. Lu tippelde al om het geld te sparen voor de vliegreis naar Amerika en daarna is ze het altijd blijven doen. Ze ontbijt elke dag met een paar ecstasypillen; ze laat ze door haar keelgat verdwijnen zoals anderen koffie en broodjes. Die pillen voorkomen dat ze gek wordt als ze haar ziel vernietigt met het werk dat ze doet: zich laten schenden en misbruiken in ruil voor geld om de huur te betalen en nog een beetje meer. Ze begint rond het middaguur en is klaar wanneer haar laatste *mudak* – een of andere zieke, stomme klootzak – zijn geld heeft neergeteld, zich van haar af heeft gehesen en uit haar ellendige leven is verdwenen. Haar eerste dienst draait ze op Coney Island Avenue, tot aan 6th en 7th Street. Aan het eind daarvan, om zes uur, ontmoet ze Oleg om 'af te rekenen'. Soms, als ze meer heeft verdiend dan haar dagelijkse streefbedrag, trakteert hij haar op een hamburger en een biertje, en dan geeft hij een mep op haar achterste en stuurt haar de straat weer op. Als ze haar tweede dienst draait, stapt ze over Beach Avenue, meestal met rode naaldhakken en niet veel anders. Als de politie van het 60ste district haar wegjaagt, gaat ze naar Riglemann Boardwalk aan de oostkant, richting Chambers Square.

Op dit moment is ze doodmoe. Enkele minuten nadat ze haar portemonnee voor Oleg heeft leeggemaakt en op weg naar huis is gegaan, krijgt ze nog een klant, een of andere rijke kerel die in een goudkleurige Lexus rijdt. Ze rukt hem af en houdt het geld helemaal voor zichzelf – *man, het gaat die knakker een fortuin kosten om dat leer weer schoon te krijgen.* Hoe dan ook, ze heeft in tien minuten twee vijftigjes verdiend en dat is bijna een record voor Lu. De meeste van haar collega's zeggen dat ze goedkoop is, een *sjloeha volzal'naja* – een stationshoer – maar de laatste tijd krijgt Lu meer van het betere werk. Ze heeft het gevoel dat het weer beter met haar gaat. De Lexusman heeft tegen haar gezegd dat hij graag terugkwam in de buurt waar hij was opgegroeid. Hij had gepocht dat hij zijn fortuin had verdiend in Manhattan. Wat een lul, wat een *swoloch*! Lu had zijn geouwehoer aangehoord en hem naar een favoriete plek van haar gebracht, aan de achterkant van de Brighton Fish Market, waar ze hem had achtergelaten toen ze klaar waren. Toen leek hij niet zo'n machtige zakenman meer, met zijn broek omlaag en zijn kwakje over zijn buik en die dure leren bekleding. Ze glimlachte nog om de lieve woordjes die ze in zijn grote vettige oor had gefluisterd. Wat had ze hem in staat van opwinding gebracht! '*Oe tebia ochen malenki hui, tolko pjat pat centimetrov*?' had ze gekird toen ze zijn rits losmaakte. 'Jij hebt een erg kleine pik, hoe groot is hij... maar vijf centimeter?' En hij zou vast ook geen fooi hebben gegeven als hij had geweten dat '*Oe tebia rozha, kak obezjanja zhopa*' niet 'heel erg bedankt' betekende maar 'je kop is net een apenreet'. Ze lacht en zegt '*Mudak, mudak*!' als ze langs restaurant Primorski loopt, waar ze door het raam naar binnen kijkt en ziet dat schoonmakers stoelen op tafels stapelen en vloeren vegen. Ze verkoopt nog liever haar lichaam elke dag van de week dan dat ze de vloer van iemand anders gaat vegen.

Ze ziet een jonge ober van wie ze weet dat hij Ramzan heet, en hij zwaait naar haar maar heeft het te druk met opruimen om naar de deur te komen. Vorige week nog trok hij haar aandacht in een nieuwe bar bij Ocean Parkway, maar toen ze eenmaal een onwelkome klant had afgepoeierd, was hij verdwenen. Haar vriendin Grazyna zegt dat ze bij Ramzan uit de buurt moet blijven. Ze zegt dat hij een Tsjetsjeen is en dat ze nooit moet vergeten dat Oleg de pest heeft aan Tsjetsjenen. Maar dat kan Lu geen moer schelen; Oleg kan doodvallen. Ramzan is lang en slank en ziet er goed uit, met vriendelijke ogen. Hij lijkt haar het soort man dat voor haar zou zorgen; misschien zou hij haar leven voorgoed veranderen en haar uit deze ellende weghalen. Met haar neus tegen het glas gedrukt, ziet ze Ramzan een van de schoonmaaksters helpen een tafel te verplaatsen, zodat ze de vloer daaronder kan boenen, en ze is meteen jaloers. Hij kan ook doodvallen. Lu Zagalsky wacht op niemand. Ze vist in haar handtasje en haalt er wat kristalamfetamine uit; dat zal haar helpen. Als ze zich weer wat beter voelt, maakt haar klantenradar haar attent op een man die op het punt staat de geldautomaat naast Primorski te gebruiken.

'Hij is defect,' roept ze naar hem.

'Pardon?'

'Hij is defect,' herhaalt ze zonder een spoor van haar Russische geboortetaal. 'Hij is altijd defect.'

'Verrek!' Hij zet zijn bril af en steekt een Goldcard in zijn portefeuille terug. 'Weet je waar de dichtstbijzijnde is?'

'Ja. Het oostelijk eind van de Avenue, zo'n drie blokken verderop,' zegt Lu. Ze ruikt een gemakkelijke laatste klant. Ze zet haar handen in haar zij. 'Ik breng je erheen, als je belooft dat je er iets van aan mij besteedt.'

De man kijkt een beetje geschokt en gegeneerd. Hij kijkt de straat naar links en rechts door. Zo te zien wil hij wel, maar weet hij niet goed wat hij moet zeggen of doen. 'Nou... eh... ik weet het niet. Ik bedoel, ik h-heb nooit eerder zoiets gedaan. Ik weet niet, ik b-bedoel...'

Lu gaat dichter naar hem toe. De mannen die het voor het eerst doen, zijn nooit een probleem. Je helpt ze over de eerste zenuwen heen en dan tonen ze later hun dankbaarheid met een hele handvol – in meer dan één opzicht. 'Maak je geen zorgen. Kom maar mee,' zegt ze, en ze gaat dichter naar hem toe. 'Heb je een auto?'

Hij gaat een stap achteruit en antwoordt nerveus: 'Ja, ja, die heb ik. Daar.' Hij wijst naar een saaie vierdeurs Hyundai waarin niemand van onder de negentig gezien zou willen worden. Die arme stumper heeft waarschijnlijk in geen twintig jaar opwindende seks met zijn vrouw gehad. Lu krijgt bijna medelijden met hem. 'Twintig dollar met de hand, vijftig dollar oraal, honderd dollar voor het hele werk,' zegt ze, als een serveerster die de specialiteiten opleest.

'Maar, maar...' stamelt hij. 'Ik heb geen geld. D-dat heb ik net verteld.'

'Hé, geen probleem. Dat weet ik,' zegt ze, en ze wrijft met haar vingers over de lapel van zijn oude blauwe pak. 'Je geeft me een lift en dan wijs ik je de weg naar de geldautomaat, en dan geef je me nog een lift. Begrijp je wat ik bedoel?'

'J-ja. Ik begrijp het,' zegt hij. Hij klungelt met zijn autosleutels, laat ze bijna vallen. Ze lopen zwijgend naar de auto en hij maakt de portieren op afstand open. Ze stappen in en hij start de motor, doet zijn gordel om en kijkt haar dan aan. 'Ik ben een b-beetje bang voor ongelukken. Wil je je gordel omdoen?' zegt hij, en hij buigt zich naar haar toe en trekt de gordel voor haar naar buiten. 'Regel één van de weg: altijd de gordel om. Je kunt nooit voorzichtig genoeg zijn.'

18

Sofitel Hotel, Florence

Vanaf het moment dat Jack wakker werd, was het een race tegen de klok.

Met de moeder van alle katers strompelde hij naar de badkamer. Hij had zich lelijk verslapen en had nu nog geen twee uur de tijd om met Orsetta te praten, te horen bij welke zaak ze hulp wilde en de trein naar Siena terug te nemen. Het zou krap worden.

Hij had een kwartier nodig om te douchen en zich te scheren en toen hij het restaurant binnen kwam, prikte de aftershave nog in zijn huid. De jonge politievrouw zat in een hoek. Ze dronk een cappuccino en las een krant.

'Goedemorgen. Staat er iets goeds in?' zei hij. Hij ging tegenover haar zitten.

'*Bon giorno,*' antwoordde ze zonder op te kijken. 'Jammer genoeg staat er nooit iets goeds in Italiaanse kranten.'

Jack wist wat ze bedoelde. Vroeger las hij de van misdaad vergeven Amerikaanse kranten alleen om bij te houden wat 'de vijand' deed.

Er kwam een ober en hij bestelde zwarte koffie, sap en stukjes fruit met yoghurt. Eigenlijk zou hij liever wat anders willen, maar hij wist dat iemand die op zijn leeftijd een stevig ontbijt nam, erop kon rekenen dat het aan zijn taille te zien zou zijn.

Orsetta vouwde haar krant op en legde hem neer. Toen zag ze de drukinkt op haar vingers. 'Zo te zien worden mijn vingerafdrukken genomen,' zei ze voor de grap, en ze hield ze omhoog.

'Altijd goed om er een paar in het archief te hebben,' zei Jack.

Orsetta wreef haar handen aan een servet af en greep toen in een zwarte kalfsleren documententas bij haar voeten. Ze haalde een zware A4-envelop tevoorschijn, sloeg toen haar armen over elkaar, over de envelop heen, en keek Jack aandachtig aan.

'Wat is er?' vroeg Jack, die instinctief aanvoelde dat ze aarzelde.

'Gisteren zei je dat je misschien moest worden overgehaald om ons te helpen. Denk je er nog steeds zo over?'

Jack had een droge mond en zijn stem was hard als grind. De alcohol had hem uitgedroogd en hij hoopte dat het sap en de koffie gauw zouden komen. 'En gisteren gaf jij toe dat je wilde nagaan of ik een druif was. Vind je nog steeds van wel?'

Ze moest weer om de uitdrukking lachen. 'Touché,' zei ze, en ze schoof het pakje over het witte linnen tafelkleed.

'Zwaar,' zei hij. Hij woog het in één hand. 'Mag ik dit in de trein lezen en je later bellen?'

'Je moet Massimo bellen,' antwoordde ze. 'Hij heeft er een persoonlijke brief voor jou bijgedaan. Zoals ik gisteravond al zei, wilde hij erg graag zelf komen, maar hij is het land uit.'

Jacks koffie, sap en fruit kwamen. Binnen enkele seconden had hij de helft van het sinaasappelsap op. Zodra de ober weg was, hervatte hij het gesprek. 'De slachtoffers van BRK zijn altijd vrouwen die alleen wonen. Ze zijn meestal midden twintig en zijn werkwijze is altijd eerder subtiel dan dat hij ze met geweld kidnapt.'

'Geloof me, die man heeft waarschijnlijk charme. Niemand heeft ooit gezien dat hij een slachtoffer ontvoerde of dat probeerde. We vermoeden dat hij zijn vrouwen inpalmt, misschien zelfs verleidt. We vermoeden dat hij ze naar een plaats lokt waar ze zich bij hem op hun gemak voelen, en dat hij dan toeslaat.'

'Systematisch en met voorbedachten rade.'

'Precies. Hij is een systematische moordenaar, een planner. Hij neemt nooit onnodige risico's, maakt nooit domme fouten. Hij is zo iemand die twee keer meet voordat hij hout verzaagt. Waarschijnlijk meet hij drie keer voordat hij een lichaam verzaagt.'

Orsetta nam een slokje van haar cappuccino. Ze merkte op dat hij moeiteloos op het lexicon van moord overging terwijl hij gewoon de stukjes fruit door zijn yoghurt bleef roeren. 'Wij hebben maar één slachtoffer, een jonge vrouw die vermoord is in Livorno, een stad aan de westelijke kust van de Tyrrheense Zee. In dit geval blijkt ook nergens uit dat het slachtoffer onder dwang is ontvoerd. Ook wij denken dat onze delinquent systematisch is ingesteld, maar het is te vroeg in het onderzoek om te kunnen zeggen dat hij geen fouten heeft gemaakt en geen sporen heeft achtergelaten. Ik hoop dat onze moordenaar in dat opzicht anders is dan die van jullie.'

Jack was klaar met kauwen en zei: 'BRK hakte al zijn latere slachtoffers in stukken en verspreidde stukken van hen in de zee, als een kind dat brood voor de meeuwen strooit. Tegen de tijd dat wij de resten vonden die niet door de vissen waren opgevreten, kon onze technische recherche er niet veel mee beginnen. Ze hebben nooit iets anders dan steenzout en zeepokken gevonden.'

'Ik ben heel blij dat ik al heb gegeten,' zei Orsetta. Ze keek op haar horloge. 'En nu ben ik bang dat ik naar Rome terug moet. Eigenlijk had ik daar al moeten zijn. Ik was niet van plan gisteravond te blijven, dus nu moet ik echt gaan.'

Jack trapte daar niet in. Hij vermoedde dat ze een pijnlijke situatie wilde vermijden.

'Hé, als ik gisteravond deuren heb opengemaakt naar plaatsen waar je niet heen wilt, dan spijt me dat. Misschien hadden we allebei verstandiger moeten zijn dan zulke spelletjes te spelen, hè?'

Orsetta keek hem met een vaag glimlachje aan. 'Dat denk ik ook. Weet je, wat je zei... Nou, het klopt wel. Ik ga betrokkenheid uit de weg. Maar nu moet ik wel.'

Jack bracht zijn handen omhoog, een teken dat ze geen nadere uitleg hoefde te geven, maar hij kon zien dat ze dat toch wilde.

'Ik heb vier jaar een relatie gehad en ik vond het de hemel op aarde. Ik dacht dat hij – hoe zeg je dat – de liefde van mijn leven was. Nou, het blijkt dat hij ook de liefde van het leven van een andere vrouw was, al bijna tien jaar. Waarschijnlijk van meer dan één andere vrouw.'

'Dat is erg. Alsjeblieft, neem me niet kwalijk dat ik het ter sprake heb gebracht. Het is vast pijnlijk.'

'Natuurlijk,' zei Orsetta. 'Ik vergeef het je helemaal, dat wil zeggen, mits je ons helpt.'

'Dat doe ik,' zei Jack. 'Eerlijk gezegd ben ik blij met de kans weer bij politiewerk betrokken te zijn. Ik hoop echt dat ik jullie kan helpen.' Hij tikte met zijn hand op de envelop die ze hem had gegeven. 'Ik zal dit vanmorgen lezen en dan bel ik Mass en zeg tegen hem dat hij binnen een paar dagen mijn voorlopige profiel heeft.'

Orsetta deed een fooi van tien euro bij het geld dat ze voor het ontbijt achterliet. 'Dan moet je me één ding beloven,' zei ze. Ze stond op en pakte haar spullen bij elkaar.

'Goed,' zei Jack. Hij liet zijn servet vallen en stond op om afscheid te nemen. 'Wat dan?'

Orsetta glimlachte. 'Als je naar Rome komt om met ons te praten, trakteer ik je op een etentje en dan houden we ons verre van gedachtespelletjes. Goed?'

'Ik verheug me erop,' zei Jack. Hij pakte voorzichtig haar schouders vast. Ze boog zich naar hem toe en ze kusten elkaar licht op beide wangen.

'*Ciao*,' zei ze, en ze liet hem achter met een glimlach die heel New York zou kunnen verlichten en een vleug citrusparfum die een schokje door zijn hart joeg. Toen ze uit het zicht verdween, legde hij onwillekeurig zijn hand op zijn wang, op de plaats waar haar lippen waren geweest.

19

Brighton Beach, Brooklyn, New York

Lu Zagalsky kijkt naar de nerveuze klant die achter het stuur zit en vraagt zich af of ze haar tijd verspilt. Eerst kon die sukkel geen geld uit de automaat krijgen en nu wil hij dat ze haar gordel omdoet voor een ritje van amper een kilometer over een weg waar midden in de nacht bijna niemand anders rijdt. De kans is groot dat die kerel hem niet eens overeind krijgt en dan weigert te betalen. 'Zoals je wilt,' zegt ze. Ze besluit hem zijn zin te geven en maakt de gordel vast. Ze stopt kauwgom in haar mond en kauwt hoorbaar terwijl hij over Beach Avenue rijdt.

'*Vy goyoreeteh po rusky*?' vraagt ze. Ze wil nagaan of hij Russisch kent voordat ze hem allerlei beledigingen naar het hoofd slingert.

'Sorry. Wat zei je?' vraagt de automobilist beleefd. Zijn handen komen niet van het stuur af; zijn blik blijft veilig op de weg gericht.

'Ik wilde alleen maar weten of je Russisch sprak,' zegt Lu. 'Veel kerels hier spreken die taal. Het is zo'n beetje een Russische buurt, weet je.'

'O,' zegt de man. Hij kijkt op zijn snelheidsmeter om er zeker van te zijn dat hij niet boven de maximumsnelheid van vijftig kilometer per uur komt. Lu heeft nog nooit iemand meegemaakt die zo nerveus en onzeker is als deze klant. 'Nee, nee, ik spreek geen Russisch,' gaat hij verder. 'Ik ben accountant en ik moest hier voor mijn werk naartoe. Daarom ben ik een beetje verdwaald.'

Plotseling wordt de klant veel interessanter. Want, zegt Lu tegen zichzelf, wie heeft ooit van een arme accountant gehoord? Ze ziet het al voor zich: een stapeltje bankbiljetten uit de automaat, ergens heen, hij zijn broek omlaag, en zij ervandoor met het geld en misschien ook met zijn portefeuille. Het lijkt haar een goed plan. Niet erg origineel; hoeren doen het al een eeuwigheid. Evengoed is het een verrassend goede truc, vooral bij zo'n domme *ebanat* als deze man.

'Volgende straat links,' zegt Lu. Ze wijst door de voorruit. 'Zie je die elektronicawinkel op de hoek?'

'Ja, ja, ik zie hem,' zegt hij. Hij buigt zich turend naar voren.

'Daar naar links, en is er een geldautomaat zo'n honderd meter verderop, aan de rechterkant.'

Ebanat! Zegt ze tegen zichzelf als hij veel te vroeg richting aangeeft, bijna tot stilstand komt om de hoek om te gaan en er dan een eeuwigheid over doet om langs het trottoir te parkeren. Ze heeft oude opoes vlotter zien rijden dan deze lul.

'Ik ben zo terug,' zegt hij tegen haar. Hij gooit het portier dicht en loopt naar de geldautomaat.

Binnen enkele seconden heeft Lu het dashboardkastje open en kijkt of er iets te stelen valt. Shit, die kerel heeft niet eens een cd die de moeite van het stelen waard is! Alleen autopapieren en een wisser voor de ruiten. Lu doet het kastje dicht en ziet hem bij de geldautomaat vandaan komen. Hij doet zijn portefeuille in zijn zak en loopt naar de auto terug. 'Dank je,' zegt hij beleefd. Saai als hij is, doet hij zijn gordel weer om, haalt de auto van de handrem en start de motor.

'Oké.' Lu raakt haar geduld kwijt. 'Je hebt je geld. Laten we ergens heen gaan waar je er wat van aan mij kunt besteden. Heb je een hotel in de buurt?'

'N-nee,' zegt hij nerveus. 'Ik woon bij Fillmore, andere kant van Marine Park. Misschien k-kun je daarheen meekomen?'

'M-misschien wel,' zegt ze schalks. 'Weet je de weg?' voegt ze eraan toe. Ze is er niet zeker van dat die man de weg naar zijn eigen schoenveters weet, laat staan naar huis.

'Ik d-denk van wel,' stottert hij.

'Goed. Karren maar!' zegt ze. Ze wil hem een beetje aanvuren. 'Het is niet te laat voor een nacht die je nooit meer vergeet.' Ze kijkt hem met haar sexy glimlach aan, het lachje waarmee ze zelfs Oleg kan vermurwen, maar ze bespeurt geen zweem van warmte op zijn gezicht. Zonder een spier te vertrekken zet hij de auto in DRIVE en rijdt weg.

Lu kijkt uit het zijraam, en terwijl de lichten van de Beach achter hen vervagen, zeggen ze geen van beiden veel. Na ongeveer tien minuten ziet ze borden voor Fillmore en Gerritsen. In het gele licht van de koplampen ziet ze woonboten op palen en tientallen ligplaatsen die dringend aan een laagje verf en lak toe zijn. Ergens tussen Gerritsen en East 38th rijdt haar laatste klant van die avond een vervallen pad op tussen woekerende struiken en overhangende bomen en stopt dan.

'Zijn we er?' zegt Lu, verbaasd omdat hij de taak heeft volbracht zonder hapering, vertraging of complicaties.

'Ja, wacht even,' zegt de man. Hij drukt op een afstandsbediening om een grote metalen deur van een dubbele garage open te maken. Hij zet de auto weer in DRIVE, rijdt langzaam naar binnen en laat de deur weer zakken.

Lu is de auto al uit voordat de garagedeur helemaal omlaag is. Ze wil dit zo snel mogelijk afwerken en dan een taxi nemen om daar weg te komen. Maar ze wil vooral naar de wc. Hij doet een licht aan en ze knippert met haar ogen, zo fel is het.

'Ik heb een sleutel. Ik moet hem alleen nog vinden,' zegt hij. Hij kijkt langzaam naar koperen en stalen sleutels aan een soort ring.

'Hier heb ik hem,' zegt hij ten slotte, en dan loopt hij om de voorkant van de auto heen naar een verbindingsdeur tussen de garage en de keuken van het oude huis.

Er gaat meer licht aan en Lu kijkt om zich heen. Het huis stelt niet veel voor: een vervallen oude keuken leidt om een hoekje naar een armoedige huiskamer met een oud bankstel, een haard en een vuil wit kleed, maar geen tv. Lu is nooit eerder in een huis zonder tv geweest; sterker nog, ze had niet gedacht dat er zulke huizen bestonden. 'Hé, mag ik even naar je plee?' roept ze naar hem als hij de deur naar de garage op slot doet.

'Bij de voordeur. Boven is er ook een.' Hij knikt naar de open houten trap in de achterste hoek van de huiskamer.

Lu gaat naar de benedenwc. Als ze daar is, vraagt ze zich af hoeveel hij kan opbrengen. Het huis is een teleurstelling. Nergens een teken van een vrouw, dus geen sieraden. De man moest naar een geldautomaat, dus waarschijnlijk ligt er alleen maar wat kleingeld in zijn nachtkastje. Misschien, als ze geluk heeft, heeft hij een horloge, een gouden ring of een halsketting, al leek hij niet het type dat dure dingen draagt. Ze denkt dat ze het meeste uit hem los krijgt door hem een speciaal 'overnachtingstarief' in de maag te splitsen, omdat ze bereid was met hem mee naar huis te gaan. Vijfhonderd dollar voor de rest van de nacht; daar gaat ze hem om vragen. Tenminste, dat wordt haar startprijs. Als hij accountant is, is er waarschijnlijk maar één ding waar hij goed in is: cijfers. Dat zou betekenen dat hij misschien wil afdingen. Ja, begin op vijfhonderd dollar, Lu; als je slim bent, krijg je misschien tweehonderdvijftig of driehonderd dollar. Ze is klaar, spoelt het toilet door en laat water in de wasbak stromen. Als ze over een vuil glazen planchet in de spiegel kijkt, ziet ze dat haar oogschaduw en eyeliner zijn uitgelopen en dat het wit van haar ogen al een beetje bloeddoorlopen is. Niet bepaald een toonbeeld van schoonheid, maar wat geeft dat, het is geen Hollywoodauditie en die slappe *mudak* met zijn stijve zegt heus geen nee tegen wat ze te bieden heeft. Als alles goed gaat, neemt ze de volgende dag misschien een tijdje vrij. Ze kan wat uitrusten en Oleg iets geven van wat ze vannacht binnenhaalt, alsof ze net als elke dag haar vroege dienst heeft gedraaid.

Lu doet wat poeder op haar glimmende neus, perst haar pas gestifte lippen tegen elkaar en doet de deur open, klaar om haar vijfhonderd dollar op te eisen en zich neer te leggen bij alles wat die klojo daarvoor in ruil wil. 'Oké, nu gaan we spelen!' roept ze als ze de huiskamer weer binnen komt.

Van achter haar wordt een losse strop om haar hoofd gelegd en hard aangetrokken. Ludmila Zagalsky wordt van de grond getild en dreunt met haar hoofd tegen de vloer. Ze graait naar het touw dat in haar hals brandt en snijdt en dat haar longen van alle lucht afsnijdt.

'Welkom in het spinnenweb,' zegt een koude, afgemeten stem boven haar.

20

Florence, Toscane

Het station van Florence was een verhitte kookpot met daarin een menselijke minestrone van reizigers uit heel Europa. Humeuren kookten over. Toeristen botsten links en rechts tegen elkaar, op zoek naar hun trein. Ten slotte stuwden, draafden en dribbelden mensen over het perron van hun keuze om zich vervolgens in smoorhete coupés te proppen.

Jack had het geluk helemaal aan het eind van de trein naar Siena een lege coupé te vinden, maar die was evengoed onaangenaam heet en stonk naar de lichamen van duizend vreemden. Hij liet een halve fles lauw water uit de koelkast in het Sofitel naar binnen klokken en schudde zijn overhemd van zijn plakkerige lichaam af.

Hij wilde een raampje openzetten, maar het zat klem. Toen hij weer op de kapotte springveren van de stoffige bank zat, zag hij buiten twee leden van de transportpolitie, de Polizia Stradale, een sigaretje roken in de schaduw nadat ze de trein op terroristenbommen hadden gecontroleerd, zoals tegenwoordig de gewoonte was. Boven hun hoofd tuurden robotcamera's het spoor af. Jack herkende ze als de nieuwste IMAS-camera's. Zelfs hier, in het historische Florence, was Bill Gates present. Het op Microsoft gebaseerde Integrated Multimedia Archive System stuurde meer dan drieduizend camera's langs Italiaanse spoorwegen aan en was de wereldstandaard voor videobeelden en informatieanalyse.

Op de plakkerige tafel voor Jack lag de nog ongeopende envelop die Orsetta hem namens Massimo Albonetti had gegeven. Mass en hij waren lang geleden vrienden geworden op een Interpolcongres in Rome. Een jaar later had Massimo hem geholpen een pedofielenbende in Little Italy op te rollen, toen de Italiaanse onderwereld van New York zijn deuren had gesloten voor de plaatselijke politie en het probleem op de traditionele maffiamanier met marteling en moord had willen oplossen. Albonetti was een nuchtere politieman die net als Jack psychologie had gestudeerd en profilering gewoon als een nuttig hulpmiddel zag dat rechercheurs kon helpen naar bepaalde gedragingen uit te kijken, niet als een kristallen bol die de naam van een moordenaar tevoorschijn toverde.

Jack had zijn water op en maakte de envelop met zijn vinger open. Hij haalde er een vel duur roomwit papier met Massimo's handschrift uit.

Beste Jack,

Ik ben blij dat je dit leest. Dat betekent dat het gewoon niet waar is dat je met pensioen bent gegaan en dat je nog een politieman in hart en ziel bent. Daar ben ik erg blij om!

Ik hoop dat je me wilt excuseren, oude vriend, maar ik kon niet onder die afschuwelijke Europolbijeenkomst in Brussel uit. Daarom heb ik rechercheur Portinari naar je toe gestuurd om je over te halen ons met je deskundigheid te helpen een zeer verontrustende moord op te lossen. Jack, als je na het lezen van de documentatie vindt dat deze zaak te moeilijk voor je is, zal ik je recht om nee te zeggen ten volle respecteren.

Zoals veel van je vrienden heb ik gehoopt dat je spoedig geheel en al zou herstellen van je ziekte, en als ik niet dacht dat alleen jij ons echt met deze zaak zou kunnen helpen, zou ik je werkelijk nooit hebben lastiggevallen.

In dit pakje bevinden zich enkele korte, vertrouwelijke papieren die je snel inzicht in het onderzoek zullen geven. Je zult ook inzien waarom ik me door de omstandigheden gedwongen zag jou te hulp te vragen.

Als je een besluit hebt genomen, wil je me misschien wel op mijn kantoor of mijn mobiele telefoon bellen.

Altijd je vriend,
Massimo

Jack liet langzaam een zucht ontsnappen. Hij had sinds hij was ingestort niets van Massimo gehoord, maar dit was een heel ander briefje dan het vriendelijke, opbeurende briefje dat zijn vriend hem indertijd had gestuurd. Wilde hij zich echt op een zaak storten die zo sterk op de Black River-moorden leek? Was hij daar wel klaar voor? Kon hij Nancy er wel van overtuigen dat het juist goed was als hij weer politiewerk ging doen? De vragen kwamen de een na de ander, maar de antwoorden bleven buiten bereik.

Jack trok de envelop weer open en haalde er een andere dichte envelop uit, waar VERTROUWELIJK op stond, met zijn naam. Hij had in het verleden veel van zulke papieren ontvangen, resumés die de dood van een onschuldig slachtoffer en het levenslange verdriet van de nabestaanden tot grimmige feiten en cijfers reduceerden.

Op het perron sneed een lange, schelle fluittoon door de benauwde lucht. De treindeuren klapten dicht en de metalen slang zette zich langzaam in beweging, gleed loom de schaduw van de stationsoverkapping uit, de verzengende felheid van de middagzon in. Er ging een golf van droefheid door Jack heen. Het was lang geleden dat hij een reis door de eenzame, onherbergzame wereld van moord had gemaakt en hij was er niet helemaal zeker van dat hij daar echt weer aan toe was.

21

Marine Park, Brooklyn, New York

Enkele seconden denkt Ludmila Zagalsky dat ze dood is. Zodra ze haar ogen opent, wenst ze dat ze het was. Hoewel ze volkomen gedesoriënteerd is, herinnert ze zich meteen hoe diep ze in de problemen zit. Die klungelige *mudak*, die kerel die zo saai was dat hij beslist niet harder dan vijftig wilde rijden, had haar besprongen en bijna gewurgd met zijn zelfgemaakte strop. Verdomme, Lu, denkt ze, hoe vaak heb je niet tegen anderen gezegd dat je nooit iemand moet vertrouwen? En nu ben je er zelf ingetrapt. Vergeet niet, meid, het leven zit vol rottige verrassingen, en die krijgen je steeds weer te pakken.

Langzaam komt het bewustzijn, het besef van haar omgeving, in haar getraumatiseerde geest terug. Ze ligt plat op haar rug, kijkt naar het plafond, maar ze is niet meer in de huiskamer. Ze is ergens anders.

Waar?

Er brandt licht dat pijnlijk in haar ogen schijnt, maar op een of andere manier ziet de kamer er ook zwart uit. Lu wil haar hoofd opzijdraaien om meer informatie in zich op te nemen, maar ze voelt dat de strop er nog is en tegen haar luchtpijp drukt.

Een strop? Wat is hier verdomme aan de hand?

Toch komt de druk van onder haar, niet van boven. Ze beseft ook dat er leren boeien om haar polsen en enkels zitten. Ze trekt eraan en schrikt ontzaglijk als ze iets onder zich hoort wat op het rinkelen van kettingen lijkt.

De stukjes van de legpuzzel vallen langzaam op hun plaats. Ze heeft het koud. Haar hele lichaam is koud. Ze is naakt en ligt uitgestrekt op een soort bondagetafel. Het touw is onderlangs geleid, zodat ze dreigt te stikken als ze haar hoofd omhoog wil brengen. Ze zou willen gillen, ze zou de longen uit haar lijf willen gillen, maar ze kan nauwelijks ademhalen.

Ik stik! O god, ik stik!

Er is een lap of doek in haar mond gepropt en die wordt op zijn plaats gehouden door breed plakband dat om haar gezicht is gewonden.

Ze raakt in paniek. Haar hart bonkt gevaarlijk hard en ze weet dat ze zal stikken als ze niet tot bedaren komt.

Kom op, meid, beheers je. Beheers je of je gaat eraan.

Ze haalt langzaam adem door haar neus. Geleidelijk slaagt ze erin haar hart enigszins tot bedaren te brengen en zich te beheersen.

En als ze daar ligt en naar dat vreemde zwarte plafond kijkt, ziet ze hem weer. Hij buigt zich over haar heen.

Zijn gezicht is zo groot en zo dicht bij haar dat ze de poriën van zijn huid kan zien. Ze kan de haartjes in zijn neus zien, voelt de warmte van zijn adem.

Nu is hij niet zo onschuldig meer, hè, meid?

'Hallo, mijn kleine Sugar,' zegt hij zachtjes. Hij ruikt aan haar huid, wrijft zijn gezicht tegen het hare aan als een hond die een nieuwe bezoeker besnuffelt. 'Maak je geen zorgen, mijn kleine lieveling, Spider is hier. Spider is vlak bij je.'

Ze is niet zo mooi als de andere Sugars, denkt Spider, maar toch kan hij zien dat ze net zo is als de anderen. Ze dachten allemaal dat ze sterk waren en niemand nodig hadden, dat ze zelf de spelregels konden bepalen, dat ze de levens van mensen in en uit konden gaan wanneer ze maar wilden. Nou, ze hadden het mis. Helemaal mis. Niemand verlaat Spider. Niemand. Nooit.

Hij trekt een houten kruk met leren bekleding naar zich toe om tegenover haar te kunnen zitten. 'Hoe lang je... in leven... blijft, hangt af van hoe goed je luistert,' zegt hij.

Spider heeft een stapel digitaal afgedrukte foto's in zijn linkerhand.

'Arme Sugar. Ik weet dat je in een wereld van leugens leeft,' zegt hij vol medelijden, 'maar maak je geen zorgen. Ik zal je niet bedriegen. Ik vind dat relaties gebaseerd moeten zijn op eerlijkheid, en ik verzeker je nu, helemaal aan het begin van onze relatie, dat ik altijd eerlijk tegen je zal zijn.'

Hij zwijgt enkele ogenblikken en strijkt dan bijna teder wat zwarte lokken weg die op haar bezwete voorhoofd plakken en voor haar ogen hangen. 'Ik ga je een paar foto's laten zien, een paar familiekiekjes,' zegt hij, 'opdat je weet dat alles wat ik tegen je ga zeggen de waarheid is. Zou je dat willen? Zou je mijn foto's willen zien?'

Lu denkt dat ze gek wordt. Ze is naakt en vastgebonden en nu wil die gekke engerd haar zijn familiefoto's laten zien. Man, ze worden met de dag gekker!

'O, dat spijt me,' zegt Spider sarcastisch, terwijl hij de foto's omgekeerd op haar borst legt. 'Ik moet je strop wat losser maken. Dat touw moet wel in je huid snijden.'

Lu hoort dat hij iets met het touw doet en voelt dat er minder druk op haar hals wordt uitgeoefend. Goh, dat voelt goed aan. Ze heeft nooit geweten dat het een van de mooiste gevoelens in je leven was dat je niet gewurgd werd door een touw.

'Beter?' vraagt Spider.

Het lukt Lu te knikken.

Hij pakt de foto's van haar liggende lichaam en legt ze in een bepaalde volgorde, bijna alsof hij net speelkaarten heeft getrokken. 'De foto's die ik je ga laten zien, zijn van andere vrouwen, vrouwen die in dezelfde positie hebben verkeerd als jij. Als je kranten leest, herken je er misschien wel een paar van.'

Hij buigt zich dichter naar haar toe. 'Lees je kranten, Sugar? Daar zie je niet naar uit. Nou, misschien de strips, maar verder niet veel, denk ik.'

Lu stelt zich voor dat ze in zijn arrogante gezicht spuwt, dat ze hem in zijn ballen schopt omdat hij zo'n brutale *swoloch* is, zodat hij op het trottoir van pijn ligt te kronkelen en haar leuke Russische kontje wiegend in de verte ziet verdwijnen.

'Laten we het spelletje "ervoor en erna" spelen,' zegt Spider. Hij rangschikt de foto's opnieuw en houdt er dan een voor Lu's gezicht. 'Dit is "ervoor",' zegt hij.

Lu ziet een roodharig meisje met een zonnebril; ze draagt een wijde, groene, gebloemde jurk en sandalen. De foto is in een winkelcentrum gemaakt; het meisje is met een mobieltje aan het bellen en op de achtergrond nemen mensen de roltrap naar een bovenverdieping.

'En "erna",' Spider vervangt de foto door een andere.

Nu is de vrouw naakt... en dood. Ze ligt op haar rug, haar handen over haar borst, en haar haar steekt onnatuurlijk rood af tegen haar spierwitte huid.

Lu ziet nog iets anders.

Het dode meisje ligt op net zo'n tafel als waar zij nu op ligt. Misschien wel dezelfde tafel!

Spider haalt de foto's weg en glimlacht. 'Wees maar niet bang, Sugar. Ik weet wat je denkt en je vergist je. Je vergist je volkomen. Je bent niet naakt omdat ik iets seksueels met je ga doen. Misschien komt er een tijd voor intimiteit. Maar niet nu. Niet in dit leven.'

Lu Zagalsky kan de woorden niet verwerken. *Niet nu* – wat bedoelde hij? Ze heeft allerlei mafkezen horen praten over allerlei idiote dingen waarop ze kicken. Pis op me, doe me rubberen kleren aan, trek me mee aan een hondenband. Maar iets als dit heeft ze nooit meegemaakt. Dit soort shit gebeurt gewoon niet.

Spider gaat achter haar staan. Hij kamt met zijn vingers door haar verwarde haren die van de rand van de bondagetafel vallen. Dit moment herinnert hem aan die keer dat hij als jongen in de kapsalon zat te wachten terwijl het haar van zijn moeder werd gewassen. Ze had achterover geleund boven een wastafel en een onbekende man had al die tijd gelachen en haar haar met shampoo bewerkt. Op dat moment was het zijn grootste wens om met de magische zeepwolken te spelen die op de vloer vielen, maar de onbekende man wilde dat niet en duwde hem steeds weg, zei tegen hem dat hij moest gaan zitten en mammie met rust moest laten.

Spider wrijft met zijn vingertoppen in haar haar, precies zoals hij de man met zijn moeder heeft zien doen, en dan strijkt hij met zijn handpalmen over haar gezicht en voorhoofd om het schuim weg te vegen. 'Je hebt mooi haar, Sugar, maar je zou er beter voor moeten zorgen. Misschien niet zoveel spray gebruiken en een wat eleganter kapsel nemen. Je hebt vast wel het geld om jezelf eens te verwennen.' Hij masseert zachtjes haar slapen en voorhoofd en loopt dan naar de kruk terug om weer tegenover haar te gaan zitten. Er gaan duistere gedachten door zijn hoofd. Hij stelt zich voor hoe hij haar lichaam zal verkennen als ze dood is; hoe hij zich zal bevredigen in de koelte van haar openingen en dan haar slappe lichaam tegen zich aan zal houden tot al haar energie in hem is overgevloeid.

Hij raakt haar gezicht weer aan. 'Hou je van bloemen?' vraagt hij.

Wat krijgen we nou? Of ik van bloemen hou?

Hij kijkt weer op haar neer. Zijn wilde ogen boren zich in haar; zijn krankzinnige stem brengt krankzinnige woorden voort.

'Heb je ooit spinnenlelies gezien?' gaat hij verder. 'Ze zijn zo mooi, zo wit en zo fragiel.'

Lu heeft nooit gewone lelies gezien, laat staan die spinnenlelies waar die lijpo het over heeft.

'Op een dag zal ik je lichaam er helemaal mee bedekken. En als anderen je zijn vergeten, zal ik altijd spinnenlelies naar je toe brengen.'

Spider draait zich om en loopt bij haar vandaan. Hij voelt de aandrang in hem opkomen. Hij voelt zich gestimuleerd, geprikkeld.

Hij wil haar nu.

Hij wil de magie voelen als hij bezit van haar neemt.

Hij wil haar hebben.

Haar bezitten.

Haar doden.

Maar Spider weet dat hij zich niet door zijn hunkering moet laten meeslepen. Hij moet het vuur dat in hem woedt niet al zijn plannen laten bederven.

Hij zal er niet aan toegeven.

Hij heeft geleerd dat niet te doen.

Spider weet hoe hij de opwelling moet indammen die nu door zijn aderen golft. Hij moet voorkomen dat die aandrang in één moment van blinde, bloederige passie bezit van hem neemt.

Het klamme zweet breekt Lu Zagalsky uit. Nu haar hoofd uit de strop is bevrijd, kan ze voor het eerst opzij kijken. Ze tuurt naar de zieke *mudak* die in de hoek van de kamer zit en zijn gezicht van haar af wendt. Wat ze ziet, jaagt weer een golf van paniek door haar heen. En al weet ze dat het geen zin heeft, ze probeert te trappelen en trekt aan de touwen om haar polsen.

Niet alleen het plafond is met zwart plastic bedekt. Elke vierkante centimeter van de hele kamer, alle muren en zelfs de vloer zitten onder dat spul.

Het lijkt wel of ze in een gigantische lijkenzak ligt.

En die kan elk moment worden dichtgetrokken.

22

Florence, Toscane

Jack wachtte tot de conducteur zijn kaartje had geknipt en de coupé had verlaten en verdiepte zich toen in Massimo Albonetti's dossier.

Eén blik op de papieren was genoeg om hem gespannen te maken.

Er waren twee dikke documenten. Het eerste was in het Italiaans en het tweede was, vermoedde hij, de Engelse vertaling daarvan. Hij legde de Italiaanse versie weg en concentreerde zich op de Engelse tekst. Die begon met een goedgeschreven resumé, waarschijnlijk op papier gezet door Massimo zelf. Daarin stond wat Orsetta hem al had verteld, namelijk dat de Italiaanse politie geloofde dat ze te maken hadden met een seriemoordenaar die een buitengewoon groot gevaar vormde voor de samenleving.

Jack keek naar de bovenkant van het papier en zag dat het gedateerd was op de laatste week van juni. Dit was zeer zeker een actuele zaak. Hij besefte dat hij een vertaling las van een vertrouwelijk memo dat naar het bureau van de Italiaanse premier was gestuurd. Al vanaf de eerste bladzijde besefte Jack dat hij waarschijnlijk tot een select gezelschap behoorde, mensen die geprivilegieerd genoeg waren om het rapport te mogen inzien.

Een foto van een slachtoffer was met een paperclip aan het dossier vastgemaakt. Het was een mooie jonge vrouw van in de twintig, met lang, donkerbruin haar en nog donkerder ogen. Ze droeg een goedkope bril, min of meer een uilenbril, maar hij stond haar goed. In de tekst stond dat ze Cristina Barbuggiani heette. Ze was een zesentwintigjarige bibliothecaresse uit Livorno, die op zichzelf leefde en intelligent, verlegen en intellectueel werd genoemd. Haar leeftijd voldeed helemaal aan het profiel van BRK. Cristina had geschiedenis gestudeerd en in haar vrije tijd was ze vaak naar Montelupo Fiorentino gegaan, even buiten Florence, waar ze hielp bij de archeologische opgravingen van Romeinse ruïnes. Er was daar van alles blootgelegd: boerderijen, villa's en zelfs vroege fabrieken van wijn, olijfolie en maïs.

Jack vroeg zich af waarom seriemoordenaars bij toeval altijd juist slachtoffers kozen die de dood het minst verdienden. Waarom waren hun slachtoffers nooit drugssmokkelaars, pedofielen en verkrachters?

In de samenvatting die aan het rapport voorafging, werd nog een overeenkomst met de BRK-zaken genoemd. Orsetta had hem daar onder het ontbijt al over verteld. Losse delen van Cristina's lijk waren verspreid over kilometers van de westelijke kust gevonden. Elk lichaamsdeel – en blijkbaar waren er dertien in totaal geweest – had in een verzwaarde plastic zak gezeten. Ook dat kwam overeen met de manier waarop BRK zich van zijn lijken ontdeed. Jack las door. Op grond van de plaatsen waar de lichaamsdelen waren gevonden, werd aangenomen dat ze vanaf het land in zee waren gegooid: vanaf een strand of rotsen. Er was geen boot gebruikt. De voeten, schenen, dijen, romp, onder- en bovenarmen van het slachtoffer waren op totaal verschillende plaatsen gedumpt en gevonden. Jack sloeg een bladzijde om en de lucht in zijn longen voelde meteen ijskoud aan. Alle lichaamsdelen waren teruggevonden, in geëtiketteerde zakken gedaan en van een sectienummer voorzien. Dat wil zeggen, alle delen behalve de linkerhand. Jack zag meteen de betekenis daarvan. In zijn hele loopbaan had hij maar één keer met een delinquent te maken gehad die de linkerhand als trofee bewaarde. De Black River-killer. Na vier jaar was de stilte voorbij. BRK was terug.

23

Marine Park, Brooklyn, New York

Spider controleert de boeien en de prop in haar mond, doet de deur van de kelder op slot en gaat naar boven om uit te rusten.

Als hij in zijn slaapkamer is, kijkt hij omhoog naar de spiegeltegels op het plafond. Die zijn daar aangebracht opdat hij zichzelf kan zien als hij op zijn speciaal aangepaste bed ligt. Hij noemt die tegels zijn Venster naar de Hemel.

Hij haalt zijn zakken leeg op het nachtkastje, maakt zijn mobieltje, dat de vorm van een mosselschelp heeft, open en roept het menu op. In MEDIA kiest hij voor BEKIJKEN, en dan kijkt hij naar de digitale opnamen die hij met de lens van twee megapixels heeft gemaakt. Twee avonden heeft hij heimelijk foto's van Lu Zagalsky gemaakt als ze haar vak uitoefende in de straten van Brooklyn Beach. Hij zag hoe ze op haar hoge hakken langs de auto's liep die door Little Odessa reden. Hij heeft het allemaal heel goed gezien en gefotografeerd: hoe ze de ene na de andere klant aan de haak sloeg en hem met lege ballen en een lege portefeuille achterliet. Ze stond symbool voor alle vrouwen: ze pakten je geld af en gingen weg. Er was alleen het verschil dat dit meisje het niet in twintig jaar maar in twintig minuten deed. Het resultaat was wel hetzelfde: uiteindelijk gingen ze allemaal weg.

Behalve in jouw wereld, Spider, nietwaar? In Spiders wereld gaat niemand weg. Wat vertel je ze ook alweer? Zelfs als je sterfelijke vlees is verdwenen, zul je nog in mij leven; je zult nog steeds deel van mij uitmaken. Jouw ziel en mijn ziel zullen voor altijd bij elkaar zijn.

Spider kijkt naar de kleine digitale foto van haar en bedenkt dat er, net als bij de anderen, iets aan haar is wat hem aan zijn overleden moeder doet denken. De haarkleur is bijna dezelfde, en dat geldt ook voor de vorm en de kleur van haar ogen. Maar daarmee houdt de overeenkomst op. Dit meisje is een hoer, een slet; iemand die het bijna niet waard is wat hij met haar van plan is. Want dit wordt geen gewone moord. Dit wordt een unieke moord, een moord die haar beroemder zal maken dan zijn vorige slachtoffers. Spider voelt een intens verlangen, een begeerte die aan hem knaagt, als hij bedenkt hoe ze zal sterven en hoe het met haar koude, dode lichaam gesteld zal zijn als hij klaar met haar is. Hij trekt zijn kleren uit en gaat naar de badkamer om het toilet te gebruiken, zich te wassen en zijn tanden te poetsen. Hij poetst ze drie keer per dag, niet twee keer. Dat moest hij altijd van zijn moeder. Reinheid en properheid. Dat was in de goede tijd, de tijd voordat ze hem verliet.

Hem verliet zonder zelfs maar afscheid te nemen.

Op een dag kwam hij van school naar huis en kreeg hij te horen dat zijn moeder weg was, dat ze dood was, maar hij moest er niet over piekeren en niet verdrietig zijn, want ze was nu op een 'Betere Plaats', ze was in de hemel bij de engelen.

Hoe was dat mogelijk? Hoe kon mama ergens heen gaan waar het veel beter was, zonder hem mee te nemen?

Hij was nog maar negen toen het gebeurde. En hoewel hij al slim genoeg was om niemand te vertrouwen, vertrouwde hij zijn mama en papa wel. Zoals ze hadden gezegd, waren ze de enige mensen ter wereld op wie je echt kon vertrouwen, de enige mensen die je altijd de waarheid vertelden en altijd voor je zouden zorgen.

Altijd. Voor eeuwig en eeuwig.

Maar dat was allemaal gelogen, nietwaar?

Wekenlang had ze in het ziekenhuis gelegen en had hij haar gemist. Hij had haar gemist op elke dag dat ze niet bij hem was.

'Ik kan niet slapen, papa. Waarom komt ze niet thuis? Wanneer komt mama terug?'

In al die weken hadden ze hem haar in het ziekenhuis laten bezoeken, en elke dag had ze er triester, magerder en ook bleker uitgezien. Ze zeiden dat ze vocht tegen iets wat ze kanker noemden en hij kreeg de indruk dat die kanker aan de winnende hand was, maar o nee, zeiden ze, je mama is een vechter, ze wint het wel, uiteindelijk komt ze erbovenop.

Leugenaars. Stuk voor stuk, vervloekte leugenaars.

Zelfs toen er allemaal slangen uit haar staken, had zijn vader hem omhelsd en tegen hem gezegd dat hij niet bang moest zijn, die slangen waren er alleen om zijn mama te helpen weer beter te worden.

Weer beter! Wat had hij naar die dag verlangd.

Soms was hij op het harde ziekenhuisbed geklommen, omdat ze zelfs te zwak was om rechtop te zitten en haar armen om hem heen te slaan. Dan ging hij naast haar liggen en huilde hij op haar kussen. Ze tilde haar hand op, die nu knokig en dun was, met pleisters en slangetjes die uit gekneusde aderen staken, en streelde zijn gezicht. Haar stem was ijl en zwak, niet de stem waarmee ze altijd door de tuin schreeuwde dat hij meteen binnen moest komen om te eten. Hij kon haar bijna niet horen, maar de woorden waren altijd dezelfde: 'Niet huilen, lieverd, ik ben gauw weer beter. Veeg die tranen weg. Mama komt nu heel gauw thuis.'

En toen was ze plotseling weg. Weg naar de hemel. Weg naar die Betere Plaats, zonder hem.

Waar ben je, mama? Ik wacht. Ik wacht nog steeds.

Na verloop van tijd zou Spider misschien van het traumatische verlies van zijn moeder hersteld zijn, maar soms is het lot wreed en soms kan die wreedheid levenslange gevolgen hebben. Binnen enkele weken na de dood van zijn moeder werd Spiders vader, zijn emotionele rots in de branding in die kritieke rouwtijd, doodgereden door een politiewagen die op een valse melding af ging: een paar tieners die alleen maar die wagens voorbij wilden zien racen, met hun blauwe en rode zwaailichten, hadden 911 gebeld.

Spiders grenenhouten bed heeft hoge zijwanden, net als het bed dat hij als kind had. Alleen heeft dit bed de vorm van een doodkist. Hij heeft het zelf gebouwd, met het gereedschap van zijn dode vader. De onderkant van het bed bevat een diepe, ruimtebesparende la. Daarin bewaart Spider foto's van zijn ouders, krantenknipsels over de dood van zijn vader en andere dierbare souvenirs: zijn trofeeën. Ontdaan van vlees en spieren, gekookt en schoongeboend liggen daar de vingerbotjes van zijn slachtoffers, als een berg dikke eetstokjes. Hij had er geen behoefte aan om hun handen te bewaren. Hij zaagde de handen alleen af omdat hij dan sneller en gemakkelijker bij de vinger kon komen die hij wilde hebben: de vinger voor de trouwring. En die dierbare trofee sneed hij altijd af zonder hem te beschadigden. Achter in de la heeft hij, in een zakdoek, een verzameling goedkope en dure verlovings- en trouwringen.

Spider zit naakt op het stevige rode matras en speelt uit gewoonte met de gouden ketting om zijn hals. Daaraan hangen de trouw- en verlovingsring van zijn moeder. Hij brengt ze naar zijn mond en kust ze. Hij denkt even aan haar en laat dan de ketting los. Vanaf de zijkant van het bed pakt hij een plastic bus op. Hij draait aan het deksel en schudt de inhoud in de palm van zijn hand. Langzaam verspreidt hij talkpoeder over zijn hele lichaam, tot hij wit is, helemaal wit.

Wit als een lijk.

Zo wit als mama's gezicht in de aula.

Spider gaat liggen en kijkt omhoog in zijn Venster naar de Hemel. Aan de andere kant, daar is hij zeker van, heel zeker, kan hij mama op de Betere Plaats zien, haar dode, witte armen uitgestrekt om hem te omhelzen.

24

West Village, SoHo, New York

Howie Baumguard kon om twee redenen niet slapen: moord en eten. Op dit moment had hij het gevoel dat hij wat het een betrof te veel op zijn bord had en wat het ander betrof te weinig. Met blote borst en op blote voeten, terwijl zijn knorrende maag over zijn blauwe, katoenen pyjamabroek hing, liep hij op zijn tenen naar beneden om de rest van het gezin niet wakker te maken. Een tijdlang had hij zichzelf kunnen wijsmaken dat hij op Tony Soprano leek. Misschien werd hij van boven te mager en zeker werd hij van onderen te dik, maar hij was nog steeds iemand om rekening mee te houden. Als hij zich goed had geschoren, aftershave op zijn huid had en een swingend overhemd droeg, voelde hij zich altijd geweldig. Dat wil zeggen, totdat zijn bonenstaakvrouw tegen hem zei dat hij meer op het Doughboy-monster in *Ghostbuster* leek dan op James Gandolfini, van wie zelfs Howie wilde toegeven dat hij zo groot was dat het hem verrekte sexy maakte. Daarom had hij de vorige avond, aan het eind van een verschrikkelijk zware dag, bij thuiskomst een garnalensalade in krimpfolie en een beker vetvrije melk op de eettafel aangetroffen. Was er dan helemaal geen plezier meer in het leven? Nou, ze kon verrekken, en de calorieën konden dat ook: het was tijd voor iets lekkers.

'Kijk uit, koelkast, hier komt Howie!' zei hij terwijl hij de dubbele deur van de provisiekast opentrok. Zijn gezicht straalde net zo fel als de plafondlamp. Hij pakte een in folie verpakte koude kip en danste ermee naar de keukentafel. In het voorbijgaan had hij ook een pot cranberrygelei meegepakt, en de roestvrijstalen broodtrommel leverde nog meer schatten op: grote plakken wit brood en een donut met jam (achtergelaten door Howie junior, die blijkbaar al drie uit het pak van vier had opgegeten).

Voor de goede orde trok Howie een blikje bier open en nam een grote slok voordat hij in de koelte van de keuken ging zitten. Hij trok een poot van de kip en knaagde aan het heerlijke vlees. Een fikse dosis slecht-voor-je-hart-zout maakte de kip van goed tot fantastisch. Hij wist dat hij at om zich te troosten – en goh, wat werkte het goed. Nog een grote slok bier en hij voelde zich duizend keer beter dan in de afgelopen twee slapeloze uren, waarin hij hongerig op zijn zij had gelegen en gepiekerd had over het telefoongesprek dat hij moest voeren.

Howie haalde zijn mobieltje uit de lader op het aanrecht en drukte op de sneltoets om Jack King te bellen. Het duurde een eeuwigheid voor de verbinding tot stand kwam. Ten slotte hoorde hij een Italiaanse beltoon en nam een vrouw op.

'Buon giorno, hallo, La Casa Strada. Ik ben Maria. Waarmee kan ik u van dienst zijn?'

Howie wist meteen wel twee manieren waarop een meisje met zo'n sexy stem hem van dienst kon zijn. Omdat beide manieren hem een enkele reis echtscheiding zouden opleveren, beperkte hij zich tot de reden waarom hij belde. 'Hallo daar, ik bel uit Amerika en ik probeer Jack King te pakken te krijgen. Wilt u me met hem doorverbinden?'

Hij voelde zich beroerd. Die goeie jouwe Jack genoot natuurlijk van een mooie Toscaanse ochtend en nu kwam zijn oude gabber Howie alles verpesten.

'Het spijt me, maar Signore King is er momenteel niet. Wilt u spreken met Signora King?'

Als hij de keuze had, zou Howie liever zijn eigen oogballen uitkrabben dan een uitbrander van Nancy Nitraat riskeren.

'Ja, verbind me maar door,' zei hij huiverend. Nancy had hem in het verleden al een paar keer de huid vol gescholden. Tussen Howie en haar had het nooit willen klikken. Vroeger had ze, dacht hij, een hekel aan hem gehad omdat Jack en hij altijd bij elkaar waren. En later zou ze, al had ze het nooit gezegd, hebben gedacht dat Jacks instorting voor een deel zijn schuld was.

'Hallo, Howie?' zei Nancy een beetje ongelovig. 'Waarom bel je om deze tijd?'

Zo, ze wees hem meteen zijn plaats. Wat kon hij nu zeggen? Weet je, Nancy, iemand heeft de schedel van een moordslachtoffer van twintig jaar geleden naar je man gestuurd. Kan hij hem even komen ophalen? Nee, dat kon hij beter niet zeggen.

Howie koos voor een veiliger optie. 'Hallo, Nancy, ik ben opgestaan om de koelkast te plunderen, maar ik moet Jack spreken. We moeten over iets praten.'

'Waarover?' zei Nancy, sneller dan een stiletto in New Jersey.

'Een oude zaak. Er zijn wat nieuwe gegevens. Enig idee wanneer ik hem kan bereiken?'

Nancy wist dat ze werd afgescheept. Ze wist dat net zo goed als toen die vrouwelijke Italiaanse rechercheur haar weigerde te vertellen waar ze voor kwam. En ze wist ook dat het geen zin had om Jacks oude vriend te vragen of er verband tussen die twee zaken was.

'Howie, zal dit ons geen kwaad doen? Jack is momenteel aan de beterende hand, weet je. Een tijdje rust zouden we goed kunnen gebruiken.' Ze krabde onwillekeurig aan haar hals, een nerveuze gewoonte die ze bedwongen dacht te hebben. 'Vertel me eens eerlijk: zal hij hierdoor dieper wegzakken?'

Howie moest het laatste bier uit het blikje drinken voordat hij haar antwoord kon geven. 'Eerlijk gezegd, Nancy, moeten we het BRK-dossier weer openen, en er is een grote kans dat de pers veel oud nieuws over Jack gaat oprakelen.'

'O mijn god!'

'Ik vind het heel erg,' zei Howie, die kon horen dat ze haar adem inhield. 'Gaat het wel?'

Ze blies haar adem uit. 'Nee, het gaat niet, Howie. Ik voel me echt niet goed.'

Het goede gevoel dat het bier en de kip hem hadden bezorgd, was weg. Howie wist dat er meer dan een heleboel lekker eten voor nodig was om het rotgevoel dat hij nu had weg te nemen. 'Nancy, begrijp je dan tenminste dat het beter is dat ik eerst met Jack praat? Dat ik hem op de hoogte stel voordat hij dingen op het nieuws hoort of in de kranten leest?'

'Howie, ik weet het niet. Ik kan op dit moment niet eens helder nadenken. Jack is in Florence. Ik zal hem vragen je terug te bellen zodra hij weer thuis is.'

'Dank je,' zei Howie. Hij schoof het bord met kip van zich af.

'Goed,' zei Nancy met bitterheid in haar stem. 'O ja, Carrie heeft gelijk: jij bent een dik egoïstisch varken dat meer om de FBI geeft dan om alle dingen die je echt belangrijk zou moeten vinden.'

De verbinding werd verbroken voordat Howie een weerwoord kon bedenken. Het was net vier uur 's nachts geweest, en hij kon maar één ding doen: nog een blikje bier opentrekken.

25

Florence-Siena, Toscanec

Jack las de papieren twee keer door. Toen nam hij de met de hand geschreven brief weer en belde het mobiele nummer van Massimo Albonetti. De buitenwijken van Florence vielen achter hem weg. De trein ratelde en rommelde naar Siena.

'*Pronto,*' zei een krachtige Italiaanse mannenstem. De 'r' klonk zo diep als uit de mond van een getrainde baritonstem in een opera.

'Massimo, met Jack... Jack King.'

'Ah, Jack,' antwoordde Massimo hartelijk. Hij hoopte dat zijn vroegere FBI-collega niet te erg geschokt was door zijn verzoek om hulp. 'Mijn vriend, hoe gaat het met je?'

'Met mij gaat het goed, Mass,' zei Jack. Hij stelde zich 'de oude bok' aan zijn bureau in Rome voor, ongetwijfeld met een espresso aan zijn ene en een brandende sigaret in een asbak aan zijn andere kant. 'Je jonge inspecteur zal wel verslag aan je hebben uitgebracht.'

Massimo schraapte zijn keel, kuchte beleefd in zijn hand. 'Neem me niet kwalijk. Ik vind het heel erg dat ik het je niet persoonlijk kon vragen. Jack, je hebt het dossier gezien en weet dus waarom ik zo graag wilde dat je het bekeek.'

'Ja, dat begrijp ik, Mass. Ik neem je niets kwalijk. Daarvoor kennen we elkaar te lang.' Jack herinnerde zich een van de vele lange avonden die ze met elkaar hadden doorgebracht: eerst Italiaanse rode wijnen en tot slot Amerikaanse bourbon. 'Ik zou waarschijnlijk hetzelfde hebben gedaan.'

Massimo kon horen dat Jack in een trein zat. Hij wist dat Jack terugkeerde naar zijn gezin, terwijl hem net was gevraagd het de rug toe te keren. 'Jack, ik zou dit niet van je hebben gevraagd als ik dacht dat we deze zaak zonder jou konden oplossen. Die man, die moordenaar... Niemand kent hem zo goed als jij.'

Jack fronste zijn wenkbrauwen. Hij besefte heel goed welke prijs hij zou moeten betalen als hij zich bij het onderzoek aansloot. 'Het is zwaar, Massimo. De jacht op die griezel heeft me van bijna alles beroofd.'

Massimo voelde zich beroerd. 'Sì. Dat weet ik. Als ik geen politieman was, zou ik je aanraden erbuiten te blijven. Als vriend zou ik er bij je op aandringen dat je je niet met de zaak bemoeit en alleen aan jezelf en je gezin denkt. Maar Jack, ik bén politieman, en jij bent dat ook. En ik weet dat alleen jij het onderzoek veel verder kunt brengen. Ik weet welke capaciteiten jij hebt. Met jouw hulp maken we een goede kans die man te pakken te krijgen.'

Het zonlicht schitterde op de lappendeken van het groene landschap. Jack keek naar de bomen aan de horizon. Was BRK echt hier geweest? Had hij zijn waanzin naar de andere kant van de oceaan gebracht en had hij dit mooie land met zijn bloeddorst en barbarij vergiftigd?

'Kunnen de kritieke gegevens in de zaak-Barbuggiani niet op een vergissing berusten?'

'Nee,' zei Massimo meteen. 'Er is geen vergissing mogelijk,' voegde hij eraan toe, en hij dronk het laatste restje van zijn onvermijdelijke espresso. 'Je denkt nu aan die hand, nietwaar, Jack?'

Tientallen beelden gingen door Jacks gedachten: de gezichten van vrouwen, de witte lakens in het mortuarium die werden weggeslagen om skeletresten te tonen, de stompjes van armen van jonge meisjes, armen waar het monster zijn trofee, de linkerhand, van af had gehakt: altijd de linkerhand, de hand van het huwelijk.

Massimo nam een trek van zijn sigaret. Hij wou dat hij oog in oog zat met zijn vriend, met elk een goed glas voor zich op de tafel, iets om de schok te verdoven die Jack ongetwijfeld voelde, iets om hen aan vroeger te herinneren. Hij blies de rook uit en deed zijn best om zijn woorden niet te hard te laten klinken. 'Er is geen vergissing mogelijk. Deze man heeft de hand op dezelfde manier afgesneden als in jouw zaken.'

'Waar?' drong Jack aan. 'In de aantekeningen staat niet precies waar hij heeft gesneden.'

'De incisie zat aan de onderkant van de handwortelbeentjes.' Massimo plukte een stukje tabak van zijn tong. 'Het was een diagonale snede, tussen handwortelbeentjes, ellepijp en spaakbeen.'

Jack zweette. Er kwamen nog meer flashbacks boven, ditmaal van de moordenaar, niet zijn slachtoffer. Hij zag de man aan het werk. De man bewoog zich langzaam en zorgvuldig. Hij bereidde zich nauwgezet voor op wat hij ging doen. Het monster legde de arm van zijn slachtoffer in de juiste positie – leefde ze op dat moment nog? De pogingen tot amputatie bij de eerste slachtoffers waren primitief en afschuwelijk experimenteel verlopen; er waren beitelsporen en onzekere zaaglijnen te zien geweest. Er was in het bot gehakt en gegutst, tekenen dat er misschien een hamer was gebruikt om de trofeeën los te krijgen. Maar dat was algauw verleden tijd geworden. Algauw had BRK het juiste gereedschap voor het werk en had hij blijkbaar ergens gelezen waar hij het best kon snijden.

'Ben je daar nog, Jack?' vroeg Massimo. 'Ik kan je niet horen.'

'Een slechte lijn,' zei Jack. 'Vertel eens, Mass, wat had jullie man gebruikt om mee te snijden?' Hij zette zich schrap voor het antwoord.

'Een professionele ijzerzaag. Aan de tandsporen te zien is het een botzaag, misschien een sectiezaag, maar waarschijnlijk een slagersbotzaag.'

'Shit!' zei Jack. 'Waren de tanden op de zaag intact of waren sommige gebroken?'

'Niet intact,' bevestigde Massimo. 'Het was een oude zaag. Hij was al vaker gebruikt. Volgens de technische recherche is het waarschijnlijk een zaagblad van vijfendertig tot veertig centimeter met twee stellen beschadigde tanden.'

'Laat me raden,' zei Jack. 'De eerste defecten zijn er drie bij elkaar. Dan is er een onbeschadigd stuk van zo'n zeventien centimeter, en dan komt er één beschadigde tand. Die staat een beetje scheef naar links.'

'Moeilijk te zeggen,' zei Massimo. 'In elk geval zijn er sporen van beschadiging. Jack, ik vrees dat het dezelfde man is. Eigenlijk is er geen twijfel mogelijk.'

Jack kon niets meer uitbrengen. Het was nog steeds niet helemaal tot hem doorgedrongen. Amper vierentwintig uur geleden was hij naar Florence gegaan om het 'af te sluiten', zoals Nancy het noemde. Nu lag alles weer helemaal open. Wijd open, als een ontstoken wond die niet wilde genezen.

Massimo wachtte geduldig af. Hij hoorde stilte en toen het geluid van een passerende trein. Hij wist dat zijn vriend er moeite mee had om met dit alles in het reine te komen.

'Oké. Ik doe mee,' zei Jack op besliste toon. 'Ik zal je helpen. Eigenlijk heb ik geen keus. Ik moet dit nog een keer proberen. Ik bel je op een betere lijn als ik thuis in San Quirico ben en we van daaruit de logistiek kunnen uitwerken.'

'*Va bene. Molto bene, grazie,*' zei Massimo zacht. Hij wilde er nog iets aan toevoegen, maar de verbinding was verbroken; Jack had al opgehangen.

Massimo hield de telefoon in zijn ene hand en tikte er peinzend mee tegen de palm van de andere voordat hij hem op de haak teruglegde. Er waren nog steeds dingen die hij Jack niet over de moord op Cristina Barbuggiani had verteld; verontrustende feiten die hij hem alleen kon vertellen als hij hem persoonlijk ontmoette.

26

West Village, SoHo, New York

De eerste strepen van een aquareldageraad werden over New York geschilderd toen Howie bij een raam in zijn studeerkamer achter het bureau ging zitten. Soms kon hij beter werken in de vroege uurtjes, als zijn geest vrij was van alles wat maar door elkaar heen op hem af kwam zodra hij voet in zijn kantoor zette.

De bazen in Virginia hadden hem nu officieel gevraagd de zaak-BRK te heropenen en hij had elke seconde van de dag nodig om het onderzoek weer op poten te zetten. Ze hadden hem opdracht gegeven een klein team samen te stellen (altijd aan het budget denken), de gegevens opnieuw te onderzoeken en met de politie in Georgetown samen te werken om na te gaan of de schennis van Sarah Kearneys graf hun iets nieuws opleverde.

Howie had een kop zwarte koffie bij zich staan en waadde door een woud van papieren dat hij van kantoor mee naar huis had genomen. Hij begon met de gecomputeriseerde statistische en psychologische profielen die waren geproduceerd door PROFILER en VICAP, de twee grote computersystemen die de FBI gebruikte om seriemoordenaars op te sporen. BRK nam onnoemelijk veel gigabytes in beslag, en juist de diepgang van het onderzoek maakte de dingen eerder moeilijker dan gemakkelijker. De gegevens waren altijd al moeilijk te verwerken, maar voor het ontbijt waren ze volslagen onverteerbaar. Meer dan dertigduizend getuigenverklaringen, verspreid over veertig steden en twintig jaren. Meer dan tachtigduizend meldingen van autocontroles. Meer dan tweeduizend onderzoeken onder eerdere delinquenten. Howie had het gevoel dat de wil om te leven uit hem weg trok. Alleen al de gegevens over vingerafdrukken waren genoeg om je tot tranen te brengen. IAFIS, het systeem van de FBI om vingerafdrukken te identificeren, had meer dan zevenduizend stellen afdrukken door de database gehaald en ze vergeleken met meer dan veertig miljoen gevallen in zijn Criminal Master File, en dat had tot meer dan tienduizend meldingen van latente vingerafdrukken geleid. Daar kwam nog bij dat ze de nieuwste wetenschap hadden gebruikt om tientallen DNA-sporen uit de afdrukken zelf te halen. De experts achter CODIS, het DNA-indexsysteem van de FBI, hadden hun databases aangeboord, maar de genetische profielen die ze daaruit haalden hadden niet bij die van bekende delinquenten gepast. Vroeger hadden ze het probleem gehad dat de wetenschap niet goed genoeg was om iets wezenlijks met dat soort sporen te doen, maar tegenwoordig was het tegenovergestelde het probleem. Er waren zoveel gegevens; het was bijna ondoenlijk om na te gaan wat van het slachtoffer afkomstig was, en wat van de aanvaller en wat van onschuldige mensen die toevallig op dezelfde plaats waren geweest. Dus hoeveel dichter bracht al die wetenschappelijke vooruitgang hen bij het vinden van de dader?

Geen centimeter.

Zeker, ze hadden vingerafdrukken, genetische profielen, statistische profielen, mogelijke autowaarnemingen enzovoort. Maar niets daarvan kon hen naar een hoofdverdachte leiden. En zonder verdachte hadden ze helemaal niets. Gegevens waren geweldig als je dader al eens veroordeeld was, maar als hij nooit in de administratie was gekomen, schoot je er niets mee op.

Met dat alles in gedachten ging Howie naar het begin terug. Hij wilde een totaalbeeld van de zaak krijgen, het woud van informatie vermijden en zich concentreren op de dikke, zwarte bomen die als door stormen belaagde eiken in het midden van dat woud stonden. Daarvoor zou hij helemaal opnieuw moeten beginnen. Hij moest naar die massa gegevens kijken alsof hij er voor het eerst mee werd geconfronteerd.

Sommige dingen lagen voor de hand. Omdat er twintig jaar was verstreken tussen de eerste moord die aan BRK werd toegeschreven en zijn laatste moord, moest hij nu minstens van middelbare leeftijd zijn. En wat nog interessanter was: die lange tijdsspanne betekende dat hij gedurende zijn seksueel actiefste jaren had gemoord en daarna was doorgegaan. Een geheid teken dat hij meer was dan een seksueel gemotiveerde moordenaar en dat hij niet zou stoppen. Er zou pas een eind aan komen als hij werd gepakt, of als hij stierf.

Alle moordslachtoffers waren blanke vrouwen, en de statistische gegevens wezen erop dat hij zelf waarschijnlijk ook blank was. De lichamen waren verspreid over een groot gebied gevonden, in meer delen van de Verenigde Staten dan ooit aan de pers was verteld. BRK kreeg zijn bijnaam door de moorden in de buurt van de Black River in South Carolina, maar het was een feit dat de man langs de hele Atlantische kust had gemoord. Er waren lichaamsdelen aangespoeld in Jacksonville, Swan Quarter, Hertford en zelfs Hampton. Er waren ontdekkingen gedaan bij de Canadese grens in het noorden, langs de kust van Miami in het zuiden, en zelfs in de richting van Mexico. De plaatsen waar ontvoeringen hadden plaatsgevonden en lijken waren gevonden, lagen zo ver uiteen dat BRK baas over zijn eigen leven moest zijn, een alleenstaande man, werkeloos of rijk, die kon gaan en staan waar hij maar wilde zonder aan iemand verantwoording te hoeven afleggen.

Howie zette de elementaire gegevens op papier:

Blank
Middelbare leeftijd
Geen strafblad
Rijbewijs
Goede geografische kennis
Werkeloos/Financieel onafhankelijk
Vrij om rond te reizen
Alleenstaand
Niemand die van hem afhankelijk is

'Geweldig!' zei hij, en hij spreidde zijn armen met gespeeld enthousiasme. 'Dat beperkt het aantal verdachten tot niet meer dan zestig miljoen blanke Amerikaanse mannen.'

Howie kende de misdaadcijfers uit zijn hoofd en de herinnering daaraan had hem nooit een goed gevoel bezorgd. Er werden in Amerika ongeveer zeventienduizend mensen per jaar vermoord. Dat waren ongeveer zes moorden per honderdduizend inwoners. Maar de meeste moorden waren gemakkelijk op te lossen: echtelijke ruzies die uit de hand waren gelopen, afrekeningen in drugskringen, bendeoorlogen die op straat werden uitgevochten met meer toeschouwers dan een sportwedstrijd. De meeste moorden waren het werk van 'amateurs', mensen die voor het eerst moordden en meteen in paniek raakten en dekking zochten. Ze hadden grote haast om het slachtoffer te dumpen en gingen er zelf daarna meteen vandoor, zo ver mogelijk weg. Ze waren anders dan BRK.

Deze dader, of 'deze gekke zieke mafkees', zoals Howie hem noemde, wilde de lichamen zo lang mogelijk bij zich houden. Daar konden verschillende redenen voor zijn. Profilers dachten dat BRK erg intelligent was en wist dat hij het de onderzoekers moeilijker maakte als hij het lichaam van de plaats van de ontvoering verwijderde. Alleen al omdat het onderzoek pas op gang kwam als het lichaam was gevonden. Voor het zoeken naar vermisten zette de politie lang niet zoveel middelen in als voor de jacht op een moordenaar, en het kreeg ook veel minder aandacht van de pers. Als het lijk van de plaats van de ontvoering werd weggehaald, viel er regen op de plaats delict, liepen er mensen overheen, pisten honden erop. Kortom: dan worden er sporen van cruciaal belang vernietigd. De volgende complicatie is de jurisdictie. Als een lichaam op de juiste plaats werd achtergelaten, was er de kans dat de FBI, de stadspolitie en de sheriffs met elkaar op de vuist gingen om het onderzoek te mogen doen (of, in sommige gevallen die Howie kende, om erbuiten te mogen blijven). Ten slotte het belangrijkste: als een seriemoordenaar zijn prooi weg kon lokken en in een besloten, door hem beheerste omgeving kon doden, een omgeving waarin hij geen sporen hoefde achter te laten en alles na afloop kon opruimen, zouden de CSI-teams helemaal geen sterfgeval te onderzoeken hebben.

De meeste profilers veronderstelden dat die laatste factor de echte reden was waarom BRK zijn lijken bij zich hield. Maar Jack niet. Jack ging wel vaker tegen de meerderheid in. Hij dacht dat er andere, veel eenvoudiger redenen waren. Terwijl Howie zijn koffiekop weer oppakte, klonken de woorden van zijn oude vriend weer in zijn hoofd: 'Hij kan er gewoon niet tegen om zijn slachtoffers los te laten. Hij wil ze voor altijd bij zich houden. Doden kunnen je niet in de steek laten. Hij doodt om gezelschap te hebben.'

Howie slikte de bittere zwarte koffie door en bedacht dat die veel beter zou smaken met nog een donut, vooral eentje met chocolade. Hij had het gevoel dat voedsel hem met zijn problemen zou kunnen helpen.

De enige reële aanwijzing die de man hun gaf was de manier waarop hij zich van de lijken ontdeed.

Hij zaagde ze in stukken en liet die verspreid achter.

Hij reed naar rivieren, moerassen, delta's, overal waar diep water was, en gooide de lichaamsdelen daarin.

Wat konden ze daaruit afleiden?

Jack had de vraag vele malen gesteld en ze hadden tientallen theorieën uitgedacht. De man voelde zich aangetrokken tot het water; hij was visser; hij was opgegroeid bij een rivier; misschien had hij zijn vader de rivier als vuilnisbelt zien gebruiken. Misschien was hij zeeman, misschien kende hij de havens en passeerde hij ze voor of na de moorden. De FBI was dat allemaal nagegaan, sommige dingen zelfs twee keer. Misschien had Jack al die tijd gelijk gehad met zijn simpele verklaring.

'Weet je, Howie, afgezien van vuur is water de beste manier om van een lijk af te komen. Driekwart van onze planeet is bedekt met water; dat is een groot areaal om lijken in te verbergen. Begraaf een lijk en je kunt bijna altijd zien dat de grond is verstoord; er lopen mensen langs, dieren graven het op, en voor je het weet, belt iemand de politie. Maar als je lichaamsdelen verzwaart en ze in diep water laat vallen, duurt het een hele tijd voordat iemand weet wat je hebt gedaan. Als er uiteindelijk dan toch iets aan de oppervlakte komt, is het grondiger afgekloven dan een drumstick van Kentucky Fried Chicken bij een belangrijke sportwedstrijd. Geloof me, Howie, het enige wat die kerel met water heeft, is dat hij er goed gebruik van kan maken. Als hij een beter middel vindt, doet hij meteen niets meer met water.'

Howie ging naar zijn profiel terug en voegde eraan toe:

Systematisch
Voorzichtig
Intelligent
Meedogenloos
Zorgvuldig

Hij schreef bijna ook 'pannenkoeken, ham en koffie' op, want daar dacht hij aan terwijl ergens in zijn uitpuilende buik weer geknor te horen was.

Als hij de moordenaar nu zou moeten beschrijven, zou hij zeggen dat hij op zoek was naar een blanke man met een intelligentie boven het gemiddelde, ongeveer vijfenveertig jaar oud, zonder strafblad, financieel onafhankelijk, rijdend in een onopvallende auto en waarschijnlijk zelfs nooit beboet voor foutparkeren. Hij nam geen risico's. Hij was een onopvallend type dat in elke omgeving kon opgaan en niet in het oog sprong. Hij was alleenstaand, waarschijnlijk nooit getrouwd geweest, en hij was... was wat? Howie dacht even na over de seksuele geaardheid van de man. Was hij homoseksueel? Waren het homoseksuele aanvallen op aantrekkelijke heteroseksuele vrouwen? Hij dacht van niet. Waarom zou dat zo zijn? Howie streepte het door in het lijstje dat hij in zijn gedachten had. Waren het heteroseksuele lustmoorden? Het zou kunnen. Misschien zaagde hij de lijken in stukken om iets te verhullen wat hij ermee had gedaan, iets zo verdorvens dat hij niet wilde dat enig ander mens ooit ontdekte wat het was. Het was een mogelijkheid, maar eigenlijk waren er geen sporen die daarop wezen. Geen sperma in de lichamen of in wonden, geen teken van iets wat in een lichaamsopening was geduwd, geramd of gepropt. Er waren sporen gevonden op de botten van polsen en schenen. Misschien waren die toegebracht door fetisjistische boeien, maar waarschijnlijk had een systematisch ingestelde cipier er alleen maar voor willen zorgen dat zijn gevangene niet ontsnapte. Howie wenste opnieuw dat Jack bij hem was om hem te helpen. Zedenmisdrijven die in serie werden gepleegd, waren de specialiteit van zijn vriend. Niemand in het vak was beter geweest dan hij.

'Bedenk wel, Howie: niet de geslachtsdelen zijn het belangrijkste seksuele orgaan van de man en de vrouw, maar de hersenen. Fantasie en planning spelen zich af in je hoofd, niet in je broek. Wat die schurken fysiek uitvoeren, is alleen maar een manifestatie van de verlangens die ze in hun hoofd hebben.'

Howie wist nog steeds niet of hij 'homoseksueel' of 'heteroseksueel' moest opschrijven. Hij kon gewoon niet bedenken waar die mafkees op kickte. En toen vond hij het woord dat hij zocht. Onder 'intelligent', 'meedogenloos' en 'zorgvuldig' schreef hij een woord dat hij nooit eerder op papier had gezet:

Necrofiel

De dood was nog maar het begin van datgene waar de moordenaar op kickte.

27

Siena, Toscane

Toen Jacks trein in Siena aankwam, werd het hem zwaar te moede. Op het station wemelde het van de toeristen en hij wist opeens weer waarom: het was *Palio*-dag.

Jack en Nancy waren nooit naar de befaamde *Palio alla Tonda*-paardenrennen door de straten van de stad geweest, maar ze hadden er veel over gehoord. Paolo had hun aangeraden te gaan, maar Carlo, hun kalme en veel conservatievere bedrijfsleider, had gezegd dat ze dat vooral niet moesten doen. Die uiteenlopende meningen stonden min of meer model voor de manier waarop in het grootste deel van Italië tegen het controversiële en bijzonder gevaarlijke spektakel werd aangekeken. Het dateerde uit het midden van de zeventiende eeuw en er klonken historische echo's van de traditionele Romeinse spelen in door: boogschieten, vechten en wedrennen. Anderen hadden er gewoon een hekel aan dat de paarden vaak ernstig gewond raakten en soms zelfs moesten worden afgemaakt. Carlo had hun verteld dat jaren geleden een van de tien paarden, die elk namens een stadswijk deelnamen, was gevallen en door de andere paarden vertrapt, terwijl de wedstrijd gewoon mocht doorgaan. Daarna had hij gezworen dat hij zijn gezin nooit meer naar de Palio zou laten kijken.

Buiten het station hoorde Jack het kloppen van paardenhoeven: er draafden al carabinieri voorbij. Hij nam aan dat ze op weg waren naar een repetitie van de dramatische charge van zwaardvechters die ze in de optocht op de Piazza del Campo zouden uitvoeren. Jack zag ook bookmakers op de trottoirs. Ze stopten handenvol euro's in hun zakken, want er werd levendig gegokt.

Omdat het verkeer in bijna de hele stad was stilgelegd, was het nog moeilijker en duurder om een taxi te krijgen dan anders. Ten slotte plofte Jack neer op de achterbank van een oude Renault Megane waaraan kennelijk bepaalde luxes ontbraken, zoals achtervering of een raam dat open kon. Ergens aan de rand van Siena viel hij in slaap en hij was aangenaam verrast toen hij pas wakker werd op het moment dat de auto over het grind bij La Casa Strada in Quirico knerpte.

Toen ze om de hoek van het hotel kwamen, maakte zijn hart een sprongetje toen de kleine Zack van zijn driewieler kwam en met open armen op hem af rende, onder het roepen van: 'Papa, papa!'

'Hallo, tijger, kom hier en geef je oude vader een kus,' zei Jack, en hij nam de peuter in zijn armen en kuste zijn mooie, gladde gezicht. 'Ben je lief voor mammie geweest?' Hij liep naar Nancy toe, die op de patio zat, met papieren op een metalen tuintafel.

'Hallo, vreemdeling,' riep ze vanaf haar stoel. Ze legde haar hand op de papieren, want er kwam opeens een windvlaag die ze dreigde mee te nemen.

'Hallo, schat,' zei Jack, en hij bukte zich om haar te kussen, met Zack nog onder zijn rechterarm alsof het jongetje een football was.

'Neerzetten, papa, neerzetten!' drong Zack aan.

'Hoe was de treinreis?' vroeg Nancy. Ze zette haar zonnebril af om hem wat beter te kunnen bekijken.

Jack zette zijn zoontje neer en kreeg een warm gevoel toen hij het jongetje naar zijn driewieler terug zag rennen. Hij ging tegenover zijn vrouw zitten en stopte de draagtassen met zijn cadeaus onopvallend onder zijn stoel. 'Palio-dag in Siena. Het was daar een gekkenhuis. Ik moest kilometers lopen om een taxi te krijgen.' Hij pikte een olijf uit een ronde, witte schaal op de tafel. 'Ik weet wat Carlo zei, maar ik denk dat ik er toch eens naartoe wil.'

'Misschien wel,' zei Nancy voorzichtig. Ze was met haar gedachten bij andere dingen. 'En de zaak? Ben je daar klaar mee? Alles is voorbij? Of is dat te veel gehoopt?'

Jack liet een geluid ontsnappen dat tussen een lach en een zucht in zat. 'Goh, Nancy, ben ik zo gemakkelijk te doorgronden?'

Ze knikte.

'Ze hebben iets waar ze me echt heel graag naar willen laten kijken.'

Nancy fronste haar wenkbrauwen. 'Dat meisje, Olivetta, of hoe heet ze ook weer?'

'Orsetta,' zei hij. Hij merkte dat het gevoelig lag. 'Nee, zij niet. Massimo.'

Nancy's ogen lichtten een beetje op. 'Heb je Mass gesproken? Hoe gaat het met Benny en de kinderen?'

'We hadden geen tijd om daarover te praten,' zei Jack, die zich herinnerde hoe goed Mass' vrouw Benedetta en zij met elkaar hadden kunnen opschieten toen ze elkaar in Rome hadden leren kennen. Benny had haar een rondleiding langs alle bezienswaardigheden gegeven, terwijl Mass en hij lange uren met elkaar hadden gewerkt. 'Ik bel hem zo terug, als ik me hebt opgefrist en misschien een kop koffie heb gedronken.'

'Ik laat de keuken koffie naar je brengen. Wil je iets eten?'

'Ja, kunnen ze een panini of zoiets maken?' zei hij. Hij pakte de draagtassen bij elkaar en maakte aanstalten om weg te lopen.

'Het zijn koks, schat; ze kunnen een lunch van zes gangen voor je maken, als je dat wilt.'

'Nee, doe maar mozzarella en wat salade.' Jack schoof zijn stoel onder de tafel vandaan en wilde al weglopen toen hij de uitdrukking op het gezicht van zijn vrouw zag. 'Je ziet eruit alsof je op springen staat, Nancy. Wil je me vertellen wat je dwarszit?'

Nancy haalde diep adem. Ze had dit gesprek liever later gevoerd, in de koele avond, als ze hun stemmingen konden beheersen en ze door niets werden afgeleid. 'Ik wil niet dat je dit doet. Ik weet dat het waarschijnlijk te maken heeft met de moord op die jonge vrouw die in het nieuws was. Je hebt het gevoel dat je erbij betrokken moet zijn, maar dat moet je niet. Het is niet goed voor je.'

'Zeg dat wel,' zei Jack, een beetje scherper dan zijn bedoeling was.

'Het begint allemaal opnieuw, hè?' zei Nancy, die wist dat de dag straks bedorven zou zijn.

Jack draaide zijn schouders van haar weg, zoals hij altijd deed wanneer hij haar wilde laten zien dat hij boos was en dat ze overdreef. 'Schat, ik ga wat papieren en foto's bekijken, wat kaarten en rapporten, en dan geef ik ze advies. Dat is alles.'

Ze keek hem wantrouwig aan en bewoog haar tong over de voorkant van haar tanden, een van de dingen waaraan Jack kon zien dat ze hem nog niet alles had verteld. 'Wat is er nog meer?' zei hij op de toon die hij meestal tegen verdachten in een verhoorkamer gebruikte.

'Howie heeft gebeld uit New York.' Ze zocht op zijn gezicht naar een reactie en voegde er toen met een zucht aan toe: 'Er is daar iets gebeurd. Hij wilde mij niet veel vertellen, maar hij had het over BRK. Hij zei dat ze de zaak weer openden.'

'Zei hij ook waarom?' vroeg Jack. Zijn hart ging sneller slaan.

'Zoals ik zei, wilde hij me niet veel vertellen. Alleen dat de pers zich er weer mee zou bemoeien, en waarschijnlijk ook met jou.' Ze pakte zijn hand vast. 'Schat, dit kunnen we niet gebruiken.' Haar stem werd harder. 'Dit is nou precies waarvoor we helemaal hierheen zijn gegaan.' Ze keek naar links en rechts, nam de vredigheid van de tuin in zich op, het mooie uitzicht op de heuvels. 'Alsjeblieft, zet dit alles niet op het spel, Jack. Laat je er niet weer bij betrekken.'

Jack boog zich over de tafel om tot haar door te dringen. Zijn gezicht was compromisloos, maar zijn vrouw kende het goed en zag er ook kwetsbaarheid in. 'Nancy, die man gaat misschien opnieuw moorden. Misschien heeft hij al het leven van minstens één jonge vrouw genomen, hier in Italië, misschien het meisje over wie jij het had, en als ik hoor wat jij daarnet zei, is hij thuis blijkbaar ook weer actief.' Jack pakte haar andere hand ook vast. 'Ik kan niet blijven weglopen. Ik word er gek van om machteloos te zijn, niets te kunnen doen. Ik moet proberen hem te laten ophouden.'

'Zelfs als het jouzelf kwaad doet?' zei Nancy. Ze had het gevoel dat ze dit gesprek al keer op keer hadden gehad. 'Zelfs als het ons kwaad doet?'

Jack zei niets, maar Nancy zag het antwoord op zijn gezicht. Ze trok haar handen uit de zijne. 'Ik moet naar Paolo in de keuken. Ik laat hem wat eten naar je toe sturen.'

Toen ze haar stoel zo heftig bij de tafel vandaan schoof dat hij tegen de patio kletterde, bleef Jack roerloos staan. Hij bukte zich, pakte de stoel op en zag haar toen snel naar het restaurant lopen. Hij kon aan haar rug zien dat ze haar handen voor haar gezicht had en dat ze huilde. En hij wist dat hij niets kon doen om daar een eind aan te maken.

28

Marine Park, Brooklyn, New York

Lu Zagalsky slaapt ondiep en onrustig als Spider de prop uit haar mond haalt en de naald met onverdund bleekmiddel rechtstreeks in haar strottenhoofd steekt. Het middel zal haar stembanden verbranden, zodat ze niet meer kan praten, laat staan schreeuwen. Als hij de prop in haar mond zou laten, loopt hij het risico dat ze in haar braaksel stikt, en hij wil niet dat ze doodgaat. Tenminste, nog niet.

'Sst, sst, verzet je niet,' zegt Spider. Hij legt de naald neer en houdt haar bij haar schouders vast.

De polsketting aan haar rechterkant is een beetje losgeraakt en instinctief probeert Lu hem een stomp te geven. De metalen schakels verstrakken en trekken haar arm bijna uit de kom.

'Hou op! Hou direct op!' schreeuwt hij, en hij legt vlug zijn rechterhand om haar hals. Zijn vingers zijn sterk als staal en ze steken als messen in haar keel. Spider is woedend en opgewonden tegelijk. Zijn greep, zo strak als een bankschroef, verstrakt zich om het zachte weefsel waar het bleekmiddel zich al door haar strottenhoofd vreet.

Lu denkt dat ze gaat sterven. Het is zover! Hij gaat haar nu meteen vermoorden! Er zal geen Ramzan zijn, geen leven buiten de Beach, niets meer dan dit.

Ondanks de folterende pijn ziet ze kans haar hals te buigen, haar mond om zijn hand te krijgen en hem te bijten.

Spider voelt dat haar tanden zich diep in zijn linkerhand zetten.

Haar kaken omklemmen zijn hand alsof hij door een wilde straathond wordt gebeten. Hij doet zijn best om kalm te blijven, maar de vrouw heeft een buitengewone kracht in haar kaken. Haar snijtanden graven zich diep in hem. Ze gaan door zijn huid heen en snijden in de botjes bij zijn duim. Hij trekt zijn rechterhand bij haar hals vandaan en stompt haar.

Lu voelt de stomp bijna niet. Haar moeder heeft haar grootgebracht op een dagelijks dieet van slagen die honderd keer harder waren dan wat deze *ebanat* nu presteert. Ze negeert de doffe pijn in haar linkerjukbeen en kauwt uit alle macht op het vlees in haar mond. Ze voelt dat zijn huid bij haar tanden kapotgaat. Zijn stinkende *vonuchaya*-bloed sijpelt in haar mond.

'Verdommmme!' schreeuwt Spider.

Hij stompt haar opnieuw, maar hij kan niet goed uithalen om een harde dreun uit te delen. De tanden van het kleine kreng bijten in zenuwen en pezen en de pijn is zo fel dat er een schok van folterende elektriciteit tot aan zijn elleboog gaat. Spider laat zich op haar vallen en gebruikt zijn vaart en zijn lichaamsgewicht om haar te verstikken, zijn hand diep in haar gemene kleine mond te steken. Het kleine kreng zal loslaten of stikken, denkt hij als hij zijn hand door de pijn heen drukt en zich met zijn volle gewicht op haar laat vallen.

Lu laat haar greep niet verslappen. Zelfs als zijn volle gewicht op haar neerploft, maalt ze met haar kiezen.

Ze kan nu niets zien en heeft moeite met ademhalen. Zijn lichaamswarmte en gewicht zijn verpletterend. Ze krijgt geen lucht meer.

Alles wordt zwart en wazig voor Lu's ogen. Opnieuw ramt hij met de palm van zijn rechterhand tegen haar gezicht en drukt er met al zijn gewicht tegenaan.

Ze kokhalst als hij zijn linkerduim dieper in haar mond drijft, dieper de beet in.

Ze weet wat hij doet, weet dat hij zijn hand niet los kan trekken zonder grote schade op te lopen en dat hij haar daarom wil laten stikken. Nou, je doet je best maar, klojo. Er is heel wat voor nodig om Lu Zagalsky te laten stikken. Er hebben grotere dingen in deze mond gezeten en er hebben zwaardere mensen op dit lichaam gelegen dan zo'n lamzak als jij.

Lu boort zich diep in de herinneringen uit haar kindertijd. De nachtmerries van misbruik stromen haar gedachten binnen; de woede kookt over. Ze bijt zo hard dat een van haar tanden breekt en versplintert. De nieuwste pijngolf is zo hevig dat Spider van haar af valt en tegen de vloer smakt.

Lu spuwt zijn bloed en haar gebroken tand uit. Dit voelt goed aan, geweldig! Ze voelt zich als Rocky toen hij Apollo Creed had verslagen. Bebloed, gehavend, maar zegevierend. Alleen weet ze wel dat ze voor deze overwinning een gruwelijke prijs zal moeten betalen. Haar gedachten gaan terug naar haar slaapkamer in Moskou, naar de vorige keer dat ze een man zo hard heeft gebeten.

Je hoeft dit niet te pikken.

Wat er ook gebeurt, je hoeft dit niet te pikken.

Vecht voor je leven, Lu, vecht voor elke seconde waarin je kunt ademhalen. Wat er ook gebeurt, hij kan je vechtlust niet uit je halen.

Spider houdt zijn linkerhand in de palm van zijn rechter. Jezus christus, hoe heeft ze dat geflikt? Het vlees ligt open en hij kan in zijn eigen hand kijken. Hij ziet botten en aderen, bloed en weefsel dat uit de halvemaanvormige wond sijpelt die door haar scherpe tanden is veroorzaakt.

Hij veegt met zijn rechteronderarm zweet van zijn voorhoofd en kijkt of hij ergens in de kelder iets ziet liggen waarmee hij een drukverband kan maken. Zijn blik valt op een gootsteen in de hoek en wat katoenen lappen die te gebruiken zijn als hij ze eerst wast.

Hij draait de mengkraan open en laat koud water over zijn beschadigde hand en in de diepe porseleinen bak stromen. Het water is rood van zijn bloed, maar het is koud en helpt tegen de pijn die door hem heen buldert. Hij maakt een van de lappen nat, het soort lap dat hij meestal als prop in de mond van zijn slachtoffer stopt, en wringt hem zo goed mogelijk uit. Spider slaat het natte katoen om de bijtwond, maakt een lus en neemt de lap dan bij het uiteinde tussen zijn tanden om hem strak te trekken. Hoger op zijn onderarm legt hij een tweede drukverband aan over de slagaders waarvan hij vermoedt dat ze bloed naar de wond voeren.

Lu kijkt hulpeloos toe vanaf de bondagetafel. Ze herinnert zich hoe ze als klein kind voor het eerst sneeuwvlokken had zien vallen door het raam van hun etagewoning. Ze herinnert zich de tijd dat ze vrij en onschuldig was en over de velden van Gorky Park rende.

Ze denkt aan hoe het leven met Ramzan had kunnen zijn.

Ze denkt aan alles behalve aan wat er nu met haar gaat gebeuren.

Spider droogt zijn linkerhand aan zijn broek af en kijkt haar recht aan.

'Stoute Sugar,' zegt hij, overdreven hoofdschuddend. 'Stoute, stoute Sugar.'

Lu's blik is op zijn hand gericht. Niet de hand die ze heeft gebeten, maar zijn rechterhand. Daarin heeft hij iets wat eruitziet als een grote botzaag.

29

San Quirico D'Orcia, Toscane

Door een slaapkamerraam met groene luiken van La Casa Strada keek Jack neer op een tuin vol appel-, pruimen- en perenbomen. De ruzie met Nancy had hem doodmoe gemaakt en ook aan het denken gezet, maar diep in zijn hart wist hij dat hij een grens was overgestoken en niet terug kon. Wat zijn vrouw ook zei of deed, hij zou Massimo helpen. En als het nodig was, zou hij Howie ook helpen. Als hij eerlijk tegen zichzelf was, erkende hij dat hij BRK nooit uit zijn hoofd had kunnen zetten. Juist doordat hij zich volkomen uit de zaak had teruggetrokken, had die meer dan ooit beslag op hem gelegd. Als hij zich er nu mee ging bezighouden, als hij probeerde iets te doen, zou die kwelling tenminste de moeite waard zijn, in plaats van alleen maar zinloos.

Jack keek weer naar buiten. De enige gasten die door de tuin liepen, waren een bejaard echtpaar. Waarschijnlijk waren ze ongeveer zo oud als zijn moeder en vader zouden zijn geweest als ze nog leefden. Ze wandelden over het stenen pad, hielden elkaars hand vast en bleven nu en dan staan om elkaar op vruchten en planten te wijzen. Jack probeerde zich hun naam te herinneren: Giggs, of Griggs, zoiets. Hoe dan ook, Nancy had gezegd dat ze hier waren om zijn zeventigste en haar zestigste verjaardag te vieren; daar zat nog geen vijf dagen tussen. Wat was het mooi om die leeftijd te hebben bereikt en dan toch nog zo verliefd te zijn. Jack keek eens wat beter naar de man, wiens gebruinde gezicht glimlachte onder een ivoorwitte panamahoed. De oude man leek volkomen tevreden met zijn leven, tevreden met de langzame voortgang daarvan, hand in hand met zijn geliefde. Het echtpaar bleef in de schaduw van een kersenboom staan en keek naar Zacks konijn, dat om hen heen draafde en naar de andere kant van de boomgaard rende. De oude man veegde bladeren van een dekstoel en hielp zijn vrouw erin voordat hij zelf in de stoel naast haar ging zitten. Zodra hij comfortabel zat, strekte hij zijn knokige oude arm uit om haar hand weer te pakken.

Jack zou het prachtig hebben gevonden om zijn ouders hierheen te brengen. Ze hadden hier elke zomer een paar maanden kunnen logeren en hun kleinkinderen kunnen zien opgroeien. Hij zou er alles voor hebben gegeven om uit dit raam te kunnen kijken en zijn eigen moeder en vader te zien. Ze waren maar zelden buiten de staat New York geweest en hadden maar weinig van Amerika gezien, maar Italië had op hun lijstje gestaan en diep in zijn hart was hij er zeker van dat ze van het land gehouden zouden hebben. Het was triest en ironisch dat juist het geld dat zij hem hadden nagelaten Nancy en hem in staat had geteld La Casa Strada hypotheekvrij te kopen. Een ogenblik stelde hij zich alle drie generaties King voor, zoals ze naar het centrum van het stadje zouden zijn gelopen, naar de Piazza della Libertà, waar ze op lange stenen trappen zouden zitten, terwijl Zack en de opa die hij nooit had gekend ijs uitkozen in de *gelateria* die daar was. Na afloop zouden ze door de renaissancetuinen van de Horti Leonini lopen en Nancy en zijn moeder zouden wachten terwijl Zack verstoppertje speelde in de kleine doolhof. Op een of andere manier was hij door de woordenwisseling met Nancy, en het vooruitzicht dat de afstand tussen hen weer groter zou worden, opnieuw naar zijn eigen ouders gaan verlangen.

Jack ging bij het raam vandaan, weg van alle overpeinzingen over wat had kunnen zijn. Het werd tijd om Toscane en alle gedachten aan zijn ouders, zijn vrouw en zijn kind naar de achtergrond te dringen.

Er was werk te doen.

Hij toetste het nummer van Massimo Albonetti in.

30

Marine Park, Brooklyn, New York

Spider heeft de botzaag in zijn hand en kijkt langs het zaagblad naar Lu Zagalsky, die op de bondagetafel ligt te spartelen en wanhopige pogingen doet zich uit haar kettingen te bevrijden. In zijn hand heeft hij veertig centimeter genadeloos staal. Het is ooit van zijn vader geweest, die het jarenlang heeft gebruikt om de zijden rundvlees en varkensvlees te snijden die het gezin bij de groothandel kocht. In latere jaren had Spider er dramatischer dingen mee gedaan. En op dit moment bedenkt hij hoe geschikt dit instrument zou zijn om Lu haar gewelddadigheid betaald te zetten. Hij kan haar in stukken snijden, ledemaat voor ledemaat – terwijl ze nog in leven is.

Maar dat is niet het plan, Spider. Hou je aan het plan. Je hebt grote dingen met haar voor, laat je daar niet door één kleine tegenslag van afbrengen.

Spider kijkt naar zijn verbonden hand. Er komt nog bloed uit de wonden die haar tanden in het zachte vlees hebben gemaakt. De botten rond de duim kloppen nog pijnlijk.

Lu Zagalsky kan de angst in haar ogen niet verbergen. Ze wil woorden vormen met haar mond, smeken om haar leven, maar er komt niets.

Haar stembanden zijn door het bleekmiddel weggebrand en maken geen geluid meer.

'Hoerenkreng!' schreeuwt hij en hij slaat met de hardhouten handgreep van de zaag op de rug van haar neus. 'Denk je dat je me zomaar pijn kunt doen?' snauwt hij. 'Vervloekt, arrogant, klein hoerenkreng!'

Hij slaat haar opnieuw met de handgreep van de zaag en de pijn van de tweede klap is zo verschrikkelijk dat ze er zeker van is dat haar neus is gebroken. De tranen prikken in haar ogen, maar ze blijft naar de zaag kijken.

'Moet je jou toch eens zien!' zegt Spider vol walging. 'Moet je zien hoe smerig en onfatsoenlijk je bent.' Hij gaat een stap terug en lacht haar uit.

Het is een rancuneuze, intimiderende, vernederende lach, en in een fractie van een seconde beseft Lu Zagalsky dat ze zichzelf heeft bevuild. Iets wat ze zelfs in haar ergste nachtmerries niet zou hebben gedroomd, is haar nu overkomen. Hij heeft gelijk. Die gekke griezel heeft gelijk. In de loop van de afgelopen vijf minuten, tijdens hun worsteling, heeft ze zichzelf niet in bedwang gehad.

Spider sneert naar haar. 'Je bent walgelijk. Je bent niet beter dan de anderen.'

Lu probeert haar blik van hem af te wenden en haar onlogische gevoelens van schaamte te verdringen. Ze herinnert zichzelf eraan wat dit monster haar heeft aangedaan, haar en die andere gemartelde en vermoorde vrouwen die haar zijn voorgegaan.

Spiders lippen vormen een dun glimlachje. 'Dat hebben ze allemaal gedaan. Vroeg of laat laten al jullie smerige krengen jullie stront of pis lopen. Waarom denk je dat ik al je kleren heb uitgetrokken?'

Lu zou willen snikken. Was zelfs dít gepland? Is alles zo hopeloos? Ze wendt haar hoofd van hem af en zegt weer tegen zichzelf dat het stom is om je zo kinderlijk vernederd te voelen. Vergeet je stomme trots en waardigheid: die man gaat de ingewanden uit je lijf snijden alsof je een vis bent. Die zaag in zijn hand is daar niet zomaar, hij kan nu elk moment je keel doorsnijden en je in stukken zagen.

Spider voelt zich nu kalm. Hij heeft alles weer onder controle. Er zal niets ergs gebeuren. Het is een goed gevoel om het machtsevenwicht te hebben hersteld.

Hij gaat achter haar geboeide lichaam staan, knielt neer en maakt de losse ketting om haar rechterpols weer strak.

Lu's hart bonkt. Hij doet iets – hij trekt de ketting strak – waarom? Gaat hij me nu doodmaken?

Spider voelt haar angst. 'Ik gá je doodmaken, Sugar.' Hij houdt de botzaag tegen haar keel. De scherpe tanden drukken pijnlijk in haar huid. 'Maar niet hiermee, en niet nu meteen.' Hij trekt het zaagblad licht over haar keel; er komen schrammen op de huid, maar die wordt niet doorgesneden. 'O nee, ik ga je doodmaken met iets wat veel leuker is dan dit.'

31

Rome

Benedetta Albonetti was beslist niet de enige liefde in Massimo's leven. Naast zijn vrouw had hij nog een grote passie: een erg sexy jong model.

Zijn blauwe Maserati Ghibli '97 was een verrassingsgeschenk geweest. De auto was hem bij testament nagelaten door een Romeinse bankier die bijna twintig jaar eerder door Massimo was gered tijdens een gewapende overval die op een bloederig vuurgevecht met veel onschuldige omstanders was uitgelopen. Mass had de klassieke auto zes dagen na zijn vijftigste verjaardag opgehaald en was van plan hem tot de dag van zijn dood te houden. Benedetta zei vaak voor de grap dat die dag niet lang op zich zou laten wachten als hij zo wild met de Maserati bleef rijden.

Vandaag was hij vroeg van kantoor gegaan, maar hij had er toch bijna een uur over gedaan om het centrum van Rome uit te komen en nog eens twintig minuten voordat hij de kans kreeg naar de zesde versnelling door te schakelen en de twin turbo open te gooien. Massimo zag er de ironie wel van in dat hij twee uur onderweg was met een auto die binnen zes seconden op honderd kilometer per uur kon komen, in plaats van een trage metrotrein te nemen die hem binnen dertig minuten thuis zou brengen, maar dat kon hem niet schelen. Hij genoot van elke minuut die hij in de Maserati doorbracht, en voor hem was de dagelijkse rit naar zijn huis in de kustplaats Ostia geen beproeving, maar 'therapie'. Het was zijn manier om het werk achter zich te laten, zowel geografisch als mentaal. Als hij voor zijn bescheiden huis met vier kamers stopte, was hij meestal een heel ander persoon dan de politie-direttore die in de wereld van bloedspatten, uitstrijkjes en kogelwonden opging.

Op nog een kwartier afstand van Ostia ging zijn autotelefoon. Toen hij opnam en de stem van Jack King hoorde, minderde hij meteen vaart.

'Waar ben je?' vroeg Jack, die zich scherp bewust was van het motorgeluid van de Maserati, die onwillig gromde toen hij van de zesde naar de vierde versnelling werd geschakeld.

'Op weg naar huis,' schreeuwde Mass. Hij prutste aan het onhandige blue-tooth-oordopje waar hij zo'n hekel aan had. 'Benedetta en de kinderen gaan naar Nice, naar haar zuster en vrienden van haar. Ik heb beloofd ze naar het vliegveld te brengen. Daarom ben ik vroeg van kantoor gegaan.'

'Ik hoop dat ze het goed maken,' zei Jack. 'Nancy vroeg naar hen.'

'Grazie,' zei Massimo. 'Zeg, heb ik goed begrepen dat jij je charmante vrouw alles over ons gesprek hebt verteld?'

'Het meeste,' antwoordde Jack. 'Al heb ik haar natuurlijk sommige details bespaard. Ze hoeft niet te veel te weten. Je weet hoeveel zorgen ze zich allemaal maken.'

'Jazeker,' zei Massimo. 'En wil je, nu je met haar hebt gepraat, nog steeds helpen?'

'Zou ik bellen als ik dat niet wilde? Waar en wanneer heb je me nodig?'

'In Rome. Zo gauw je kunt.'

'Goed. Prima.'

'Wanneer is dat, Jack?'

Hij dacht even na. 'Niet morgen. Ik moet een dag thuis zijn om dingen te regelen, ervoor te zorgen dat Nancy het hotel zonder mij kan runnen. Hoe lang denk je dat je me nodig hebt?'

Massimo vloekte in het Italiaans en toeterde naar een grote oude Ford die er blijkbaar veel plezier aan beleefde om de Maserati rechts in te halen en vervolgens te snijden. 'Scusi, er zitten hier idioten op de weg,' legde hij uit, en toen zei hij: 'Ik kan me jou moeilijk als hotelier voorstellen, Jack. Reken er maar op dat je een week weg bent. Misschien een paar dagen hier in Rome, en dan wil je vast nog wel ter plaatse gaan kijken in Livorno.'

Jack rekende het uit. 'Dat klinkt goed, maar ik heb niet veel speelruimte. Ik moet op de achtste terug zijn. Dat is onze trouwdag. Als ik dat niet haal, ben ik zo dood als parmaham.'

'*Non c'è problema,*' zei Massimo. Hij weerstond de verleiding om de oude Ford in te halen, met zijn uitlaatgassen te bestoken en de man aan de kant te zetten om hem zijn politie-insigne te laten zien.

'Heb je een tolk voor me? Je weet dat ik geen woord Italiaans spreek.

'Orsetta gaat met je mee. Haar Engels is goed genoeg, nietwaar?'

Jack aarzelde. Hij had liever niet dat zij erbij was, maar dat kon hij niet uitleggen. 'Ja, ze spreekt goed Engels.'

'Ze is *bellissima*, nietwaar?' zei Massimo schalks. '*Una bella donna.*'

'Hou op, Mass, je kent me wel beter. Ik ben een man voor één vrouw. Dat ben ik altijd al geweest en zal ik hopelijk altijd blijven.'

'*Perfetto,*' antwoordde Massimo. 'Ik ook, maar Orsetta zou zelfs de Heilige Vader tot zonde brengen.'

'Nou, ik heb in mijn leven echt geen behoefte aan zulke complicaties,' zei

Jack. 'De papieren die ze me heeft gegeven zijn nuttig, maar ik zou wel wat meer details willen hebben.'

'We geven je een volledige briefing als je hier aankomt.'

'Goed, maar ik wil ook het volledige sectierapport hebben. Met alle respect, maar jullie pathologen-anatomen hebben niet het niveau van die in Amerika. Misschien zou degene die de sectie op Cristina Barbuggiani heeft gedaan ook beschikbaar kunnen zijn voor een gesprek. Wil je nagaan of hij niet op vakantie is en mij binnenkort kan spreken?'

'De patholoog-anatoom naar wie je vraagt is een "zij",' antwoordde Mass. 'Ze is vast wel beschikbaar voor een gesprek als je hier bent.' Aarzelend voegde hij eraan toe: 'Er zijn – hoe zal ik het zeggen – nog wat meer sectiegegevens dan er in het rapport stonden dat ik je heb gestuurd.'

Jack herinnerde zich dat de papieren die hij had gezien een rapport op topniveau waren geweest, bestemd voor de hoogste instantie. 'Mass, de papieren die ik heb gezien, gingen naar het bureau van de premier zelf. Bedoel je dat je iets voor hem achterhoudt, of hou je iets voor mij achter?'

Massimo Albonetti trok een moeilijk gezicht. 'Ik ben bang dat ik iets voor jullie beiden moest achterhouden. Er zijn maar een paar mensen die ervan weten, en ik kan het niet door de telefoon bespreken. Maar ik verzeker je dat ik het je vertel zodra je hier bent.'

Massimo zei 'Ciao' en hing op voordat Jack kon aandringen. En in die fractie van een seconde hoorde Jack de Maserati grommen, weer een versnelling lager, en luid bulderend in de aanval gaan.

32

Marine Park, Brooklyn, New York

Spider verlaat de kelder en gaat naar zijn slaapkamer terug om iets aan zijn gewonde hand te doen. Onder de wastafel in de badkamer maakt hij een medicijnkastje open dat de jaloezie van menige apotheek zou wekken.

Hij kijkt in zijn voorraad middelen voor plaatselijke verdoving: procaïne, lidocaïne, novocaïne en prilocaïne. Hij heeft ze verkregen via een zogenaamd farmaceutisch handelsbedrijf dat hij had opgezet. Dankzij dat nepbedrijf kon hij zaken doen met firma's die overtollige geneesmiddelen en medische apparatuur online verkochten. Hij had meer dan genoeg verkopers gevonden die zijn order maar al te graag online wilden accepteren en de goederen verstuurden zonder ooit te controleren of hij wel over de vereiste vergunningen beschikte.

Hij kiest voor vijftig milliliter lidocaïne, zijn favoriete verdovende middel. Hij doet de lappen weg die hij in de kelder heeft gebruikt om zich te verbinden. Hij gooit ze in de badkamer, niet om ze te wassen maar om ze mee te nemen en te verbranden. De lappen zijn in aanraking geweest met het slachtoffer en hij zal zich er uiteindelijk van ontdoen, en ook van de kleren die hij draagt. Spider veegt met een steriel doekje over de bijtwond en injecteert het middel in het weefsel om de beet heen. Zodra de zenuwen en spieren ontspannen zijn, onderzoekt hij de wond. Het kreng heeft haar tanden diep in zijn hand gezet, zo diep dat de wond niet uit zichzelf zal genezen.

Spider kijkt weer in het medicijnkastje en vindt een doos met Steri-Strips voor wondsluiting. Het is moeilijk met één hand, maar hij neemt de tijd en even later heeft hij de wond deugdelijk afgesloten met het kleefband. Hij maakt het werk af met een elastisch verband om zijn hand en een paar pleisters.

Nadat hij het medicijnkastje weer op slot heeft gedaan, keert hij naar de slaapkamer terug en gaat daar op de rand van zijn doodkistachtige bed zitten. Hij controleert het verband nog eens en zet dan een kleine draagbare televisie aan die naast hem staat. Het toestelletje komt knetterend tot leven, maar er verschijnt geen beeld, alleen een mist van sissende grijze ruis.

Het eerste kanaal waarop hij afstemt, geeft een zwart-witbeeld van de straat buiten zijn huis. Het scherm is in vieren gesplitst. De twee bovenste vakken laten groothoekopnamen van alle toegangswegen tot het huis zien, komend van oost en west. De twee onderste vakken laten opnamen van dichterbij zien, van de buitenkant van de garage en de voordeur. De camera's zijn zo geplaatst dat het hoofd en de schouders van eventuele bezoekers goed te zien zijn. Bovendien kan Spider ze op afstand laten draaien, pannen en inzoomen om alle bewegingen rond het huis te volgen. Hij drukt weer op de afstandsbediening, en opnieuw splitst het scherm zich in vier zwartwitbeelden. Camera één laat de kelder zien, ook met een groothoeklens. Het zwarte plastic op de muren, het plafond en de vloer dempt het licht zozeer dat moeilijk te zien is waar het ene oppervlak ophoudt en het volgende begint. Als gevolg daarvan lijkt het alsof het lichaam van Lu Zagalsky midden in de ruimte zweeft. Van alle camerabeelden houdt Spider het meest van dit. Hij stelt zich haar in de totale, nimmer eindigende duisternis van het hiernamaals voor, altijd zwevend – altijd van hem. De volgende opname komt van een plafondcamera die bevestigd is aan een *hothead*, een speciaal apparaatje dat de lens in staat stelt driehonderdzestig graden te draaien en ook in en uit te zoomen. De derde en vierde camera zijn veel lager bevestigd. Camera drie bevindt zich achter Lu's hoofd en kijkt neer op haar lichaam. Camera vier bevindt zich daartegenover; hij hangt op gelijke hoogte met camera drie maar kijkt langs haar linkervoet naar haar lichaam. Met zijn afstandsbediening kan Spider zijn eigen doodse videofilm regisseren. Hij kan alle denkbare combinaties van opnamen op het scherm toveren: close-ups, zooms, pans en tilts van het slachtoffer.

Hij zoomt in op Lu's gezicht.

Het beeld wordt zacht doordat de autofocus in werking treedt en er even over doet om de focuslengte en belichting goed te krijgen. De afstandsbediening heeft ook een digi-pic-voorziening die Spider in staat stelt beelden stil te zetten en op te slaan of er digitale afdrukken van te maken.

Spider kijkt een paar minuten naar haar, zijn blik strak op haar gericht. Hij probeert in haar hoofd te kruipen, zich voor te stellen wat er in haar omgaat zoals ze daar ligt, naakt en kwetsbaar in een bijna volslagen duisternis. Hij ziet dat ze niet met haar ogen knippert, dat haar lichaam niet een en al angst is. Hij vermoedt dat ze zich mentaal heeft verwijderd van de plaats waar ze zich bevindt. Blijkbaar gebruikt ze een primitieve vorm van meditatie om de realiteit van wat haar overkomt te blokkeren.

Of wat haar zal overkomen.

Spider maakt een paar digi-pictures waarvan hij denkt dat ze op een later tijdstip nuttig en aangenaam voor hem zullen zijn, en dan schakelt hij over op zijn favoriete beelden: die van camera één.

De lidocaïne maakt hem suf. Hij weet dat het middel twee tot drie uur blijft werken. Hij neemt zijn gewonde hand in de andere en gaat op zijn zij liggen in het doodkistbed. Het bed voelt goed aan; hij is aan rust toe. Hij steekt zijn goede hand uit en streelt het glas van het televisiescherm naast hem.

Ze ziet er daar zo mooi uit.

Zo heerlijk vredig.

Zo bijna dood.

33

West Village, SoHo, New York

Howie Baumguards favoriete filmscène kwam uit *Pulp Fiction*: als Vincent tijdens een surveillance in het appartement van de voortvluchtige bokser Butch naar het toilet gaat, en Butch opeens met een Mac-10 in de deuropening verschijnt en de huurmoordenaar overhoopknalt terwijl hij zijn broek nog om zijn enkels heeft. Zoals de meeste jongens, zelfs die van midden dertig, is Howie verslaafd aan wc-humor. Maar het mooiste van die scène vond hij de zuivere realiteit ervan. Als politieman die mensen dood op de plee had aangetroffen (een drugsgebruiker en een seniele maffioso met hartklachten), vond hij het prachtig dat Tarantino 'het lef heeft om het te zeggen zoals het is', zoals hij altijd zei. Het was dan ook wel passend dat Howie net zijn ochtendlading in de wc dumpte, zoals hij altijd op dezelfde tijd deed, toen zijn mobieltje ging. Normaal gesproken zou Howie één blik op het schermpje werpen en het telefoontje vergeten tot er een geschikter moment aanbrak. Maar toen hij zag dat het telefoontje uit Italië kwam, drukte hij het apparaatje meteen tegen zijn oor.

'Huis van Baumguard, wat kan ik verdraaid nog aan toe voor u doen?'

Jacks lach rolde door de ether voordat hij antwoord gaf.

'Hé, meneer B., blij dat je al zo vroeg op bent. Hoe gaat het?'

'Je kent me, baas. De vroege vogel krijgt de vetste wormen.'

Jack ging niet op dat 'baas' in. Hij nam aan dat de grote man het al zo lang had gezegd dat hij de gewoonte niet meer kwijt kon raken. 'Nou, als je je wormen en je ontbijtpap op hebt, wil je me misschien wel vertellen waarom je mijn dierbare echtgenote hebt gebeld. Heb je soms iets met haar? Heeft ze eindelijk de weg naar je hart gevonden?'

'Dwars door mijn ribbenkast. Dat is de enige manier waarop jouw vrouw ooit tot mijn hart zou willen doordringen.'

Ze lachten allebei. Toen sloeg Jack een somberder toon aan. 'Serieus. Ik hoorde iets over je telefoontje. Nancy zei dat het serieus was.'

Howie slikte een laatste grinniklachje in. 'Ja, dat is het. Hé, wij hebben samen al heel wat idiote dingen meegemaakt, maar wat ik nu ga vertellen, zal zelfs jou met stomheid slaan.'

'Wacht even,' zei Jack, want op dat moment kwam Nancy de slaapkamer binnen. Ze bracht een zilveren dienblad met eten binnen dat met een kraakhelder katoenen servet was afgedekt. Jack keek op en legde instinctief zijn hand over het mondstuk. 'Dank je,' zei hij, en hij dacht meteen weer aan hun ruzie.

Nancy zei niets, maar toen ze het dienblad op het bed had gezet, kon ze een vage glimlach produceren voordat ze wegging.

'Jack, ben je daar nog?' schreeuwde Howie op duizenden kilometers afstand.

'Ja,' zei Jack. 'Sorry. Nancy bracht me net wat te eten. Waar waren we?'

'Kun je je Sarah Kearney herinneren, het BRK-slachtoffer dat in Georgetown is begraven?'

'Ja,' zei Jack. Hij trok het servet weg en keek naar de salade met rucola, schijfjes tomaat en vochtrijke mozzarella *fior di latte* die Paolo waarschijnlijk een paar uur eerder had klaargemaakt. 'Ze kwam daar uit de buurt, hè? Geen familie, maar ik meen te hebben gelezen dat de plaatselijke bevolking voor haar begrafenis heeft betaald.'

'Dat klopt,' zei Howie. 'En nu ziet het er verdomme naar uit dat ze hun geld in hun zak hadden kunnen houden. Een zieke klootzak, misschien BRK, heeft haar opgegraven.'

Het bloed stolde in Jacks aderen. 'Weet je dat zeker? Zouden het geen vandalen zijn geweest, types die aan de crack zijn of zoiets?'

'Nee. Je kunt niet genoeg crack in je lijf krijgen om te doen wat die griezel heeft gedaan. Hij heeft de kist uitgegraven, de beenderen van dat arme meisje eruitgehaald en haar tegen de grafsteen gezet.'

'Hij liet het geraamte poseren?' vroeg Jack. Hij vroeg zich af of BRK de FBI wilde tarten door het skelet op die manier achter te laten, in de wetenschap dat de pers er als de kippen bij zou zijn om foto's te maken.

'Daar ziet het naar uit. Ze is gevonden door een paar jongens die gingen vissen.'

Jack duwde met zijn vork een minitomaatje door de saladekom, maar hij had al geen trek meer. 'Waarom zou hij dat nou in vredesnaam willen doen?'

Howie haalde zijn schouders op. Hij had zich dat ook afgevraagd. 'Al sla je me dood. We weten dat die klootzakken er een kick van krijgen om terug te gaan naar de plaatsen waar ze hun misdaden hebben gepleegd, en dat ze bij het graf van hun slachtoffers gaan zitten, maar botten opgraven... Nou, dat gaat heel wat verder dan wat ik gewend ben.'

Jack was er niet van overtuigd dat het de dader om een seksuele kick te doen was geweest. 'Misschien wil hij onze aandacht trekken?'

'Dat is hem dan verdomd goed gelukt,' zei Howie smalend.

'Kun jij je Massimo Albonetti herinneren?' vroeg Jack. Hij wilde over de Italiaanse zaak vertellen waaraan hij zou werken.

Howie moest even nadenken. 'Ja. Een rechercheur uit Rome. Hij kreeg later de leiding van hun profileereenheid. Waren jij en hij niet een tijdje goed bevriend?'

'Dat waren we. Ik mag hem graag, het is een beste kerel, en hij heeft me gevraagd hem te helpen met een zaak die een meer dan oppervlakkige overeenkomst vertoont met het werk van BRK.'

'Ik hoop dat je me in de maling neemt,' zei Howie.

'Was het maar waar. Langs de hele westelijke kust zijn delen van een vrouwenlichaam opgedoken, en als ik op de informatie mag afgaan die ik heb gezien, zijn er genoeg overeenkomsten om serieus aan BRK te denken.'

'De hand?'

'De hand,' bevestigde Jack. 'De linkerhand ontbreekt en de zaagsporen in het bot zijn hetzelfde. Maar dat is nog niet alles. De beschrijving van het slachtoffer past ook in onze serie: donker haar, midden twintig, iets kleiner dan gemiddeld, alle gebruikelijke eigenschappen.'

Howie trok een grimas. Hij had grote moeite met het idee dat BRK in een ander werelddeel aan het moorden was geslagen. 'Waarom zou BRK in Italië aan het moorden gaan en tegelijk in Amerika het lichaam van een eerder slachtoffer opgraven?'

'Denk je dat die Italiaanse moord het werk van een na-aper is?' vroeg Jack. Hij keek naar zijn salade en besloot de mozzarella te proberen, maar herinnerde zich meteen dat het werkwoord *mozare* 'snijden' betekende.

'Dat lijkt me stug,' zei Howie. 'Dan zou je moeten geloven dat het incident op die begraafplaats in South Carolina en jouw zaak in Italië los van elkaar staan, al gebeurden ze bijna exact tegelijk.'

'Maar anders moet je accepteren dat BRK nu aan weerskanten van de oceaan opereert.'

Plotseling werd er hard op Howies badkamerdeur gebeukt. 'Howie, blijf je daar de hele dag zitten?' schreeuwde Carrie. 'Ik moet daar even zijn voordat ik naar mijn Pilates ga.'

'Ben je in de badkamer?' vroeg Jack. 'Je doet toch niet wat ik denk dat je doet?'

'Daar was ik net mee bezig toen jij belde.'

'Bespaar me de details!' zei Jack met zoveel weerzin in zijn stem als hij erin kon leggen.

'Hé, je vroeg ernaar. En je weet dat ik nooit tegen jou kan liegen.'

'Mag ik er nog in?' schreeuwde Carrie weer.

'Wacht even, Jack,' zei Howie. Hij wendde zich van de mobiele telefoon af. 'Carrie, wil je even je klep houden? Ik bel met Jack in Italië en ik zit ook nog te schijten.'

'Dat is toch niet te geloven!' was het antwoord, en ze beukte nog een keer op de deur alvorens verontwaardigd weg te lopen.

Howie concentreerde zich weer op het gesprek. 'Sorry, jongen, dat was een beetje huiselijke oorlogvoering. Waar waren we?'

'Connecties,' zei Jack. 'We vroegen ons af of er een connectie is tussen het Kearney-incident, BRK en de moord in Italië.'

'Ik ben ervan overtuigd dat het BRK is die bij Kearneys graf is geweest,' zei Howie nadrukkelijk.

'Overtuigd door je gevoel of door forensische resultaten?'

'Een beetje van allebei,' zei Howie. 'Hij heeft Kearneys hoofd van haar geraamte gezaagd en meegenomen.'

'Wát?'

'Hij heeft de schedel er finaal afgezaagd. En voor je het vraagt: we weten nog niet waar hij dat precies mee deed, maar er zijn zaagsporen. Hij deed het dus niet met brute kracht of een bot instrument.'

Jack stelde zich Sarah Kearneys ontheiligde lichaam voor en er ging meteen een scheut van woede door hem heen. 'Hoofden zijn niet de stijl van BRK. Oké, hij heeft al eerder lijken onthoofd. Jezus, hij heeft alle ledematen afgezaagd en elk lichaamsdeel verminkt dat een mens maar heeft, maar dat was functioneel, niet emotioneel. Hij deed het om zich van slachtoffers te ontdoen, niet om trofeeën mee te nemen. Hij bewaarde altijd de hand; dat was het enige. Ik ben er nog steeds niet zeker van dat er een connectie is.'

'Er is een connectie, Jack. Geloof me.'

'Ga verder,' zei Jack. Hij had het gevoel dat hij nog niet alles had gehoord.

'We hebben het hoofd. Hij stuurde het naar ons op.'

'Naar de FBI?' vroeg Jack.

'Hij stuurde het naar ons kantoor in New York. Op het vliegveld van Myrtle haalde de beveiliging het pakje er bij wijze van routine uit. Ze scanden het.'

'Hij moet hebben geweten dat ze dat zouden doen,' merkte Jack op. 'Geen vingerafdrukken, neem ik aan, niets van AFIS?'

'Het is schoner dan de onderbroek van de paus.'

'Het is nog steeds niet doorslaggevend,' zei Jack, die voor advocaat van de duivel bleef spelen. 'Ik wil wel accepteren dat Sarah Kearneys graf een bijzondere connectie met BRK vormt. Maar een lijk opgraven behoort niet tot zijn werkwijze, het afhakken van hoofden zit niet in zijn daderprofiel en direct contact met de FBI is beslist niet zijn stijl.'

Howie wist dat hij Jack niet moest tegenspreken als hij aan het analyseren was. 'Misschien heb je gelijk,' gaf hij toe, 'Maar er is nog één ding, iets waardoor je er misschien anders over gaat denken. Degene die dit heeft gedaan – BRK of geen BRK – heeft Sarah Kearneys schedel naar jou toe gestuurd. Hij deed hem in een doos en adresseerde die aan Jack King, FBI, New York. Vertel eens, Jack: waarom zou een willekeurige gek jou de schedel van een van BRK's slachtoffers sturen?'

34

Marine Park, Brooklyn, New York

Lu Zagalsky is meteen weer doodsbang als ze zijn voetstappen de houten keldertrap af hoort komen, gevolgd door het klikken van de sleutel in het slot van de zware deur aan de onderkant.

Het is zes uur geleden dat ze hem heeft gezien, maar omdat ze niet op haar horloge heeft kunnen kijken, lijkt het nog langer. De pijn en de uitputting hebben haar uiteindelijk in een onregelmatige slaap gebracht, maar dat hielp nauwelijks tegen de pijn van haar gebroken neus, haar geschroeide keel en haar hele lichaam. Ze heeft nauwelijks nog gevoel voor dag en nacht.

'Hallo, Sugar,' zegt hij opgewekt, bijna alsof hij een oude vriend begroet.

Lu ziet het verband om zijn hand, met de bloedvlekken aan de zijkant. In zijn andere hand heeft hij een glas of zoiets en een krant die ze als de *USA Today* herkent.

Spider ziet dat ze aandachtig naar hem kijkt. 'Ik ben uit geweest,' vertelt hij. 'Ik wilde een luchtje scheppen om tot bedaren te komen na wat er tussen ons is gebeurd. Ik heb een vanillemilkshake voor je meegenomen; ik dacht dat je wel iets koels en zachts voor je keel wilde.'

Hij legt de krant op de vloer, alsof hij een vochtige plek bedekt, en zet de milkshake op de rand van de bondagetafel. 'Ik ga de kettingen een beetje minder strak maken, dan kun je weer overeind komen en drinken,' zegt Spider, en hij voegt er een beetje zwarte humor aan toe: 'Maar niet zo ver overeind als de vorige keer, hè? Die ouwe Spider heeft zijn les geleerd en je krijgt niet de ruimte om de hand te bijten die je voedt.'

Lu's hoofd buldert van pijn als hij haar overeind laat zitten en het bloed weer door haar lichaam wordt gepompt.

'Langzaam drinken,' zegt hij. Hij steekt het rietje haar kant op en brengt het naar haar lippen.

Ze zuigt hard en de ijskoude vloeistof glijdt verkwikkend door haar rauwe keel. Haar verschrompelde maag knort en rommelt van verbazing nu hij eindelijk iets te verteren krijgt.

'Goed, goed,' zegt Spider, en hij haalt de milkshake bij haar weg. 'Ga nu maar weer liggen.' Hij duwt haar voorhoofd naar achteren en duikt onder de bondagetafel om de kettingen weer vast te maken.

Lu voelt zich beter door de milkshake en permitteert zich enkele momenten van optimisme. Hij heeft je te eten gegeven, Lu. Als hij je te eten geeft, wil hij je in leven houden, in elk geval voorlopig.

Spider buigt zich weer over haar heen en trekt aan de kettingen om na te gaan of ze strak genoeg zitten. 'Door die milkshake zul je je wat beter voelen. Je zult nu gemakkelijker de tijd doorkomen – terwijl ik weg ben.'

Weg? Het woord knettert in de lucht, alsof hij haar ermee heeft gebrandmerkt.

'Ja,' zegt hij. Hij ziet de verandering in haar ogen. 'Ik moet je nu alleen laten.'

Mij alleen laten? Waar ging hij heen? Hoe lang? Waarom?

Spider buigt zich dicht naar haar gezicht toe en wijst met zijn vinger naar boven. 'Als je goed naar het plafond kijkt, zie je een camera.'

Lu tuurt in de zwartheid boven haar en ziet nu eindelijk de cameralens. Er knippert een rood lichtje naast, als het oog van een knaagdier dat op haar neer kijkt.

Spider draait haar hoofd opzij. 'En daar kijkt nog een oogje van een camera naar jou.' Hij laat haar los. 'Er zijn camera's in de hele kamer die voortdurend naar je kijken. En weet je wat? Waar ik ook ben, ik kan je overal zien. Is technologie niet geweldig?' Hij haalt een zwart apparaatje, ongeveer zo groot als een mobiele telefoon, uit zijn zak.

Lu ziet dat er een blauw lichtje op flikkert en dat het drie verschillend gekleurde knoppen heeft, zoals de rode, groene en blauwe knop op de afstandsbediening van een televisie.

'Dit is een apparaatje met blue tooth. Als ik hier wegga, activeer ik een aantal drukplaatjes aan de buitenkant van de kelder. Als je probeert te ontsnappen, of als iemand probeert binnen te komen terwijl ik weg ben, exploderen die apparaatjes en wordt het hele huis een vuurbal. Nog beter: waar ik ook ben, ik kan een nummer bellen en op dit rode knopje drukken, en *boem!* Geen Sugar meer.'

Lu voelt dat het beetje kleur dat ze nog heeft uit haar gezicht weg trekt.

'Ik hoop dat die milkshake goed heeft gesmaakt, Sugar, want het is het laatste wat je ooit zult proeven. Je krijgt gauw honger. En dan zul je merken wat uithongering is. En na een zekere tijd zal je lichaam letterlijk zichzelf opeten tot het dood is. En al die tijd zal ik kijken, tot aan je laatste ademtocht.'

Deel 3

Dinsdag 3 juli

35

Rome

Geen enkel kantoor rook zo erg naar verschaalde tabak als dat van Massimo Albonetti, hoofd van het Ufficio Investigativo Centrale di Psicologia Criminale, een elite-eenheid van de Unità di Analisi del Criminel Violento, opgezet naar het voorbeeld van het vermaarde National Center for the Analysis of Violent Crime van de FBI in Quantico. In Massimo's nicotinehol zaten Orsetta, zaakcoördinator Benito Patrizio en assistent-analist Roberto Barcucci. Ze bereidden zich voor op het bezoek van Jack King en kregen dan ook opdracht Engels te spreken, al wisten ze allemaal dat Massimo de eerste zou zijn die op hun eigen taal zou terugvallen.

Alle papieren en mappen die niets met de zaak te maken hadden, waren van het bureau van de directeur verwijderd. Achtergebleven waren alleen een donkergroen vloeiblad op leer, een goedkope politiebalpen en een zwartwitfoto van Cristina Barbuggiani's gezicht dat recht naar hem omhoog leek te staren. Massimo drukte op een zoemer en sprak met Claudia, zijn secretaresse, die de andere kant van zijn kantoor bezet hield, als een pitbull die een steak bewaakte.

'Claudia, breng alsjeblieft water, sap, frisdrank en een dubbele espresso voor mij. Grazie.'

Hij drukte de zoemer uit en streek voorzichtig over Cristina's foto voordat hij zijn team toesprak. 'Orsetta, Jack logeert in het Grand Plaza aan de Via del Corso. Hij heeft voor twee nachten geboekt. Wil je de administratie vragen een derde nacht te reserveren? Zorg dat er een burgerwagen klaarstaat om hem van het station te halen en direct hierheen te brengen. Hij moet hier om een uur of tien vanavond zijn.' Massimo dacht nog eens aan het transport voor Jack. 'Stuur geen gewone burgerwagen, maak er een vipwagen met chauffeur van. Ik wil dat hij nog helemaal fris is als hij door ons gezegende verkeer hierheen is gekomen. De volgende morgen brengen dezelfde auto en dezelfde chauffeur hem naar mijn kantoor. Waarschijnlijk zet ik hem aan het eind van de dag zelf op de Plaza af.'

'Ik moet toch die kant op, Direttore,' zei Orsetta. 'Ik wil hem best zelf afzetten.'

Massimo keek aandachtig naar haar gezicht en dacht erover haar te plagen. Het was begrijpelijk dat ze gefascineerd was door iemand die zo'n faam genoot als Jack King. Nu hij erover nadacht, had hij waarschijnlijk zelf het zaadje geplant door steeds weer Jacks theorieën aan te halen als ze een zaak bespraken. 'Dat is heel aardig van je, Orsetta. Ik hou het in gedachten en bel je als ik je nodig heb,' zei hij speels.

Orsetta, eenvoudig gekleed in een nauwsluitende zwarte broek en een witte katoenen blouse met lange boord, voelde dat ze een kleur kreeg toen Massimo's bruine ogen als het ware met röntgenstralen in haar geest keken. Ach wat, ze was al tot de conclusie gekomen dat Jack King speciaal was en hoopte dat er iets speciaals zou gebeuren als ze elkaar weer ontmoetten.

'Roberto, zijn alle vertalingen klaar? Mijn oude vriend Jack is een Amerikaan; hij spreekt amper Engels, laat staan Italiaans.'

'Sì, Direttore,' zei de assistent lachend. Hij was zo jong en had zo'n glad gezicht dat hij zich volgens Massimo nog helemaal niet hoefde te scheren. Een zegen waarvan hij moest genieten zolang het duurde. 'We hebben samenvattingen gemaakt van de voornaamste getuigenverklaringen, een overzicht van de belangrijkste acties die we hebben ondernomen en de resultaten daarvan, en ook een forensisch overzicht, met gegevens van bodem- en stoffenanalyse. We zoeken nog naar sporen op de zwarte plastic zakken waarin de lichaamsdelen zijn gevonden. Dat kost allemaal tijd en we komen momenteel mensen tekort.'

'Zet er vaart achter, Roberto. Als je meer mensen nodig hebt, moet je er nu om vragen, niet over veertien dagen, als het te laat is.' Massimo keek hem strak aan. Hij wilde dat de jongen die les goed leerde.

'Ik heb nog twee mensen nodig,' zei Roberto vlug. 'Misschien kunnen ze elk drie diensten draaien?'

'Dan krijg je ze, mijn jonge collega,' zei Massimo met een gulle glimlach. 'Wat nog meer?'

Roberto schraapte zijn keel. 'We hebben vertalingen van de rapporten over vingerafdrukken en DNA, maar we hebben niets wat met iemand uit onze archieven overeenkomt.'

'Blijf zoeken,' beval Massimo. In stilte vervloekte hij het feit dat de Italiaanse forensische dienst in tegenstelling tot de FBI niet over een volledige geïntegreerde DNA-database beschikte. Ze hadden CODIS, hun eigen zeer efficiënte DNA-indexsysteem dat tot 1999 terugging, maar de nationale politie, de carabinieri en veel andere openbare en particuliere organisaties hadden nog steeds eigen databases die niet met CODIS in verbinding stonden. Bovendien werd zo angstvallig over die databases gewaakt dat Massimo's eenheid vaak aan officieren van justitie of rechters moest vragen of ze de eigenaren opdracht wilden geven informatie te verstrekken.

Massimo probeerde het DNA-aspect uit zijn hoofd te zetten en ging verder. 'We nemen allemaal aan dat die BRK een Amerikaan is, en dat hij het probleem van de FBI is en zal blijven. Maar dat verandert allemaal wanneer hij ook hier in Italië een moord pleegt. Dan wordt het ons probleem. Mijn probleem, jullie probleem, ons probleem.' Hij liet zijn blik over hen gaan, keek hen een voor een aan. 'Begrijpen jullie me allemaal?'

'Sì, Direttore,' zeiden ze, verontschuldigend en niet tegelijk.

'Waarom Italië?' ging Massimo verder. Hij wreef over zijn grote, kale hoofd en keek zijn team afwachtend aan. 'Kom op. Wat denken jullie?'

Roberto was de eerste. 'Hij is hierheen verhuisd. Hij woont hier nu. Hij moest voor zijn werk naar Italië verhuizen.'

'Het zou kunnen,' zei Massimo. 'De volgende.'

'Vakantie,' opperde Benito, de zaakcoördinator. 'Zelfs seriemoordenaars gaan met vakantie. Misschien had hij gewoon de gelegenheid om te moorden terwijl hij hier was.'

'De volgende,' zei Massimo.

'Misschien is Cristina Barbuggiani met vakantie naar Amerika geweest en kwam hij hierheen om haar op te zoeken,' merkte Orsetta op.

'Ga dat na,' zei Massimo. 'Vraag haar familie waar ze de laatste tijd met vakantie is geweest, en of ze het wel eens over buitenlandse vrienden heeft gehad.'

'En als die seriemoordenaar nu eens een Italiaan blijkt te zijn?' zei Roberto. 'Misschien komt hij oorspronkelijk uit Rome en ging hij zoals veel Italianen naar Amerika. En nu heeft hij na een lange, roemruchte carrière als moordenaar van Amerikanen besloten naar huis terug te gaan en hier te blijven.'

'Waarom gaat hij hier dan moorden?' vroeg Massimo. 'Ik kan me voorstellen dat een moordenaar, misschien met Italiaans bloed, naar zijn geboorteland terugkeert om het allemaal op te geven, om de moorden zijn rug toe te keren en zijn laatste levensjaren in de zon door te brengen, ver verwijderd van iedereen die onderzoek doet naar zijn misdrijven. Maar niet om hier te gaan moorden. Een hond schijt niet in zijn eigen mand.'

'Ik heb een hond die overal schijt, ook in zijn eigen mand,' wierp Benito tegen. Hij streek over een rommelig sikje dat Massimo heel graag zou willen afknippen.

'Daar zit wat in,' zei Massimo. 'We moeten onze ogen niet sluiten voor het feit dat deze man een uitzondering is op alle regels die we kennen, en dat hij nooit zal ophouden met moorden. Hij is geen opgebrande zakenman die met pensioen gaat en zijn oude dag in de zon wil zitten. Hij is een roofdier, op zoek naar nieuwe prooi, dorstig naar vers bloed, en misschien ziet hij Italië als een nieuw jachtterrein.'

'Misschien is het niet BRK,' opperde Orsetta. 'Misschien is het een na-aper.'

'Dat wil er bij mij niet in,' onderbrak Benito hem. 'Twee moordenaars in twee verschillende werelddelen met dezelfde werkwijze en hetzelfde type slachtoffer. Dat is onwaarschijnlijk.'

'Niet onwaarschijnlijker dan het idee dat hij helemaal hierheen is gekomen om te moorden,' antwoordde Orsetta, die haar stem verhief om haar theorie kracht bij te zetten. 'Hij heeft in Amerika toch keus genoeg? Hij kan daar uit driehonderd miljoen mensen kiezen. Waarom zou hij zo'n groot jachtterrein opgeven om te gaan opereren in een land dat hij niet kent?'

'Oké, dat kunnen we ons zeker afvragen,' zei Massimo. 'Maar weer ter zake. Waarom hier? Wat is de connectie?'

Ze zaten zwijgend bij elkaar, zoekend naar ideeën. 'King,' zei Orsetta. 'Als het BRK is en geen na-aper, is Jack King de enige connectie die ik kan bedenken.'

Massimo fronste zijn wenkbrauwen. 'Jack King?'

Orsetta probeerde voort te bouwen op haar idee. 'Ik zeg niet dat King de reden is waarom BRK in Italië moordt. Ik zeg alleen dat hij me de enige connectie lijkt.'

Benito wond zijn baardje om zijn vingers. 'Dat ben ik met je eens. Ik zie ook geen andere connectie.'

Massimo dacht dat ze niet verder kwamen. 'Dan hebben we een probleem. Als we geen andere connectie kunnen bedenken dan Jack King, de man die ik heb gevraagd ons te helpen, hebben we niets om mee verder te gaan. Ik wil een algehele evaluatie van al onze suggesties, en ik bedoel ze allemaal. Ik wil dat we precies weten wat Cristina Barbuggiani aan het eind van haar leven heeft gedaan. En ik wil dit heel goed duidelijk maken. Ik wil níét dat die psychopaat tientallen jonge meisjes hier in Italië afslacht. Ik wil niet dat er nog een dode valt. Is dat duidelijk?' Aan hun gezichten kon hij zien dat ze hem begrepen. 'Goed. Eerste moorden op een nieuw terrein zijn nooit perfect. Dit is misschien wel onze beste kans om hem te pakken te krijgen. Nee, nu moet ik mezelf verbeteren. Dit is misschien onze énige kans om hem te pakken te krijgen. En dat is de reden waarom ik Jack King heb gevraagd zijn eigen gezondheid op het spel te zetten om ons te helpen bij de jacht op dat monster, dat...' Massimo kwam Engelse woorden tekort om uiting geven aan zijn hartgrondige afschuw van Cristina Barbuggiani's moordenaar. Toen hij op zijn moedertaal terugviel, legde hij zijn grote hand op de foto van het dode meisje. '*Uno che va in culo a sua madre*!'

'Een *motherfucker*,' zei Orsetta ijzig. 'Het woord dat je zocht, Direttore, is *motherfucker*.'

36

Marine Park, Brooklyn, New York

Het is een vrijstaand huis op de hoek van een stil, doodlopend straatje, aan het zicht onttrokken door grote esdoorns en dichte haagdoorns die de voortuin en het kleine pad overwoekeren. In het donker, kort voor de zon opkomt, loopt Spider om het huis heen. Hij controleert zijn beveiligingssysteem, test de sensoren van de lampen, kijkt naar de stand van de bewakingscamera's en de elektriciteitsdraden naar allerlei andere verborgen apparaatjes, die veel meer doen dan alleen maar ongewenste indringers afschrikken.

In de achtertuin gaat hij op de rand van een verweerde houten tafel zitten en denkt aan vroeger; de tijd dat hij hier met zijn ouders woonde, de tijd voordat zij naar de Betere Plaats gingen en hij naar het weeshuis werd gebracht. Vijftien jaar geleden had hij het huis teruggekocht. Hij had ervoor betaald uit de erfenis die hem in de vorm van een trustfonds was nagelaten. De rest van het geld had hij verstandig belegd. Via internet beheerde hij een degelijke portefeuille van aandelen en obligaties. Zijn vader zou trots op hem zijn geweest. Pa had altijd gezegd: 'Neem nooit onnodige risico's.' Dat was de sleutel tot zijn succes geweest bij alles wat hij deed.

Hij herinnert zich het leven in het weeshuis: de pesterijen, het gekibbel, het tekort aan eten, de lauwwarme stank in de overbevolkte en slecht schoongemaakte slaapzalen, en vooral het eeuwige lawaai. Pas toen hij daar weg was, waardeerde hij hoe geweldig stilte kan zijn. Spider weet dat die jaren hem hebben gevormd. Of het nu goed of slecht is, ze hebben hem gemaakt tot wat hij nu is. Hij weet dat hij nog steeds te vlug eet omdat, als hij in het weeshuis niet zat te schrokken, de grotere jongens gewoon van zijn bord hadden gepakt wat ze wilden hebben. Hij begrijpt dat hij van geweld houdt omdat hij op een dag meer dan genoeg had van de rituele mishandelingen die alle nieuwe jongens te verduren kregen. Hij was in woede uitgebarsten en had een van zijn belagers een schedelfractuur bezorgd door zijn hoofd vele malen tegen een wc-muur te beuken.

Het weeshuis zat vol met ontspoorde kinderen. Het fungeerde als een universiteit van de misdaad en hij had er veel manieren geleerd om een valse identiteit op te bouwen, valse papieren te verkrijgen en nepbedrijven op te zetten. Voor hem was de misdaad letterlijk kinderspel.

In de koelte van zijn achtertuin zet hij een dual-core Dell-laptop aan en gaat via een webaccount op valse naam online. Hij kijkt in Webmail en vindt zijn weg naar zijn eigen intranetsysteem met beveiligingscodes. Enkele seconden later kan hij beelden van alle camera's binnen en buiten het huis op zijn scherm krijgen. Hij schakelt van de ene buitencamera op de andere over en verkleint dan het scherm om de pixels te comprimeren en een scherper beeld te krijgen. Als hij tevreden is over de instellingen, roept hij de beelden van de binnencamera's op. In de duisternis van de tuin verschijnt Sugars lichaam als een felle, witte vorm, bijna als een withete crucifix. Spider kijkt er peinzend naar. Er is iets aan het meisje wat hem zorgen baart. Hij had dat gevoel ook gehad toen hij haar 's avonds laat benaderde, en hij voelt het nu opnieuw. Op een of andere manier heeft hij het gevoel dat ze, zelfs zoals ze daar vastgebonden op haar dood ligt te wachten, een gevaar voor hem vormt. Hij zet die gevoelens als onlogisch uit zijn hoofd. Zijn planning was goed, en afgezien van dat ene bloederige moment toen ze hem beet, heeft hij geen problemen met haar gehad.

Spider werkt met de camera's en kiest voor een close-up van haar gezicht. Haar ogen zijn dicht en er is zo weinig beweging te zien dat het bijna lijkt of ze vredig ligt te slapen. Hij weet dat het heel anders is. Hij stelt zich voor dat de vrouw inmiddels de grootste angsten uitstaat. Hij heeft geen medelijden met haar. Sterker nog, ze wekt helemaal geen gevoelens bij hem op. Hoeren zijn niet zijn gebruikelijke prooi, maar dit wordt ook geen gebruikelijke moord. Deze moord heeft hij niet gepland om er plezier aan te beleven; ditmaal heeft hij een veel groter doel voor ogen.

37

Monte Amiata, Toscane

Er waren dagen waarop Toscane zo mooi was dat Nancy zich verbeeldde dat God zelf Italië had gemaakt en daarna om duistere redenen de rest van de aarde had uitbesteed aan een stel Polen die hadden beloofd het goedkoop te doen en voor het eind van de week klaar te zijn.

Dit was een van die dagen. Nu Zack in de crèche was, en Carlo en Paolo op de hoogte waren gesteld van de lopende werkzaamheden in het hotel en het restaurant, wilden Jack en Nancy profiteren van de tijd die ze nog samen konden doorbrengen voordat hij naar Massimo in Rome ging.

's Morgens wandelden ze de Monte Amiata op. Toen ze de berg beklommen, die uit grote stukken geelbruin vulkaangesteente bestond, hijgde Jack meer dan hij had verwacht.

Het uitzicht vanaf de top over de Val D'Orcia was zo adembenemend als ze nooit ergens anders hadden meegemaakt. Ze stonden naast elkaar in een warme, lichte wind en wezen elkaar herkenningspunten als Pienza, Montalcino, Radicofani en natuurlijk hun eigen San Quirico aan.

'Weet je hoe San Quirico aan zijn naam is gekomen?' vroeg Nancy, toen Jack naar de opvallende eeuwenoude muren wees.

'Nee,' gaf hij toe, 'maar ik heb het gevoel dat iemand uit mijn naaste omgeving dat wel weet.'

Toen Nancy tegen de wind in ging staan, waaiden haar haren in haar gezicht. 'Het is geen mooi verhaal. Het schijnt dat het stadje zijn naam ontleent aan de heilige Quiricus, een kind dat de marteldood stierf.'

'Wie was het?' vroeg Jack, die de kern van de zaak wilde horen.

'Geduld. Daar kom ik nog op,' zei zijn vrouw, die wist hoe hij was. 'In het jaar 304, toen Quiricus, of Cyricus zoals hij soms werd genoemd, nog maar drie jaar oud was, even oud als Zack nu, werd zijn moeder Julietta ter dood veroordeeld omdat ze christen was. Toen ze voor de gouverneur in Tarsus verscheen en het vonnis werd geveld, had ze haar zoontje bij zich. De jongen maakte veel drukte, wilde absoluut niet bij zijn moeder weg, wat er ook met hem gebeurde. De autoriteiten zeiden nogal wreed tegen hem dat zijn moeder zou worden gedood omdat ze christen was. Toen zei Quiricus dat hij ook christen was en met haar wilde sterven. Die houding maakte de gouverneur zo kwaad dat hij de jongen bij zijn benen oppakte en zijn hoofd verbrijzelde tegen een stenen trap. En nu komt het verbazingwekkende: Julietta huilde niet, maar liet openlijk blijken dat ze blij was.'

'Hè?' onderbrak Jack haar. 'Blij?'

'Ja, blij. Het schijnt dat ze zich vereerd voelde omdat haar zoon was uitverkoren om de kroon van het martelaarschap te dragen.' Nancy vroeg zich af of de geschiedenis zich in de moderne wereld herhaalde. 'Misschien voelen de ouders van zelfmoordterroristen zich tegenwoordig ook zo. Misschien voelen hun moeders zich vereerd.'

'Genoeg daarover,' zei Jack, die geen zin had in zo'n discussie. 'Je klinkt net als mijn oude oma.'

'Dat is helemaal niet erg, voorzover ik me herinner. Jij mocht haar graag, hè?'

'Ik aanbad haar,' verbeterde Jack, die liefdevol aan de oude vrouw terugdacht. 'Ze was een Bijbelgek, maar ik hield zielsveel van haar.'

'Hoe dan ook, Quiricus is de patroonheilige van het gezinsgeluk. En zo zou het stadje aan zijn naam zijn gekomen.'

'Jij bent hier heel graag, hè?' vroeg Jack. Het was de inleiding van het gesprek dat hij zo lang mogelijk had uitgesteld.

Ze veegde weer haar van haar gezicht. 'Ja. Jij niet?'

Hij wendde zich half van haar af en keek naar het landschap, waarover een hittewaas lag. 'Ik weet dat dit idioot klinkt, maar ik ben hier niet graag. Ik ben hier niet gelukkig.' Jack maakte een gebaar naar het dal. 'Het is allemaal prachtig, maar het helpt me niet. Zelfs hier op deze ongelooflijke bergtop heb ik het gevoel dat ik gevangenzit.'

'Gevangen?' vroeg Nancy. Ze wist dat haar man zich niet goed raad wist en haar niet recht wilde aankijken.

'Je zei dat Toscane me zou helpen te herstellen.' Hij keek haar weer aan. 'Maar daarmee bedoelde je in feite dat het jou zou helpen. Jij wilde dit alles. Jij had hier behoefte aan.'

'Dat is onredelijk,' snauwde ze. 'Toen je uit het ziekenhuis kwam, had je helemaal genoeg van alles, Jack.'

Hij schudde zijn hoofd en beet op zijn lip. 'Nee, Nancy, jíj had genoeg van alles. Ik was ziek. Ik had in New York moeten blijven. Ik had een tijdje vrij moeten nemen om weer op krachten te komen, en dan had ik verder moeten gaan in mijn baan en de zaak moeten afmaken.'

'Huh!' riep ze uit, en ze wendde zich van hem af.

Hij kwam vlug een stap naar voren en pakte haar arm vast. 'Luister.'

Ze schrok omdat hij zo ruw was.

Hij haalde zijn hand weg. 'Ik hou van je. Ik hou enorm veel van jou en ons jongetje, maar deze ballingschap, deze afstand tot alles, wordt me te veel.'

Nancy was door zijn woorden getroffen. Ze voelde dat haar ogen vol liepen.

'Ik ben politieman. Ik jaag op schurken en sluit ze op,' ging hij verder. 'Dat ben ik en dat doe ik. Ik heb nooit iets anders gedaan en ik kan niets anders. Het helpt me niet dat je me helemaal hierheen hebt gebracht en me niets anders laat doen dan jou te helpen stoelen te verzetten en borden af te wassen. Daar word ik misselijk van, Nancy.'

'O, Jack, hoe kun je dat zeggen? Toen ik je in New York van het ziekenhuis naar huis bracht, was je zo ziek dat je bijna niet kon lopen. En moet je nu eens zien: je bent fitter en ziet er gezonder uit dan ooit.'

Jack gaf een klopje op zijn maag en glimlachte vaag. 'Wat mijn lichaam betreft, heb je gelijk. Toscane heeft me geholpen mijn kracht op te bouwen. Maar geestelijk, nou...'

Ze fronste haar wenkbrauwen. 'Nou?'

'Geestelijk ga ik eraan onderdoor. Ik voel me nutteloos, zwak, machteloos en...' Hij zocht naar het woord en zei toen: 'Laf.'

'O, schat.' Nancy sloeg haar armen om hem heen. Een ogenblik dacht ze dat hij zich los probeerde te trekken. Ze stond met haar hoofd tegen zijn borst, zoals ze ook had gedaan op hun eerste avondje uit. Ze wilde niet dat hij weer recherchewerk ging doen, maar ze wilde ook niet dat hij er zo slecht aan toe was. Ze voelde dat hij haar dicht tegen zich aan drukte en een kus op haar kruin gaf. Ten slotte maakte ze zich uit zijn armen los en keek naar hem op. 'Waarschijnlijk heb je gelijk. Ik had er behoefte aan om hierheen te gaan. Ik had er behoefte aan om zo ver mogelijk bij moorden en lijkenhuizen vandaan te zijn. En ik had er ook behoefte aan om jou bij me te hebben. Niet alleen maar twee uur per nacht, als je om twee uur naast me komt liggen en weer opstaat voordat het licht wordt, maar fulltime.'

'Het spijt me,' begon hij.

Nancy onderbrak hem. 'Stil, laat mij uitspreken. Toen je instortte, werd ik heel erg bang. Ik kan me niet voorstellen – ik wil me niet voorstellen – dat ik Zack in mijn eentje moet grootbrengen omdat jij je hebt doodgewerkt. Is dat zo egoïstisch?'

'Nee, dat is het niet,' gaf hij toe. Hij wist dat ze hem in de verdediging had gedrongen.

'Ik wil oud worden met jou, of het nu hier is of ergens anders op de wereld. Ik wil alleen maar dat we een lang en gelukkig leven met elkaar hebben.' Ze keek om zich heen, zoals Jack daarstraks had gedaan. 'Je hebt gelijk. Ik hou van deze omgeving en ik hoop dat jij er ook van leert houden. Maar meer dan van wat ook hou ik van jou.' Ze glimlachte met enige moeite. 'Ik weet dat je er weer bij betrokken moet raken. Diep in mijn hart heb ik altijd geweten dat het zou gebeuren. Je moet afmaken waaraan je begonnen bent.' Ze slaakte een zucht en pakte toen zijn hand. 'Maar beloof me dat je voorzichtig zult zijn.'

'Dat beloof ik,' zei hij, zoals hij al honderd keer eerder had gezegd.

'En je blijft naar die psychiater gaan. Zul je dat doen?'

'Ja.'

'Doe het dan maar. Doe wat je moet doen.' Nancy wilde weer glimlachen, maar ditmaal lukte het niet en kwamen er tranen.

Jack sloeg zijn arm om haar heen en hield haar vast. Vanaf de top van de Monte Amiate keken ze naar de plaats waar ze hun nieuwe huis hadden. Allebei vroegen ze zich af wat de toekomst hun zou brengen. Nancy draaide zich om naar haar man en kuste hem hartstochtelijk.

38

Rome

Er waren twee belangrijke dingen die Massimo Albonetti nog niet aan Jack King had verteld. Ten eerste was het losse hoofd van Cristina Barbuggiani niet in zee gevonden, zoals de andere lichaamsdelen, maar was het door haar moordenaar in een doos gestopt en naar hun hoofdbureau in Rome gestuurd, blijkbaar door een koeriersbedrijf uit Milaan. Het tweede was nog schokkender.

Die twee dingen zaten Massimo dwars en maakten hem humeurig toen hij frisdrank uitdeelde en verderging met de briefing die hij zijn team gaf.

'Roberto heeft het victimologierapport opgesteld en laten vertalen,' zei Orsetta. Ze trok een blikje cola light open.

'*Va bene*,' zei Massimo, blij dat hij van zijn gedachten werd afgeleid. 'En wat staat daarin, Roberto? Waarom heeft die man Cristina Barbuggiani uitgekozen? Waarom was zij de ongelukkige?'

'Het lijkt er vooral op dat ze gewoon op het verkeerde moment op de verkeerde plaats was...' begon de jonge onderzoeker.

'Gelul!' riep Massimo uit. Opnieuw hield hij zijn hand over Cristina's foto alsof hij haar tegen zijn 'kleurrijke' taal wilde beschermen. '*Che cazzo stai dicento*!'

'In het Engels, Direttore,' zei Orsetta met een glimlach.

Massimo keek haar kwaad aan en wendde zich toen weer tot de onderzoeker. 'Roberto, zeg dat nooit tegen Jack King. BRK is geen opportunist; hij is geen gewone misdadiger die zich door impulsen laat leiden. Deze man heeft Cristina uitgekozen. Hij pikte haar uit de massa. Als Jack King je die vraag stelt, moet je onze eenheid niet te schande maken door tegen hem te zeggen dat ze op het verkeerde moment op de verkeerde plaats was.' Massimo wendde zich tot Orsetta. Hij hield de foto van Cristina tussen duim en wijsvinger. 'Zoek een lookalike voor me. Ga naar de castingbureaus voor films en zoek een actrice die er zo uitziet en zich zo kan gedragen als Cristina.'

'Doe ik,' zei Orsetta.

'En, Orsetta,' ging Massimo verder, 'hoe zit het met *Patologia*? Wat hadden die over de lichaamsdelen te zeggen?'

'De lichaamsdelen, of het hoofd?' vroeg ze. Ze sloeg haar notitieboek open.

'Eerst de lichaamsdelen,' antwoordde Massimo, die nog niet wist hoe hij het nieuws van het hoofd aan Jack ging vertellen. 'Ze zijn op verschillende plaatsen in zee gedumpt, terwijl het hoofd, zoals we weten, hierheen is gestuurd. Ik denk dat hij eerst de lichaamsdelen heeft gedumpt en het hoofd van het meisje tot het laatst bij zich heeft gehouden.'

'Waarschijnlijk,' zei Orsetta. Ze bladerde naar de desbetreffende bladzijden van haar notitieboekje. 'Goed, dan begin ik met de lichaamsdelen. Omdat die zijn afgezaagd en in zeewater zijn gedumpt, is het erg moeilijk het tijdstip van overlijden te bepalen. De laboratoria zeiden dat daar nog bij kwam dat ze geen lichaamsvloeistoffen konden testen...'

'*Madonna porca*!' vloekte Massimo. 'Hoe gemakkelijk willen die zogenaamde wetenschappers hun leven hebben? Als er nu eens een wet kwam die alle moordenaars verplichtte een label met het exacte tijdstip van overlijden aan hun slachtoffers te hangen? Orsetta, bespaar me die uitvluchten. Geef me gewoon de feiten die ons kunnen helpen.'

Orsetta, die zijn emotionele uitbarstingen wel gewend was, ging onverstoorbaar verder. 'De ontbinding was min of meer hetzelfde in alle lichaamsdelen, als je niet op een paar uur kijkt. Al het vlees werd zacht en vloeibaar. Hij had de afgezaagde lichaamsdelen in plastic zakken gedaan voordat hij ze in zee gooide, en daardoor ondergingen ze een vrij normale rottingcyclus. Er was verkleuring, marmering en blaarvorming.'

'Hoe lang, Orsetta?' vroeg Massimo ongeduldig. 'hoe lang heeft hij haar lichaam bij zich gehouden?'

'Dat konden ze op grond van de lichaamsdelen niet nauwkeurig voorspellen, maar...'

'*Affanculo*!' vloekte Massimo, en hij sloeg met zijn vlezige hand op het bureaublad. '*Non mi rompere le palle*!'

Orsetta kreeg een kleur, niet van verlegenheid maar van woede. 'Met alle respect, Direttore, als er ballen worden gebroken, doe ik dat niet. Deze rapporten komen van het lab, niet van mij. De lichaamsdelen helpen ons niet veel omdat het rottingstempo wordt beïnvloed door het feit dat ze in zeewater zijn gegooid.'

'*Mi dispiace*,' zei Massimo, en hij vouwde zijn handen samen als in gebed. 'Ga verder.' Hij stak zijn hand uit en raakte de foto van Cristina op zijn bureau weer zachtjes aan.

Orsetta ging verder waar ze gebleven was. 'Volgens het pathologisch lab ziet het ernaar uit dat Cristina ongeveer zes tot acht dagen dood was voordat haar lichaam in stukken werd gesneden en aan zeewater werd blootgesteld.'

'Had ze iets in haar maag of longen wat ons kan helpen?' vroeg Massimo hoopvol.

Orsetta fronste haar wenkbrauwen. 'Gelukkig was Cristina's romp snel en strak in plastic zakken verpakt, vermoedelijk om te voorkomen dat er op de plaats delict veel werd gemorst. Daardoor zijn delen van de vitale organen vrij goed bewaard gebleven. Het was moeilijk het longweefsel te analyseren, maar voorzover ze konden nagaan, zaten er geen diatomeeën in de organen. Ze hebben ook het beenmerg onderzocht, en daar zaten ze ook niet in.'

'Diatomeeën zijn microscopische organismen die meestal in meren, rivieren en zeeën leven,' zei Roberto.

'Dat klopt,' zei Orsetta. 'Ze zitten soms zelfs in badwater. Ze heeft ze dus niet opgenomen terwijl ze nog leefde. Dat betekent dat ze niet door verdrinking is omgekomen en ook niet in het zeewater in stukken is gezaagd. Trouwens ook niet in ander water.'

'Zou dat niet toch al onwaarschijnlijk zijn geweest?' merkte Benito op.

'Je hebt gelijk,' beaamde Massimo. 'Onwaarschijnlijk, maar niet onmogelijk. Er zijn gevallen bekend van moordenaars die hun slachtoffer in badwater verdronken en het lichaam in datzelfde water in stukken hakten. Dat deden ze omdat ze dan maar één plaats delict hoefden schoon te maken, dus niet een plaats waar het slachtoffer was vermoord en een plaats waar het aan stukken was gehakt. We moeten altijd rekening houden met ongewone dingen. Als je die kunt vinden, heb je een satellietnavigator die je naar je moordenaar leidt.'

Orsetta nam een grote slok van de koude cola. Massimo wachtte daarop en drong er toen bij haar op aan dat ze verderging. 'Nu haar hoofd,' zei de Direttore. 'Wat zegt Patologia over het hoofd van Cristina Barbuggiani?'

Orsetta sloeg een bladzijde van haar boekje om. 'Het hoofd...'

'Haar hoofd, Cristina's hoofd,' snauwde Massimo. 'Het is geen voorwerp. We hebben hier met een mens te maken. Laten we dat niet vergeten.'

'Cristina's hoofd,' begon Cristina weer, 'kunnen we als een zuiver monster behandelen, want het is niet aan zeewater blootgesteld. Het kan dus meer vertellen over het tijdstip van overlijden.' Ze keek naar haar aantekeningen, op zoek naar de exacte bewoordingen van de patholoog-anatoom. 'De huid was gemakkelijk van de schedel te pellen en het haar liet zich gemakkelijk uittrekken. Op grond daarvan zeggen ze dat het rottingsproces ongeveer twee weken aan de gang is geweest.'

Roberto dacht over iets na. 'In hoeverre gaat een lichaam anders tot ontbinding over als het op het land is en niet in het water?'

'Heel anders,' zei Massimo. 'Lichamen rotten in de lucht twee keer zo snel weg als in het water, en acht keer zo snel als in de grond.'

'En jonge mensen rotten sneller weg dan oude mensen,' voegde Benito daaraan toe.

'Waarom?' vroeg Roberto.

'Vanwege het vetgehalte,' legde Benito uit. 'Vloeistoffen en vetten versnellen de ontbinding. Dus als je wat langer in leven wilt blijven, of in de dood, moet je je hamburgers en bier laten staan.'

'Dank je, Benito,' zei Massimo om de stroom zwarte humor van zijn zaakcoördinator meteen in te dammen. 'Maden, Orsetta. Jack zal naar infestering vragen. Waren alle gebruikelijke daders aanwezig?'

'Ja,' bevestigde Orsetta. 'Uit de analyse bleek de aanwezigheid van talloze volledig gevormde *Calliphora*.'

'Aasvliegen,' legde Benito aan Roberto uit.

Orsetta trok haar wenkbrauwen op, wachtte nadrukkelijk tot hij klaar was met zijn onderbrekingen, en ging verder. 'De larven waren volwassen, oudere, dikke, trage maden in het derde stadium. Ze zaten niet in poppen. Geschat wordt dat ze negen of tien dagen eerder waren gelegd. Volgens het lab moeten we er rekening mee houden dat de oorspronkelijke vliegen het hoofd pas na een dag of twee hebben gevonden. Sorry, Cristina's hoofd. En zo komen we uit op een schatting van veertien dagen.'

Massimo keek op. 'Had een van de nakomelingen van de vliegen het voortplantingsstadium bereikt?'

'Nee,' antwoordde ze. 'Ik heb dezelfde vraag gesteld. Blijkbaar zou daar ongeveer een maand voor nodig zijn geweest.'

'Dus de timing komt weer overeen?' zei Roberto.

'Ja,' beaamde Orsetta. 'In het resumé blijkt uit alles dat het hoofd waarschijnlijk tien tot veertien dagen op een lauwe plaats is bewaard.'

Massimo maakte een notitie en het team wachtte zwijgend tot hij klaar was. 'We moeten kijken of we een tijdlijn kunnen maken...'

Roberto onderbrak hem. 'Direttore, ik denk dat ik een ruwe tijdlijn heb.'

'Ga verder,' zei Massimo, die blij was dat de jongeman vooruit had gewerkt.

'Cristina is voor het laatst in leven gezien op 9 juni. Op 10 juni werd aangifte van haar vermissing gedaan. Op grond van de sectierapporten is ze waarschijnlijk ergens rond de twaalfde tot veertiende van de maand vermoord. We hebben gehoord dat het lijk zes dagen is bewaard tot het in stukken werd gezaagd en werd gedumpt. Op grond daarvan mogen we veronderstellen dat hij waarschijnlijk niet voor 20 juni is begonnen met het dumpen van de lichaamsdelen. Twee dagen later, op de tweeëntwintigste, werd voor het eerst melding gemaakt van resten die werden gevonden.'

Massimo stak zijn hand op. 'Dat is goed, maar laten we nu even in de tijd terug gaan. Het ziet ernaar uit dat die man Cristina minimaal twee en maximaal vier dagen in leven heeft gehouden.' Hij keek zijn team aan en ging verder: 'Toen hij haar had gedood, hield hij haar lichaam, of delen daarvan, nog eens zes tot acht dagen bij zich. Waarom? Waarom wachtte hij zo lang? Wat deed hij?' Hij liet de data en vragen op hen inwerken, slikte toen en zei: 'Daarna heeft onze moordenaar Cristina's losse hoofd nog eens vier of vijf dagen bewaard voordat hij het naar ons stuurde. Nogmaals: waarom?'

Orsetta bekruiste zich en boog haar hoofd. Ze moest er niet aan denken wat voor verschrikkingen Cristina had doorgemaakt, en op wat voor man ze joegen.

'Er zijn veel vragen die we moeten beantwoorden, maar laten we ons op de belangrijkste concentreren,' zei Massimo, die zijn hand opstak om ze op zijn vingers af te tellen. 'Hoe is het hem gelukt Cristina te ontvoeren? Waar heeft hij haar vastgehouden in de twee tot vier dagen dat ze nog leefde? Heeft hij haar lijk op dezelfde plaats bewaard, misschien wel zes dagen lang, of heeft hij haar ergens anders heen gebracht? Waarom wachtte hij zo lang voor hij Cristina's hoofd naar ons toe stuurde?'

Massimo liet zijn hand naar zijn bureau zakken en keek naar de ingelijste foto van Cristina. Als je haar zo zag, leidde ze een zorgeloos leven. Er was geen rimpel op haar gezicht, dat stralend en optimistisch de wereld in keek. Ze had zo'n brede glimlach dat de fotograaf waarschijnlijk net had afgedrukt op het moment dat ze in de lach schoot. Massimo keek weer op. Hij bracht het gesprek nu op iets wat hij tot nu toe verborgen had gehouden voor Jack: 'En de andere grote vraag is: wat wilde de moordenaar ons precies vertellen met het briefje dat hij in een plastic zakje had gedaan en in Cristina's schedel had achtergelaten?'

Deel 4

Woensdag 4 juli

39

Rome

'Jack King, je ziet er fantastisch uit!' riep Massimo Albonetti en hij sloeg zijn armen om de voormalige FBI-agent heen zodra die zijn kantoor binnen kwam.

'En jij... Mijn gladde Italiaanse vriend... je bent nog steeds net een gepoetste biljartbal,' zei Jack, die speels over Massimo's kale hoofd wreef.

Massimo sloeg zijn hand weg en deed de deur achter zich dicht. 'Ze zeiden dat je ziek was, maar moet je jou toch eens zien! Je bent zwaarder en gezonder dan ik je ooit heb meegemaakt.'

'Goed eten en een goede vrouw; dat is het geheim,' zei Jack, en hij klopte op zijn buik.

'Jack, alsjeblieft, ik ben een Italiaan; die dingen hoef je me niet te vertellen.' Hij wees naar een stoel aan de andere kant van zijn bureau. 'Ga zitten, ga zitten. Wil je iets drinken? Koffie, water?'

'Water graag. Ik voer een gevecht tegen de cafeïne.'

'Ik ook,' zei Massimo, 'maar de cafeïne wint altijd.' Hij drukte op de intercom. 'Claudia, twee dubbele espresso's en water graag.'

Jack wierp hem een afkeurende blik toe.

Massimo haalde zijn schouders op. 'Als jij hem niet wilt, neem ik de jouwe erbij.'

Jack ging zitten en leunde op het bureau. 'Gaat het goed met Benedetta en de kinderen? Zijn ze op hun vakantiebestemming aangekomen?'

'Ja, dank je,' zei Massimo. 'Al was er weer terreuralarm op het vliegveld en waren de kinderen teleurgesteld omdat ze sommige speelgoedjes niet mochten meenemen in het vliegtuig. Geen speelgoedgeweren, geen waterpistolen – hoe kan een jong kind tegenwoordig zonder zulke dingen?'

'Vliegen wordt nooit meer hetzelfde,' zei Jack. 'Straks moet je al je lichaamsvloeistoffen laten lopen en doen ze je in een doorzichtige plastic ritszak voor je aan boord mag. De jongens en meisjes van de antiterreureenheden hebben nog heel wat te doen.'

'Sì,' zei Massimo glimlachend. 'Ik dank God elke avond dat ik tot nu toe buiten die oorlog kan blijven.'

De inleidende conversatie was voorbij, en Jack stelde de vraag die hem had beziggehouden sinds ze elkaar voor het laatst hadden gesproken. 'Nou, Mass, ga je me vertellen wat je niet door de telefoon kon zeggen?'

De Italiaan leunde achterover en zijn oude stoel kraakte zo hard dat het klonk alsof hij in stukken zou breken. De vraag was bepaald niet onverwacht, en het antwoord was eenvoudig, maar toch aarzelde hij nog even. 'Jack, je weet hoeveel respect ik voor je heb en hoeveel waarde ik aan onze vriendschap hecht, dus dit moet je me vergeven. Voordat ik je alles vertel, moet ik je in de ogen kijken, van man tot man, van vriend tot vriend, en je vragen: ben je echt hersteld? Ben je mentaal en fysiek echt sterk genoeg om aan te kunnen wat wij van je vragen?'

Het was dezelfde vraag waarop Orsetta had gezinspeeld, dezelfde vraag die Jack zichzelf de afgelopen dagen steeds weer had gesteld. 'Ja,' zei hij krachtig, al had hij diep in zijn hart de nodige twijfels. 'Op grond van wat je hebt gezegd, denk ik dat jullie moord, als hij niet door een na-aper is gepleegd, het werk is van een man die in Amerika al minstens zestien jonge vrouwen heeft vermoord. Ik zit nu al bijna vijf jaar achter die schoft aan en de inspanning en stress zijn bijna mijn dood geworden. Maar ik zal je dit vertellen, Mass. Het zou voor mij het allerergste op de wereld zijn om hem steeds weer te zien moorden en niet te kunnen proberen hem tegen te houden. Omwille van mijn eigen geestelijke gezondheid moet ik jullie hierbij helpen. Ik moet nog één keer al het mogelijke in het werk stellen om die kerel van de straat te halen.'

'Bravo, mijn vriend,' zei Massimo, blij dat hij het antwoord kreeg waarop hij had gehoopt. 'Ik ben er heel trots op dat je met ons wilt samenwerken.'

'Oké, genoeg van die sentimentaliteit,' zei Jack luchtig. 'Wat heb je me nog niet verteld?'

Massimo boog zich op zijn ellebogen naar voren en liet Jack de ernstige uitdrukking op zijn gezicht zien. Dit zou niet gemakkelijk worden. 'In het rapport dat ik je heb gestuurd stond dat Cristina's lichaam in stukken was gesneden, maar ik heb toen iets weggelaten.'

Jack zei niets. Zijn ogen stelden de vraag.

'Cristina was onthoofd. Hij zaagde haar lichaam in stukken en haalde haar hoofd eraf. Toen hij de andere lichaamsdelen had gedumpt, stuurde hij haar hoofd naar ons hier in Rome.'

Jack had wel tien vragen willen stellen, maar hij begon met de meest voor de hand liggende. 'Waarom stond dat niet in de vertrouwelijke informatie? Als ik het me goed herinner, gingen die papieren naar het bureau van jullie premier.'

Massimo glimlachte. 'In de Italiaanse politiek is niets vertrouwelijk, zeker niet bij het bureau van de premier. Als je iets vertrouwelijks naar het hoogste niveau stuurt, drijf je alleen maar de prijs op waarvoor een ambtenaar het document aan de pers verkoopt.'

Massimo trok een lange la open die even breed was als zijn bureau. 'Er is nog iets,' zei hij, vastbesloten alle openliggende punten zo snel mogelijk met Jack af te handelen. Hij haalde een dunne map met 'Barbuggiani/Vertrouwelijk' tevoorschijn, reikte hem Jack aan en zei: 'Dit is een kopie van een briefje dat in het hoofd van Cristina Barbuggiani is gevonden. Op het lab hebben ze het origineel.'

'In de schedel?' vroeg Jack.

Massimo knikte. Jack maakte langzaam de map open en dacht intussen koortsachtig na. Er tekende zich een patroon af in zowel de Amerikaanse zaken als de Italiaanse zaak, en hij vermoedde dat hij gauw meer overeenkomsten en connecties zou zien. Hij keek naar de fotokopie. Het briefje was met de hand geschreven. Zwarte viltstift, hoofdletters op effen wit papier. De boodschap was kort, maar vernietigend:

BUON GIORNO ITALIAANSE POLITIE!
HIER HEBBEN JULLIE EEN CADEAUTJE, MET DE GROETEN
VAN BRK.
ZIE HET MAAR ALS EEN 'KOPLOPER' VAN WAT JULLIE NOG VAN ME KUNNEN
VERWACHTEN!
HA! HA! HA!
:-)
BRK

Er trok een koude golf van emotie langs Jacks schouders en rug. Zijn ogen zogen zich vast op de drie letters die zijn leven hadden verwoest.

BRK.

De Black River-killer.

Jack las het briefje opnieuw en zag dat de drie letters twee keer werden genoemd. Het leek bijna of de schrijver te veel zijn best deed de politie ervan te overtuigen dat het echt zijn werk was.

'Gaat het wel, Jack?' vroeg Massimo.

'Ik heb me wel eens beter gevoeld,' zei hij, en hij wreef over zijn voorhoofd. Er was iets niet in orde, maar hij kon er niet de vinger op leggen. Misschien was het de zieke humor – *een koploper* – of misschien zocht hij gewoon voor de zoveelste keer naar iets wat hem ervan kon overtuigen dat dit het misschien toch niet BRK was. Hij haalde diep adem en dacht even na. 'Ik heb met mijn oude kantoor in New York gesproken en het blijkt dat het lijk van een BRK-slachtoffer uit zijn begintijd is opgegraven en dat de schedel naar dat kantoor is gestuurd, ter attentie van ondergetekende.'

Massimo fronste. Hij had medelijden met Jack. Dit alles oefende te veel druk tegelijk op die jongen uit. 'Ik heb daar een FBI-bericht over gezien en ik heb details gehoord die naar de pers zijn uitgelekt, maar ik wist niet dat het aan jou geadresseerd was.'

'Nou, dat was het. Howie Baumguard, mijn oude nummer twee, is ervan overtuigd dat het BRK is.'

'Daar stond niets over in het bericht van de FBI,' merkte Massimo op.

'Ze hebben daar hetzelfde probleem met de vertrouwelijkheid als het bureau van jouw premier,' zei Jack met een geforceerd glimlachje. 'Als je zulke informatie langs geheime wegen doorgeeft, kun je er vergif op innemen dat het in de openbaarheid komt.'

Massimo vroeg zich af of het echt mogelijk was dat BRK bijna tegelijk in Italië en de Verenigde Staten actief was. 'Denk je dat die Black River-killer echt verantwoordelijk is voor dat incident in Amerika?'

Jack liet zijn ingehouden adem ontsnappen. 'Ik weet het echt niet. Het wordt des te moeilijker te begrijpen door wat jij me zojuist hebt verteld.'

Massimo krabde over een stukje stoppelbaard net onder zijn linkeroor. 'Twee onthoofdingen. Twee hoofden, allebei opgestuurd door de moordenaar...'

Jack onderbrak hem. 'BRK heeft iets met linkerhanden, niet met hoofden. Maar je hebt gelijk: het zou te toevallig zijn dat twee afzonderlijke moordenaars het hoofd van een dode vrouw om ongeveer dezelfde tijd naar een politieorganisatie sturen.'

'Dat ben ik met je eens,' zei Massimo, 'en ik hoop echt dat ik me vergis. Ik zou veel liever geloven dat we hier met een debuterende psychopaat te maken hebben dan dat jullie beruchte seriemoordenaar nu in Italië actief is.'

Jack zocht in zijn geheugen naar de naam van het Italiaanse slachtoffer en baalde ervan dat hij er niet op kon komen. 'Cristina Bar... Bar... 'Barbuggiani,' ging Jack verder. 'Hoe is haar hoofd bij jullie afgeleverd?'

Massimo sloeg zijn blik ten hemel. 'Dat is nog niet helemaal duidelijk. Bij ons goederenloket werd een kartonnen doos afgegeven. Die ging naar de postkamer en iemand die daar werkt, een jonge vrouw, maakte hem open.'

'Wat kan jullie goederenloket ons vertellen?'

'De ontvangst van de doos is niet geregistreerd, en we kunnen niemand vinden die hem heeft aangenomen,' antwoordde Massimo een beetje gegeneerd. 'Misschien is hij gewoon bij andere post in een postbakje gelegd. We scannen alle post en pakjes, maar pas wanneer ze gesorteerd zijn.'

'Heb ik terecht het gevoel dat er onderzoek komt en dat de procedures worden aangescherpt?' vroeg Jack.

'Dat is al aan de gang,' bevestigde Massimo. 'Er zat een stempel van een koeriersbedrijf op de doos, maar we hebben nog niets van ze gehoord.'

'Heeft de technische recherche iets op de doos of het briefje gevonden?' vroeg Jack.

'Geen vingerafdrukken. De ESDA-tests hebben ook niets opgeleverd. We proberen de herkomst van het papier en de inkt te vinden.'

Jack schudde zijn hoofd. 'Dat heeft niet veel zin. Het zullen de meest voorkomende spullen zijn.'

Massimo hoopte dat hij zich vergiste. 'Wanhoop niet te vroeg, mijn vriend. Zelfs de beste criminelen maken fouten.'

'Hij niet,' zei Jack. 'Ik zal je vertellen hoe hij werkt. Voordat die schoft iets doet, doet hij research tot hij erbij neervalt. Ik durf er al jouw spaargeld onder te verwedden dat de pen die hij voor dat briefje heeft gebruikt de meest gebruikte viltstift in Amerika is.'

'Of in Italië.'

'Ik verwed er honderd euro onder dat het een Amerikaans product is. En het papier ook. Je onderzoekers krijgen bij jullie Italiaanse producenten nul op het rekest. Dat verzeker ik je, Mass.'

Massimo haalde zijn schouders op. 'Dan ontdekken we misschien dat het papier in een bepaalde partij zat die op een bepaalde datum naar een bepaalde regio is gegaan. Daar kunnen je collega's van de FBI ons mee helpen.'

'Reken maar. Die hebben hele databases met gegevens van inkt- en papiersoorten,' zei Jack laatdunkend. 'Maar ik kan je dit ook verzekeren: BRK weet dat we die dingen natrekken. Hij weet dat we uiteindelijk de fabriek vinden waar die inkt is gemaakt, en de boom waar het hout vandaan kwam waarvan dat papier is gemaakt.'

'Wat bedoel je, Jack?'

'Ik zeg je dit. Hij zal het meest voorkomende papier hebben gekocht waar hij de hand op kon leggen, maanden en maanden, misschien zelfs jaren en jaren van tevoren. Hij zal er contant voor hebben betaald in een groot warenhuis in een stad waar hij niets meer mee te maken heeft en waar hij waarschijnlijk alleen die ene keer geweest is. Zelfs als we de dag, de datum en het tijdstip ontdekken waarop hij het heeft gekocht, komen we daar niet verder mee.'

Massimo's deur ging open en Claudia, zijn secretaresse, kwam binnen met de espresso's en kleine glazen water.

'Grazie,' zei Massimo. Claudia glimlachte en verliet de kamer zo stilletjes als een inbreker.

'Wil jij dit?' Mass hield Jack een kop koffie voor.

'Ja, goed,' zei Jack. Hij hunkerde naar iets wat hem met een schok uit zijn pessimisme kon krijgen. 'Trouwens, die viltstift en dat papier zijn niet de grootste aanwijzingen.'

'Je bedoelt de tekst?' zei Massimo. Hij trok zijn stoel naar de andere kant van het bureau om naast Jack te kunnen zitten.

'Ja. Hij heeft lang en diep over die woorden nagedacht, Mass. Wat was je eerste indruk toen je het las?'

Massimo draaide het papier naar zich toe en las in stilte. 'Schokkend. Koelbloedig. Wreed. Hij draait er niet omheen.'

'Nee, dat doet hij niet. Wat nog meer?'

Mass dacht even na en probeerde de lijst wat langer te maken. 'Duidelijk. Dreigend. Gevaarlijk. En jij? Wat vind jij ervan?'

Jack tuurde weer naar het papier. 'Hij smeekt om aandacht. Die hoofdletters, de korte mededeling, die uitroeptekens, het feit dat hij zijn eigen naam twee keer noemt... Dat alles wijst erop dat hij aandacht wil, bijna eist. Wanneer moordenaars dat doen, is dat zoals je weet meestal een teken dat ze vol opgekropte woede zitten die ze kwijt willen. Ik zou zeggen dat hij op het punt staat opnieuw te moorden of dat hij dat misschien al heeft gedaan sinds hij deze brief heeft geschreven.'

Daar wilde Massimo helemaal niet aan denken. Hij was inmiddels bijna door alle mogelijkheden heen en nog een moord zou niet alleen de zaak-Barbuggiani in grote problemen brengen, maar ook drie andere, daar los van staande zaken waaraan onder zijn supervisie werd gewerkt. Hij haalde een sigaret tevoorschijn, tikte herhaaldelijk met het uiteinde daarvan op zijn bureau en vroeg: 'Zal hij het opwindend hebben gevonden om die brief te schrijven?'

'Vast en zeker,' zei Jack. 'Niet alleen opwindend, maar ook stimulerend. Hij kickt ook vooral op het wachten tot wij het zouden lezen.'

Massimo keek weer naar de brief. 'Ik zie dat hij *buon giorno* correct spelt. Dat zouden niet veel buitenlanders doen. Misschien is hij ontwikkeld.'

'In elk geval is hij niet dom. Kijk nog eens naar de brief. Je ziet dat de grammatica, spelling en interpunctie allemaal correct zijn,' zei Jack. 'Maar ik denk dat er twee redenen zijn waarom hij zo precies en correct is. Ten eerste is hij, zoals ik al heb gezegd, niet ontzaglijk intelligent, maar wel ontzaglijk voorzichtig. BRK doet zijn research altijd heel zorgvuldig. Waarschijnlijk heeft hij de spelling van *buon giorno* opgezocht om er zeker van te zijn dat hij geen fout maakte. Dat is zijn hele levenshouding: hij is uiterst zorgvuldig, hij bereidt alles terdege voor, hij voorkomt dat hij ook maar één foutje maakt waardoor er een eind aan zijn vrijheid komt. Dat blijkt ook uit deze brief.'

'En de tweede reden?'

'Zijn ego. Dit is een moordenaar met het grootste ego op aarde. Als je ego's kon zien, zouden we gewoon een vliegtuig huren, een beetje rondvliegen en hem oppakken. Zo gemakkelijk zou het zijn.'

'Waarom heeft hij zo'n groot ego?'

'BRK zou het verschrikkelijk vinden als hij iets verkeerds had gedaan en dacht dat wij hem uitlachten, in plaats van andersom.' Jack schoof het papier dichter naar Mass toe. 'Hier, kijk eens.' Hij wees naar de smiley. 'Jongeren gebruiken die dingen in e-mails als symbool om duidelijk te maken dat ze op een ongecompliceerde, zuivere, kinderlijke manier gelukkig zijn. De smiley is zo ongeveer het eerste gezicht dat een kind kan tekenen. Door hem te gebruiken laat hij ons zien dat hij geen respect heeft voor onze waarden en dat hij het prachtig vindt om als een gevaar te worden beschouwd voor het kostbaarste wat we hebben: onze kinderen. Hij gebruikt die smiley om ons te intimideren. En kijk nu eens hiernaar.' Jack streek met zijn vinger onder de regel 'HA! HA! HA!'. 'Hij vindt het heel belangrijk om ons te bespotten. Kijk weer naar die hoofdletters en die drie uitroeptekens. Dat is zijn manier om te zeggen: 'Ik beschouw jullie als schertsfiguren. Snappen jullie dat dan niet?' En dan is er dit, de misselijkste regel.' Jack wees naar 'ZIE HET MAAR ALS EEN "KOPLOPER" VAN WAT JULLIE NOG VAN ME KUNNEN VERWACHTEN!'

De vroegere FBI-profiler leunde in zijn stoel achterover. 'Hij waarschuwt ons dat hij opnieuw gaat moorden. Waarom?'

Massimo stak de sigaret aan, blies rook uit en dacht even na. 'Het is een spel. Misschien is het voor hem allemaal maar één gigantisch spel.'

Jack knipperde met zijn ogen tegen de rook die zijn kant op dreef. 'Je hebt gelijk, en hij wil er zeker van zijn dat wij het meespelen. Ik denk dat hij hier in Italië is, en ik ben er voor honderd procent zeker van dat hij opnieuw gaat moorden.'

San Quirico D'Orcia, Toscane

Terwijl Jack in Rome zijn gesprek met Massimo had, betaalde de Amerikaanse toerist Terry McLeod de taxichauffeur. Hij droeg zijn bagage van de stoffige weg af en maakte de eerste van zijn vakantiefoto's: de buitenkant van La Casa Strada.

'Het is hier mooi,' zei hij tegen Maria zodra hij de koele receptieruimte binnen kwam.

'Hier staat genoteerd dat u vijf dagen bij ons blijft. Is dat juist, meneer McLeod?' zei ze in het Engels waarvan ze hoopte dat het haar op een dag van pas zou komen als ze aan internationale missverkiezingen meedeed.

'Dat is juist. Ik wou dat het langer kon zijn. Ik ben nooit eerder in Toscane geweest en het ziet er hier geweldig uit.' Hij keek naar haar naamplaatje. 'Vertel eens, Maria, zijn de eigenaren er ook? Hoe heetten ze ook alweer?'

'Meneer en mevrouw King,' zei de receptioniste, die er moeite mee had hem te verstaan, want hij sprak zo vlug. 'Mevrouw King is er wel, maar meneer King niet. Zal ik haar voor u bellen?' Ze pakte de telefoon op. 'Bent u een vriend uit Amerika?'

'Nee, nee, doe dat maar niet,' zei hij. 'Ik loop ze vast wel tegen het lijf als ik hier ben. Er is tijd genoeg voor ontmoetingen.'

Maria bekeek hem nog eens goed. Hij was ongeveer even oud als meneer King, maar lang niet zo groot of aantrekkelijk. Hij had een buikje dat opbolde onder een roze Ralph Lauren-poloshirt, zoals het shirtje dat ze voor haar vriendje Sergio hoopte te kopen. Toen ze beter keek zag ze dat er een dunne, bruine vlek op de voorkant zat, alsof er koffie of ijs uit zijn mond was gedropen en op zijn dikke buik was terechtgekomen. 'Mag ik uw paspoort, alstublieft?' vroeg ze. 'En de creditcard die u wilt gebruiken om uw rekening te voldoen? Het ontbijt is tot halfelf beschikbaar en bij het dagtarief inbegrepen.'

McLeod gaf zijn paspoort aan de receptioniste en keek nog eens goed naar haar toen ze het fotokopieerde. Ze was mooi. Hij zou er heel wat voor willen betalen om haar naar zijn kamer te laten sturen, met een krat bier en goede airconditioning. Italië mocht dan goed in historische gebouwen zijn, het was een waardeloos land als het erom ging dingen koel te houden.

'Dank u,' zei Maria.

McLeod glimlachte naar haar. 'Hoe zeg je dat in het Italiaans? Hetzelfde als in het Spaans, *gracias*?'

'Nee,' zei Maria poeslief, 'niet helemaal. Wij zeggen *grazie*.'

'Gret-zjee,' probeerde hij.

'Perfetto,' zei Maria. Ze vond dat het onbeleefd zou zijn als ze zijn foutieve uitspraak verbeterde. 'U hebt de Scorpio-kamer,' zei ze tegen hem, en ze pakte een sleutel uit een rek aan de muur achter haar. 'U gaat de gang door, hier rechts van mij, dan neemt u de eerste gang naar links en gaat u een trap op. Dan bent u in Scorpio.'

'Scorpio,' herhaalde hij. 'Zijn alle kamers naar sterrenbeelden genoemd?'

'Ja. Ja, dat zijn ze,' zei Maria. Ze kreeg genoeg van hem en wou dat hij wegging, dan kon ze verder lezen in het tijdschrift dat ze onder haar balie had.

'Hoeveel zijn het er? In totaal, hoeveel kamers?'

Maria moest even nadenken. 'Zes. Nee, acht. Er zijn acht kamers in totaal.'

'Acht,' herhaalde McLeod. Hij vroeg zich even af hoe het zou zijn om met de mooie Maria wat tijd door te brengen in een van die kamers. Later. Daar zou later nog tijd voor zijn. Maar eerst moest hij een heleboel voorbereidingen treffen. Eerst de zaken, dan het meisje.

40

Rome

De bespreking van de zaak-Cristina Barbuggiani zou om twee uur 's middags beginnen, maar Massimo had erop gestaan dat ze op hun gemak een 'inhaallunch' namen in een restaurant om de hoek. Hij legde uit dat in Italië 'twee uur' betekende dat je er ergens voor vier uur moest zijn.

De bijeenkomst werd gehouden in een speciale incidentenkamer, en toen Jack en Massimo binnenkwamen, waren mensen al druk aan het praten en wijzen. De Direttore stelde Benito, Roberto en de patholoog-anatoom, Dottoressa Annelies van der Splunder, aan hem voor. 'Ik geloof dat je Orsetta Portinari al kent,' zei hij, en hij onderdrukte een glimlach.

'Leuk je weer te ontmoeten, Jack,' zei Orsetta hartelijk.

'Insgelijks, Orsetta,' zei Jack een beetje minder enthousiast. 'Neem me niet kwalijk, 'ging hij verder, en hij wendde zich tot de patholoog-anatoom, een lange, nogal dikke vrouw van achter in de dertig met kort, stroblond haar. 'Uw naam klinkt niet erg Italiaans.'

'U bent een echte rechercheur,' zei de Dottoressa glimlachend. 'Ik ben Nederlandse. Ik had het geluk verliefd te worden op iemand uit Italië en ben hier ongeveer zeven jaar geleden komen wonen. Ik ben gek op Rome; hier hoor ik nu thuis.'

'Jack en zijn vrouw houden ook veel van Italië,' zei Massimo. 'Ze hebben een klein, maar naar het schijnt erg exclusief hotel in Toscane.'

'Klinkt geweldig,' zei de patholoog-anatoom. 'U moet me bijzonderheden geven. Mijn partner Lunetta en ik zijn altijd op zoek naar plaatsen voor een lang weekend.'

'Lunetta?' onderbrak Orsetta haar. 'Lunetta della Rossellina, het fotomodel?'

'Ja,' zei de patholoog-anatoom, blij dat de naam herkend was. 'Kleren zijn Lunetta's grote liefde, en eten en wijn de mijne – zoals u vast wel kunt zien.'

'Dan is Italië perfect voor u beiden,' zei Massimo diplomatiek. 'Dottoressa, Jack heeft uw rapport gelezen, maar misschien wilt u zo goed zijn hem te vertellen over het gesprek dat u en ik gisteravond over Cristina's bloedgroep hadden.'

'Natuurlijk,' zei de arts. 'Zullen we gaan zitten? Ik moet mijn bril pakken om wat notities door te nemen.'

Het team ging om een lange, eenvoudige vergadertafel van beukenhout zitten en Annelies van der Splunder zette een bril met een rond metalen montuur op. Orsetta vond dat ze daardoor op een schooldirectrice leek, een beetje uilachtig.

'Ik heb de losse ledematen, de romp, de maaginhoud en het hoofd van een jonge, blanke, Italiaanse vrouw van midden twintig onderzocht. Ik weet nu dat ze Cristina Barbuggiani was, inwoonster van Livorno. De losse lichaamsdelen zijn in de loop van ongeveer een week bij me afgeleverd, en het hoofd van de arme vrouw was het laatste wat onder mijn aandacht kwam. Het hoofd leverde me de meeste informatie op. Ik kon vaststellen dat Cristina bloedgroep AB resusnegatief had.'

'Die komt niet veel voor, hè?' zei Jack.

'Nee. En hoewel bloedgroepen mijn favoriete onderwerp zijn, zou ik niet precies durven zeggen hoe zeldzaam deze bloedgroep in Italië is. Waarschijnlijk heeft minder dan negen procent van de bevolking AB. AB is de zeldzaamste en trouwens ook de nieuwste van de ontdekte bloedgroepen. O is de oudste; die was er al in het Stenen Tijdperk. A is de op een na oudste; die komt voort uit de landbouwnederzettingen in Noorwegen, Denemarken, Oostenrijk, Armenië en Japan. Maar AB is nog geen duizend jaar oud. Deze groep ontstond toen alle bloedgroepen zich in Europa vermengden.'

'En de resusfactor?' vroeg Jack.

Annelies zette haar bril even af. 'Zoals u vast wel weet, komt het D-antigeen het meest voor. Als dat aanwezig is, noemen we de bloedgroep positief. Bij Cristina ontbrak het, en dus is ze resusnegatief. Waarschijnlijk heeft maar drie procent van de bevolking AB resusnegatief.'

'Daar komen we veel verder mee,' zei Jack. Hij wendde zich tot Massimo. 'Maar alleen als je het op hem kunt vinden, of als je de plaats kunt vinden waar Cristina's lichaam door BRK in stukken is gezaagd. Als je een verdachte door bloed met Cristina in verband kunt brengen, is dat krachtig bewijsmateriaal.'

'Ja, maar hoe vinden we die plaats?' zei Benito, en hij haalde zijn schouders op. 'Tot nu toe is dat niet gelukt.'

'Wat hebben jullie geprobeerd?' vroeg Jack neutraal.

'We hebben ons vooral geconcentreerd op Livorno en de grote steden die sterke banden met de stad en de provincie hebben,' zei Benito. 'We werkten dus naar Pisa toe, dat op twintig kilometer afstand ligt, Lucca, veertig kilometer, Florence, ongeveer tachtig, en ten slotte Siena, dat ongeveer honderd, misschien honderdtwintig kilometer bij Livorno vandaan ligt. We kijken naar autoverhuurbedrjiven, hotels en pensions en zelfs transportbedrijven die zich op de lange afstand richten. We vragen overal of ze de laatste tijd bloed hebben moeten verwijderen uit hun voertuigen of hun kamers. Tot nu toe heeft dat niets opgeleverd.'

Jack betwijfelde of zo'n zoekactie iets zou uithalen, maar hij begreep dat ze de procedures moesten afwerken. Vaak leidde juist zo'n routineonderzoek, dus niet briljant detectivewerk, tot een doorbraak van cruciaal belang.

'Even voor alle duidelijkheid,' zei hij. Hij sprak weer tegen de patholoog-anatoom. 'Volgens uw rapport gelooft u dat de moordenaar het hoofd misschien wel twee weken bij zich heeft gehouden voordat hij het hierheen stuurde.'

'Ongeveer,' zei Van der Splunder voorzichtig. 'We moeten wel verschil maken tussen de dood en de onthoofding. De dood deed zich op of rond de veertiende voor. Waarschijnlijk heeft de dader pas op of rond de twintigste het lichaam onthoofd en in stukken gezaagd.'

'U bedoelt dat hij haar niet door onthoofding heeft gedood, maar dat hij haar lijk bij zich hield en haar toen onthoofdde?' zei Jack.

'Precies.'

'Hoe is ze gestorven?' vroeg Jack.

De patholoog-anatoom huiverde even. 'Ik heb sporen gevonden van kneuzing op het strottenhoofd, toegebracht voordat de dood intrad.'

'Ze is dus op een of andere manier gewurgd of gestikt?' vroeg Jack.

'Dat denk ik,' zei Van der Splunder. 'Er waren geen sporen van wurging met een band of koord, dus ik denk dat het met de hand is gedaan. Sommige sporen op de keel zijn consistent met aanhoudende diepe druk door de knokkels van een man.'

Jack wist wat dat betekende, en waarom ze even had gehuiverd. Als Cristina op die manier was gewurgd, moest het ongeveer vier minuten hebben geduurd. Hij hoopte dat ze het bewustzijn had verloren na zo'n dertig seconden, als de hersenen zuurstof tekortkwamen, maar het moest evengoed een gruwelijke langzame dood zijn geweest. Misschien wel de gruwelijkste dood die denkbaar was. Misschien had de moordenaar zijn handen gebruikt om haar te wurgen tot ze bijna dood was, om vervolgens los te laten en haar te laten herstellen en haar dan opnieuw te wurgen. Jack kende veel wurgers die hun moorddaad tot een seksuele marathon maakten. Ze lieten hun geweld als de getijden opkomen en afnemen, alvorens ten slotte tot een genadeloze climax te komen door definitief fatale druk uit te oefenen met hun vingers.

'Wil je ons iets over je ideeën vertellen?' vroeg Massimo terloops.

Jack zette de moordscène uit zijn hoofd en keerde terug tot de realiteit:

de tijdlijn. 'Stel, BRK heeft Cristina vermoord en ook het graf van Sarah Kearney in Georgetown geschonden. Als we kijken naar het vermoedelijke tijdstip van Cristina's dood en het vaststaande tijdstip waarop een paar jongens het geschonden graf van Sarah ontdekten, moeten we kunnen nagaan wanneer hij van Italië naar Amerika is gevlogen.'

Massimo knikte. 'We kijken al naar alle mannelijke Amerikaanse staatsburgers van boven de dertig jaar die de afgelopen drie maanden Italië zijn binnengekomen of daaruit zijn vertrokken. Je zou er versteld van staan hoeveel dat er zijn!'

Jack ging verder. 'Nou, als we die tijdlijn goed hebben, kunnen we ons op een veel kleinere groep concentreren.' Hij liep naar een whiteboard, pakte een zwarte markeerstift en schreef onder het praten de kernpunten op. 'Op de avond van 9 juni is Cristina voor het laatst door vrienden in leven gezien. De dag daarna, de tiende, wordt aangifte van haar vermissing gedaan. Ze is rond de veertiende vermoord, maar hij houdt het lijk bij zich, houdt het zes dagen intact, en zo komen we op de twintigste.' Hij keek naar de patholoog-anatoom, en die gaf te kennen dat ze het met zijn verhaal eens was. 'Op de twintigste begint hij zich van de lichaamsdelen te ontdoen. Twee dagen later worden er voor het eerst delen gevonden, en de volgende belangrijke datum is de dag waarop Cristina's hoofd bij de politie van Rome aankomt. Dat is op 25 juni. Op de zesentwintigste wordt het onderzocht door de professor hier.' Jack zweeg even om er zeker van te zijn dat hij geen fouten had gemaakt. Toen niemand hem verbeterde, legde hij de laatste stukjes van de puzzel op hun plaats. 'De FBI denkt dat hij in de nacht van 30 juni op 1 juli op de begraafplaats van Georgetown, South Carolina, is geweest. We moeten dus veronderstellen dat hij op de avond van 25 juni, of misschien de ochtend van 26 juni, uit Italië is vertrokken. Dan zou hij op 26 of 27 juni in Amerika zijn aangekomen, een paar dagen voordat Sarahs graf werd geschonden.'

'Is er een directe vlucht van Italië naar Georgetown?' vroeg Massimo.

Jack fronste zijn wenkbrauwen. 'Dat weet ik niet. Myrtle is een tamelijk groot internationaal vliegveld. Misschien zijn er vluchten vanuit Rome of Milaan.'

'We zullen ons op die strakkere tijdlijn concentreren,' beloofde Benito. Zijn lijst werd langer en langer.

Ze keken weer naar het whiteboard, en toen vroeg Massimo: 'Waarom denk je dat hij voor Livorno heeft gekozen?'

'Goede vraag,' antwoordde Jack. 'In het verleden heeft BRK zijn moorden altijd in de buurt van de zee gepleegd. Een zee met getijden is een erg handige manier om je van een lijk te ontdoen. Misschien is dat alles. Het kan ook zijn dat er een grotere betekenis aan verbonden is die wij nog niet kennen. We mogen niet uitsluiten dat er een connectie met een havenstad is – misschien is hij zeeman of zoiets – al moet ik zeggen dat we in samenwerking met de Amerikaanse marine uitgebreid onderzoek hebben gedaan zonder dat het ons mogelijke verdachten opleverde.'

'Livorno heeft een erg levendige haven,' zei Orsetta. 'Als ik me niet vergis, zit daar ook een marineacademie.'

'Ja,' zei Benito. 'De opleiding voor officieren. De Italiaanse marine zit al sinds het eind van de negentiende eeuw in Livorno.'

'Hoe weet je dat?' vroeg Orsetta met een zuur glimlachje.

Benito stak zijn handen omhoog alsof hij zich overgaf. 'Oké, ik droomde er ooit van zeeman te worden, en uiteindelijk kwam ik bij de politie terecht. Daar hoef ik me toch niet voor te schamen?'

Zodra de hilariteit voorbij was, pakte Jack de draad weer op. 'We weten niet waarom BRK in Livorno was, maar we veronderstellen dat hij daar was en dat hij om een of andere reden Cristina heeft uitgekozen. Zijn er getuigen die haar in de laatste dagen voor haar verdwijning met vreemden hebben gezien?'

Massimo schudde zijn hoofd.

'Dat dacht ik al,' ging Jack verder. 'Het is dus mogelijk dat BRK haar heeft overgehaald in een auto te stappen en vrijwillig met hem mee te gaan naar een afgelegen plek die hij van tevoren had uitgekozen.'

'Wacht even,' zei Massimo. 'Orsetta, werkte Cristina niet als vrijwilligster bij opgravingen in de buurt van Florence?'

'Ja,' bevestigde Orsetta. 'Volgens vrienden van haar was ze vaak in Montelupo Fiorentino. Er was sprake van dat ze een grafkamer met fresco's hadden gevonden.'

'Ons meisje was een grafrover?' vroeg Jack.

Orsetta verbeterde hem. 'Absoluut niet. Integendeel, zou ik zeggen. Ze stond helemaal aan de officiële kant van de archeologie. Het schijnt dat ze zich erg betrokken voelde bij de samenleving en het belangrijk vond dat de Italiaanse cultuur bewaard bleef.'

'Een betreurenswaardig verlies,' zei Massimo, die zich even afvroeg wat voor vrouw Cristina was geweest. Ongetwijfeld had ze het in zich gehad om niet alleen een goede burger maar ook een goede moeder te worden, als ze daar maar de kans voor had gekregen. Hij krabde aan zijn kin en ging verder. 'Laten we ons op die route van Livorno naar Montelupo Fiorentino concentreren. Misschien heeft BRK haar daar ontmoet, of op de terugweg. Een paar jaar geleden hadden we een delinquent die het op vrouwen had gemunt van wie hij een foto in de krant had gezien. Laten we kijken of

Cristina kortgeleden in kranten heeft gestaan, of in tijdschriften, toeristenfolders of zelfs op internetsites.'

'Komt voor elkaar,' zei Benito.

Jack wendde zich van zijn whiteboard af en keek de patholoog-anatoom weer aan. 'Dottoressa, ik heb in uw rapport gelezen dat er geen sporen van vlees, bloed of sperma van de dader op Cristina's lichaamsdelen zijn aangetroffen. Maar is er ook getest op sporen van glijmiddelen of anticonceptiemiddelen, vooral in de openingen van de schedel?'

Annelies trok een grimas, niet bij de gedachte aan zo'n walgelijke daad, maar bij de herinnering aan de rottende staat waarin het hoofd had verkeerd. 'Dat hebben ze niet gedaan, maar ik geef ze niet veel kans van slagen. Het weefsel en de organen waren grotendeels vloeibaar geworden. Er zaten wat kleine sporen in de mond, maar die waren consistent met de plastic zak die daarin was gepropt, de zak met het briefje. Waarom vraagt u dat?'

Jack wreef over zijn gezicht alsof hij vermoeidheid wilde verdrijven. 'We weten uit vroegere zaken dat moordenaars die het hoofd amputeren de schedel erg vaak voor seksuele doeleinden gebruiken. Ze penetreren in de mond- of oogholten of ejaculeren over de schedel zelf. Verder hebben we wel eens succes gehad met het opsporen van seksuele delinquenten die een condoom gebruikten om DNA-materiaal achter te laten. We konden ze opsporen via het glijmiddel dat op het condoom is gebruikt.'

'Ik zal ze op het lab vragen hun best te doen,' zei de patholoog-anatoom. 'Maar zoals ik al zei, verwacht ik daar niet veel van.'

'Dank u,' zei Jack.

'Ik heb een vraag,' zei Massimo. De foto van Cristina stond hem haarscherp voor ogen. 'Dit lijkt me geen moord die louter om seksuele bevrediging is gepleegd. Waarom deed hij het dan? Waarom beroofde hij deze jonge vrouw van het leven?'

De vraag bleef in een wolk van stille overpeinzing hangen. Toen nam Jack eindelijk het woord. 'Hij begeerde haar. Uit de lange tijd die hij met haar doorbracht voordat hij haar doodde, en de tijd waarin hij daarna het lijk bij zich hield, blijkt dat hij zich op een of andere manier tot haar aangetrokken voelde. Wat het doel van zijn moord ook was, of hij zich nu wilde bevrijden van een gewelddadige spanning die zich in hem had opgebouwd, of dat hij een diepe seksuele fantasie wilde bevredigen of aan een duistere psychologische behoefte tegemoetkwam, hij voelde zich tot haar aangetrokken. En toen hij haar eenmaal had, wilde hij haar houden. Misschien liep hij rond, uitkijkend naar een slachtoffer, en was haar uiterlijk genoeg om een schakelaar in zijn onderbewustzijn over te halen zodat hij zich op haar als slachtoffer ging concentreren. Of misschien is er meer verband tussen hem en haar. Misschien heeft hij haar al eens eerder ontmoet en voelde hij zich toen tot haar aangetrokken. Eigenlijk denk ik van niet. BRK stalkt, doodt en...' Jacks stem stierf weg toen hij zich probeerde voor te stellen door wat voor innerlijke hunkeringen de moordenaar gedreven werd. 'Vergeet niet dat hij het lichaam lang bij zich heeft gehouden toen het dood was. Het lijkt wel of er een nieuwe golf van verlangen bij hem kwam opzetten toen ze eenmaal dood was. Misschien voedt de dood een psychologische en misschien seksuele behoefte. Het zou kunnen dat de dood een diepgaande lacune in zijn leven opvult.' Jack staarde voor zich uit. Hij dacht aan de eerdere zaken, meer dan tien vrouwen die onder ongeveer dezelfde omstandigheden aan hun eind waren gekomen als Cristina. Hij keek Massimo weer aan. 'Je vroeg waarom hij moordt. Ik denk dat we daar pas achter komen als we hem te pakken hebben, en zelfs dan vinden we misschien niet de echte redenen.'

'Dat denk ik ook,' zei Massimo. 'In dat geval is de volgende grote vraag: waar gaat hij opnieuw moorden? Doet hij dat hier in Italië of weer in de Verenigde Staten, waarnaar hij, denken we, is teruggekeerd?'

Jack trok een grimas, niet omdat de vragen zo moeilijk waren, maar omdat hij een scherpe pijn in zijn hoofd had. De pijn kwam snel en laag opzetten als een tornado en explodeerde toen in zijn rechterslaap. Hij voelde een tic in de hoek van zijn rechteroog, dezelfde tic die hij had gehad in de weken voordat hij op het vliegveld JFK in elkaar zakte.

'Ik weet niet waar,' zei Jack. Hij hield zijn adem in en wreef over zijn gezicht, in de hoop de tic weg te kunnen masseren. Er waren oude wonden opengegaan en de mentale littekens waarvan hij had gehoopt dat ze waren genezen, kwamen weer pijnlijk naar voren.

41

FBI-kantoor, New York

Howie Baumguard en zijn nieuwe collega Angelita Fernandez zaten in de vergaderkamer te wachten tot de IT-man de videoverbinding met Rome had hersteld. Howie had een cappuccino met een dikke laag cacao meegebracht.

'Ga je dat delen?' vroeg Fernandez, een tamelijk dikke negenendertigjarige vrouw met donker haar dat tot op haar schouders hing en waarvan het Howie soms was opgevallen dat ze er een vlecht in de vorm van een bagel van maakte.

'Bedoel je dat ik er ook een voor jou had moeten meenemen?' vroeg hij. Hij kreeg er bijna spijt van dat hij Fernandez als eerste voor zijn BRK-team had gerekruteerd.

'Dat zou mooi geweest zijn,' plaagde ze. 'Maar het geeft niet. Ik kan improviseren.' Ze liep bij de vergadertafel vandaan en kwam terug met twee plastic bekers van de waterkoeler. Ze schoof de ene beker in de andere, pakte Howies cappuccino en goot een deel ervan over. 'Dank je,' zei ze, en ze schoof zijn kop terug.

'O, wat heb ik de pest aan verlegen vrouwen. Wanneer komen jullie meiden nu eens voor jezelf op?' vroeg hij zuur.

'Ik heb beeld,' zei de IT-man.

Iedereen keek naar het pull-downscherm in de kamer. Jack verscheen. Hij zat naast Massimo Albonetti en ze praatten aandachtig over iets wat nog niet te horen was.

'Ziet er goed uit,' zei Fernandez. 'Daar zou ik ook wel wat van willen.'

'Wat? Val je op kleine kale Italianen?' vroeg Howie.

'Die bedoelde ik niet,' zei Fernandez, 'maar nu je het zegt, ja, er zijn er bij voor wie ik wel ruimte wil vrijmaken in mijn bed.'

Howie glimlachte naar haar. Fernandez had achttien maanden geleden een pijnlijke scheiding doorgemaakt. Dat pijnlijke hield wel in dat het veel erger was voor haar ex dan voor haar. Toen ze een keer na een dienst van veertien uur thuiskwam, had ze hem naakt in bed met een huisvrouw uit de buurt aangetroffen. Nadat ze de magere slet helemaal de trap af en de deur uit had geschopt, had ze haar ex bewusteloos geslagen met haar blote handen.

'Ik heb geluid,' zei de IT-man. Meer dan dat: het kwam zo hard uit de luidsprekers dat de FBI-agenten bijna een sprongetje maakten van schrik.

'Lager! Zet dat pokkending lager!' schreeuwde Howie met zijn vingers in zijn oren.

'Groeten uit het mooie Rome,' zei Jack met het volume van een opstijgende straaljager.

'Ciao!' zei Massimo, die zich vervolgens tot iemand wendde die buiten beeld was. Hij hield zijn hand over zijn mond en zei iets in het Italiaans.

'We kunnen jullie nog niet zien,' legde Jack uit. 'Massimo geeft een van hun IT-whizzkids op zijn donder. Ben je alleen, Howie?'

'Nee,' antwoordde de FBI-man. 'Ik ben hier met agente Angelita Fernandez. Ze is gisteren bij het team gekomen.'

'Hallo, meneer King. Het is me een genoegen met u samen te werken,' zei Fernandez eerbiedig.

'Nu zien we jullie,' zei Massimo. 'Sorry, na de dood van Marconi is de Italiaanse telecommunicatie in de versukkeling geraakt.'

Ze lachten allemaal beleefd en wachtten tot alle IT-jongens uit de kamers in Rome en New York verdwenen waren. Toen kwamen ze ter zake.

Jack zweeg en liet Massimo het woord doen.

'In dit vergadergesprek wil ik een aantal belangrijke dingen bespreken,' zei hij, en hij keek op een checklist. 'Punt één, Jacks betrokkenheid; we hebben hem verzocht ons te helpen. Punt twee, de wederzijdse behoefte aan uitwisseling van informatie. Punt drie, de aflevering van een pakje bij de politie hier in Rome, met daarin het hoofd van Cristina Barbuggiani. En punt vier, de poging om een pakje naar de FBI te sturen met daarin het hoofd van...' Massimo's stem stierf weg en hij wendde zijn hoofd af om weer in zijn aantekeningen te kijken. 'Het hoofd van Sarah Kearney, een slachtoffer van lang geleden, misschien wel het eerste slachtoffer van de Black River-killer. Is er iets wat iemand aan deze lijst zou willen toevoegen?'

Howie boog zich naar zijn microfoon. 'We moeten het hebben over gezamenlijke operaties, betrokkenheid van de autoriteiten in South Carolina, wederzijdse toegang tot databases en dergelijke, maar dat kan ook offline gebeuren, als u dat liever doet.'

'Laten we dat doen,' beaamde Massimo. 'Misschien kunt u Jack op de hoogte stellen, en zullen wij hem dan een verbindingsofficier aan deze kant geven?'

'Goed,' zei Howie.

'Zoals jullie weten,' ging Massimo verder, weer over de zaak zelf, 'heeft mijn team hier op het Ufficio Investigativo Centrale di Psicologia Criminale Jack ingehuurd om ons te adviseren in de zaak-Cristina Barbuggiani. Dat hebben we gedaan omdat we geloven dat er verontrustende overeenkomsten met jullie BRK-zaken in de Verenigde Staten zijn. Voor de goede orde: Jack heeft geen politiebevoegdheden en is hier alleen als burger-deskundige. Het is de bedoeling dat hij ons van zijn deskundigheid laat profiteren. Hij gaat bestaande en nieuwe details van de zaak analyseren en stelt een daderprofiel samen. Als we iemand arresteren, geeft hij advies over de verhoorstrategie. Die laatste factor zal natuurlijk erg belangrijk zijn als de moordenaar geen Italiaan maar een Amerikaan blijkt te zijn.'

'U had geen betere keuze kunnen maken,' zei Howie enthousiast. 'Ik vind het prachtig om de oude stier weer in de arena te zien.'

'Ja,' zei Massimo, die niet zeker wist wat het Amerikaanse compliment precies betekende. 'Vanavond sturen we jullie over een beveiligde lijn kopieen van foto's, vertaalde rapporten en fotografisch materiaal met betrekking tot de zaak van de jonge vrouw die ik al noemde: Cristina Barbuggiani.'

Fernandez maakte een kom van haar hand en fluisterde in Howies oor: 'Ik heb al wat informatie uit Italiaanse kranten verzameld, en Interpol heeft ook een bulletin verspreid. Maar nergens is sprake van BRK.'

'De pers in Italië,' ging Massimo verder, 'vooral in Livorno, de stad waar Cristina vandaan kwam, behandelt dit als een op zichzelf staande moord. Ze weten niet dat er misschien een seriemoordenaar in het spel is. En dat willen we erg graag zo houden. Als er maar even sprake is van Italiaanse seriemoordenaars, gaan de media van Berlusconi al door het lint en dan maken ze ons werk des te moeilijker. Als er sprake is van een Amerikaanse seriemoordenaar, of een vroegere FBI-profiler die met ons samenwerkt, wordt ons onderzoek onder de voet gelopen door de *scarafaggi* – de kakkerlakken – van de internationale persbureaus. En daar hebben we echt geen behoefte aan.'

'Maakt u zich geen zorgen, meneer Albonetti,' zei Howie. 'We zijn er goed in om de scarafakkels, of hoe u ze ook noemt, erbuiten te houden. Als de Italiaanse connectie bekend werd, zou dat ons leven ook tot een hel maken.'

Massimo knikte goedkeurend. 'Daarmee zijn de punten één en twee van onze agenda afgehandeld.' Hij kreeg een idee. 'Ik wil daar alleen nog aan toevoegen dat als we eenmaal onze verbindingsofficieren hebben, we graag de standaardpraktijk willen aanhouden van twee keer per dag wederzijds verslag uitbrengen, 's morgens en 's avonds. De overige communicatie tussen de aangewezen onderzoekers kan dan plaatsvinden wanneer er behoefte aan is.' Hij zette vinkjes bij de bovenste twee punten van zijn lijst. 'Dan nu punt drie: het hoofd van Cristina Barbuggiani dat anoniem bij ons hier in

Rome is afgeleverd, in een pakje met als enige opschrift "Voor Wie Dit Aangaat".'

'U zegt anoniem,' onderbrak Howie hem. 'Wil dat zeggen dat u de naam van het koeriersbedrijf niet weet, en ook niet de naam van de bezorger die het namens dat bedrijf kwam brengen?'

'Op dit moment weten we die namen niet,' gaf Massimo toe. 'We kennen de naam niet van de persoon die het pakje heeft afgeleverd, en hoewel we een naam van het koeriersbedrijf hebben, kunnen we momenteel geen contact daarmee opnemen.'

'Waarom niet?' drong Howie aan.

Massimo slaakte een lichte zucht. Die Amerikanen wilden altijd net een beetje dieper spitten, de dingen overhaasten. 'U moet wat dat betreft een beetje geduld met ons hebben. Het adres van het koeriersbedrijf staat niet in het telefoonboek; we kunnen geen telefoonnummer en ook geen registratie bij onze autoriteiten vinden. Dat kan betekenen dat het bedrijf niet bestaat. Het kan ook betekenen dat iemand een illegaal bedrijf heeft en belastingen wil ontduiken. We verwachten dat het eerste het geval is, maar laat u ons eerst alle informatie verzamelen. Dan stellen we u later op de hoogte.'

Howie voelde de frustratie bij zijn Italiaanse collega. 'Geen probleem. Jullie zoeken het ongetwijfeld tot op de bodem uit. Ik wilde alleen maar nagaan welke overeenkomsten en verschillen er zijn tussen de aflevering van jullie pakje in Italië en die van ons pakje hier.'

Massimo knikte de gigantische Howie op het scherm toe. 'Dat begrijp ik. Maar belangrijker, denk ik, is een briefje dat in ons pakket zat. Het was voor ons achtergelaten in het hoofd van het slachtoffer. Jack en ik hebben uitgebreid over dit briefje gepraat en hij vindt de inhoud erg belangrijk.'

'Er is een kopie op weg naar jullie,' zei Jack meteen. 'In het kort staat er het volgende: "*Buon giorno Italiaanse politie*!" Ik zeg er even bij dat hij buon giorno correct spelt en dat hij een uitroepteken achter de zin zet.'

Howie en Fernandez maakten aantekeningen.

'Hier hebben jullie een cadeautje, met de groeten van BRK,' ging Jack verder. 'Hij claimt dus dat hij BRK is en dan eindigt hij de zin met een punt. Ook in deze zin maakt hij geen spel- of grammaticafouten. De volgende regel is een grapje; bereid je daarop voor. Hij zegt: *Zie het maar als een koploper van wat jullie nog van me kunnen verwachten!* – koploper tussen aanhalingstekens en opnieuw een uitroepteken. Het taalgebruik is eenvoudig, ontwikkeld en het is duidelijk dat hij indruk op ons wil maken, onze belangstelling wil wekken.'

'En is het met de hand geschreven of getypt?' vroeg Howie.

'Met de hand geschreven,' antwoordde Jack, 'maar met blokletters, zodat de experts niet veel uit zijn stijl kunnen afleiden.'

'We gooien het op Manny Liebermans bureau als we de kopie hier hebben,' zei Howie. 'Hij vindt altijd wel iets.'

'Heeft het een afsluiting, een PS of zoiets?' vroeg Fernandez zonder enige emotie.

'*Ha, ha, ha*,' zei Jack.

'Pardon?' vroeg Fernandez, die dacht dat Jack misschien de spot met haar dreef.

'De letters H en A: HA. Hij schreef ze drie keer op, in hoofdletters, met een uitroepteken na elke HA,' zei Jack.

'Hij is gek op uitroeptekens,' zei Howie. 'Net of hij daar met Kerstmis een doos vol van heeft gekregen.'

'En dan zet hij er een smiley onder en de letters BRK,' zei Jack. 'Dat is dus de tweede keer in dat korte briefje dat hij ons vertelt dat het allemaal het werk van BRK is.'

'Je bedoelt dat hij te veel zijn best doet?' vroeg Fernandez. 'Denk je dat dit een na-aper van BRK is, Jack, dus niet de echte?'

'Mass en ik hebben daar een tijdje over gepraat, en we kunnen die mogelijkheid niet uitsluiten,' zei Jack. 'Al weet ik eerlijk gezegd niet of het er iets toe doet. In beide gevallen hebben we te maken met een dodelijke psychopaat.'

Massimo stak zijn hand op. 'Of twee dodelijke psychopaten.'

'Je hebt gelijk,' zei Jack, die Howie op het scherm aankeek. 'Er zijn absoluut overeenkomsten tussen de dossiers van BRK en deze nieuwe Italiaanse zaak, maar we mogen niet uit het oog verliezen dat er ook grote verschillen zijn.' Jack keek Massimo aan. 'Mag ik daar iets over vertellen?'

Mass knikte instemmend en Jack ging verder: 'Wat het slachtoffer betreft, zou het heel goed BRK kunnen zijn. Cristina was een slanke vrouw die midden twintig leek. Zoals we weten, houdt hij van lang, donker haar. Hij kiest nooit voor kortharige slachtoffers. Hij heeft dus duidelijk een beeld in zijn hoofd zitten, en dat betekent dat het slachtoffer een echte persoon in zijn leven vertegenwoordigt. We denken aan de gebruikelijke mogelijkheden: ex-vriendin, ex-vrouw, eerste liefde, moeder, oma; ooit heeft een vrouw model gestaan voor de slachtoffers die hij kiest.'

'Is het die goeie ouwe haat-liefdeverhouding?' opperde Howie.

'Precies,' bevestigde Jack. 'Sommige daders kiezen bepaalde slachtoffers uit omdat ze mensen vertegenwoordigen die ze om een of andere reden haten. Meestal is het psychologisch en kunnen ze de persoon in kwestie geen kwaad doen. Het is Kemper-achtig.' Iedereen knikte. Ze herinnerden zich het klassieke geval van de Amerikaanse seriemoordenaar Ed Kemper, die onder de plak van zijn tirannieke moeder zat. In plaats van zijn moeder dood te maken vermoordde hij zijn oma en opa, gevolgd door een lange lijst van studentes van de universiteit waar zijn moeder werkte. Hij begroef sommige hoofden vlak onder het slaapkamerraam van zijn moeder en maakte zelfs grapjes tegen haar die alleen hijzelf begreep, bijvoorbeeld dat alle meisjes van de universiteit echt tegen haar op keken.'

'Wat mij betreft, is dat hoofd het grote verschil,' ging Jack verder. 'We zijn er vrij zeker van dat BRK trofeeën van zijn slachtoffers bewaarde en dat het daarbij altijd ging om de linkerhand van de vrouwen die hij vermoordde.'

Fernandez keek omlaag en bewoog de vingers van haar linkerhand. Ze was blij dat alle gewrichten intact waren, ook die waarvan haar trouwring bijna niet af had gewild, al had ze eraan getrokken als een cowboy op de rug van een wild paard.

Jack stak tot slot zijn eigen hand op. 'We kunnen de betekenis daarvan niet aantonen, maar misschien vertegenwoordigt de linkerhand op een of andere manier de ontrouw van de vrouw. Per slot van rekening is het de hand waaraan je je trouwring draagt.' Hij betastte de gouden ring aan zijn eigen vinger en dacht even aan Nancy, aan neerdwarrelende confetti en de dag waarop ze getrouwd waren, bijna elf jaar geleden. 'Aan de andere kant hoeft het niet zo romantisch te zijn. De linkerhand kan een rol in zijn leven spelen omdat hij zelf of een vrouw van wie hij eens heeft gehouden een verminkte linkerhand heeft. We weten het gewoon niet en dus moeten we ook geen voorbarige conclusies trekken. In elk geval zijn die hoofden iets totaal nieuws. Hij heeft al eerder hoofden van slachtoffers af gehaald, maar hij bewaarde ze nooit, zelfs niet als trofeeën.'

'Maar dit zijn geen trofeeën,' zei Massimo peinzend. 'Hij was niet van plan die lichaamsdelen te houden. Zou het niet eerder een teken van eigenwaan zijn, net als dat briefje dat hij stuurde? Het lijkt mij meer op vertoon van kracht: hij wilde vooral onze aandacht trekken.'

Daar was Jack niet zo zeker van. 'Er is veel psychologische discussie over de vraag wat een trofee werkelijk is. Sommige deskundigen zeggen dat wanneer een dader iets meeneemt van de plaats van het misdrijf, al is het maar een knoop of een klein sieraad, je het al een trofee kunt noemen. Het is buit, iets wat de dader heeft bemachtigd in zijn emotionele en seksuele gevecht om iemand van het leven te beroven. Ze bewaren het om zichzelf te herinneren aan de uitbundigheid die ze hebben gevoeld. De laatste tijd krijgen we trouwens sterk de indruk dat veel seriemoordenaars de dingen die ze van hun slachtoffers meenemen, niet lang houden. Vaak maken ze er een geschenk van. Ze geven ze aan liefdadigheidswinkels of aan een vriend of buurman. Het is een weerzinwekkende gedachte, maar ze krijgen er een kick van om iets wat met hun gruwelijke misdrijf te maken heeft aan onschuldigen te geven.'

'Ze krijgen er soms ook genoeg van,' voegde Howie eraan toe. 'Het zijn soms net tieners die hun eerste pornoblaadje begraven. De eerste keer zijn ze bang en opgewonden en moeten ze al hun moed verzamelen om het te kopen. Dan kopen ze ze regelmatig en krijgen ze een verzameling. Uiteindelijk gooien ze hun oude blaadjes weg en hebben ze behoefte aan heftiger materiaal.'

'Ben jij een ervaringsdeskundige?' fluisterde Fernandez, een beetje te hard om alleen hoorbaar te zijn voor Howie.

'Ter zake,' zei Jack om zijn vriend te redden. 'Dat van die eigenwaan wil ik wel accepteren, dat blijkt uit het hele briefje, maar ik geloof niet dat het hem om publiciteit te doen is. Hij wil geen vette krantenkoppen. Dan had hij de hoofden wel naar de pers gestuurd. Nee, hij stuurt ze naar de politie. Het lijkt er dus meer op dat hij ons wil uitdagen.'

'We moeten allemaal dat briefje nader bestuderen,' zei Massimo. 'Zoals Jack zei, sturen we jullie een kopie en we zullen het er later vast nog wel uitgebreid over hebben.' Hij draaide zijn linkerpols om op zijn horloge te kijken en dacht onwillekeurig aan de zaagsneden over Cristina Barbuggiani's hals. 'Omdat onze tijd beperkt is, kunnen we het nu misschien over punt vier hebben, het pakket met het hoofd waarvan ik heb gehoord dat het van een van de eerste slachtoffers van BRK is geweest, misschien zelfs het allereerste, Sarah Kearney.'

'Oké,' zei Howie. Hij maakte de manchetten van zijn overhemd los en stroopte zijn mouwen op. 'Ik wil niet te veel enthousiasme wekken, maar we hebben een beetje goed nieuws. We weten iets over de weg die het pakje heeft afgelegd. Het is op het vliegveld Myrtle verstuurd door een bedrijf dat UMail2Anywhere heet. Dat blijkt een heel klein koeriersbedrijf te zijn, alleen in Myrtle Beach gevestigd. Het pakje is door een jongen opgehaald en we weten wie hij is.'

'Heeft hij de klant goed gezien?' vroeg Massimo, die zijn optimisme wilde intomen. Een signalement van de moordenaar zou een echte doorbraak zijn.

'We denken van wel,' zei Howie. 'Het is een zekere Stan Mossman. Hij is vandaag niet op zijn werk. Blijkbaar heeft hij een heleboel vrije dagen over, door overwerk en zo. Het schijnt dat hij ergens met vrienden op vakantie is. We weten niet waar, anders hadden we hem al opgehaald. Iemand van ons kantoor daar zit achter hem aan, en hopelijk kunnen we hem morgen verhoren, want dan wordt hij terugverwacht.'

'Waar werd het pakje afgehaald?' vroeg Jack.

'In de Days Inn,' antwoordde Fernandez. 'Het Grand Strand aan South Ocean Boulevard. Goedkoop en gezellig, op een steenworp afstand van het vliegveld.'

'Dat verbaast me niet,' zei Jack. 'Ik zou er heel wat onder durven te verwedden dat onze moordenaar zo kort mogelijk nadat hij dat pakje aan Mossman gaf, het vliegtuig heeft genomen.'

'*Va bene,*' zei Massimo enthousiast. 'Dit kon wel eens het waardevolste zijn wat we hebben. Als jullie een compositietekening kunnen maken, moeten we vlug bespreken of we die in onze beide landen kunnen verspreiden. Contact met de scarafaggi wordt heel wat nuttiger als ze ons helpen het leven van zijn volgende potentiële slachtoffer te redden.'

Jack was de enige die niet optimistisch keek. Er klopte gewoon iets niet. Het was een los eindje, en BRK zou nooit een los eindje achterlaten.

En toen besefte hij wat het was.

'Howie, weet je voor honderd procent zeker dat je getuige, die Stan, ergens vakantie houdt, en dat hij niet al dood en begraven is?'

'Shit!' zei Howie, die plotseling die grimmige mogelijkheid onder ogen zag. 'Denk je dat BRK hem heeft vermoord voordat hij zijn vliegtuig nam?'

'Dat is precies wat ik denk,' bevestigde Jack. 'Wanneer was Stans laatste werkdag?'

Fernandez keek in haar aantekeningen. '1 juli. De dag waarop het pakje naar ons toe werd gestuurd. Daarna heeft niemand hem meer gezien.'

42

San Quirico D'Orcia, Toscane

De warme verlichting van het huis en de vrolijke stemming aan de eettafel van La Casa Strada verspreidde zich over de donkere, stille heuvels van de Val D'Orcia. Nancy King verrichtte haar laatste taken van de dag. Het restaurant was die avond vol geweest, maar nu zaten er nog maar een paar gasten aan hun met wit linnen bedekte tafels. Ze dronken koffie en cognac. Voor Nancy was dit een van de magische momenten van haar bestaan als restauranthoudster. Ze vond het prachtig om het restaurant vol tevreden gasten te zien, mensen die ontspannen aan haar prachtig gedekte tafels zaten en enthousiast waren over haar gerechten. Overal praatten haar gasten over Europese landen die ze nog zouden aandoen, en of Florence het al dan niet waard was om er buiten het schema om een extra dag voor uit te trekken.

Paolo stuurde bijna al het keukenpersoneel naar huis. Alleen Giuseppe bleef achter. Hij stapelde puddingborden in de gigantische vaatwasmachine, waarvan Jack voor de grap had gezegd dat hij groot genoeg was om er een middenklasseauto in te wassen. Paolo zei tegen hem dat hij ook naar huis kon gaan, als hij de vloeren had geboend.

'Mevrouw King, wilt u misschien een glas wijn met me drinken op het terras, voor ons kleine gesprekje?' vroeg Paolo met overdreven gratie. Hij zei dat elke avond en Nancy gaf altijd hetzelfde antwoord met een theatraal hoofdknikje. 'Dat zou mij een groot genoegen zijn, Signore Balze. Dank u voor de uitnodiging.'

'Neemt u maar een tafel. Ik kom zo,' zei Paolo.

Nancy liep bij hem vandaan en kwam via de keukendeur in de privétuin. Er hing een rozengeur in de avondlucht en de krekels tsjilpten onophoudelijk. Ze had ergens gelezen dat je die insecten kon roosteren of zelfs in koekjes kon meebakken, maar ze had er nooit een kunnen vangen, laat staan dat ze er in gastronomisch opzicht iets mee had gedaan.

Plotseling vloog de deur naar de keuken open. 'Verrassing!' riep Paolo. Hij stond schouder aan schouder met Giuseppe, die een kleine taart met in het midden een plastic Vrijheidsbeeld droeg. Op de fakkel van het beeld was een brandende verjaardagskaars geplakt.

'Born in the USA,' zongen ze samen, niet al welluidend. *'Born in the USA, I'm a cool rocking daddy in the USA.'*

'Gefeliciteerd met de Amerikaanse Onafhankelijkheidsdag, mevrouw King,' zei Giuseppe. 'Blaast u de kaars maar uit en doet u een wens.'

'We wisten de woorden van uw volkslied niet,' legde Paolo uit, 'maar Bruce Springsteen kennen we wel, hè, Giuseppe?'

Nancy applaudisseerde voor hen beiden en blies de kaars uit. 'Bedankt. Heel erg bedankt,' zei ze, oprecht ontroerd door wat ze hadden gedaan.

'Haal een mes,' beval Paolo de keukenjongen. 'We nemen een klein stukje bij ons glas, en jij ook, Giuseppe.'

'Wacht even,' zei Nancy. 'Voordat je hem aansnijd, wil ik even mijn camera van boven halen. Ik moet een foto maken om Jack te laten zien wat je hebt gemaakt.'

'Eigenlijk heeft Gio hem gemaakt,' verbeterde Paolo haar. Gio was hun banketkok. Ze liep vlug het huis in voor haar Sony Cybershot. 'Hij vond het erg dat hij niet kon blijven, maar zijn kind is ziek thuis.'

Nancy glimlachte nog steeds toen ze met grote stappen de trap op liep. Ze ging langzamer lopen toen ze langs Zacks deur kwam, deed toen het licht aan en ging haar eigen slaapkamer binnen.

Wat ze nu zag, zoog meteen alle lucht uit haar longen.

Bij haar kaptafel, met een zaklantaarn in zijn ene hand en iets zwaars, vierkants en zwarts in zijn andere hand, stond een grote, gemaskerde man.

43

Marine Park, Brooklyn, New York

De digitale klokken in Spiders lege slaapkamer zetten een reeks meer en minder belangrijke technologische gebeurtenissen in gang. De lichten in de huiskamer en keuken gaan uit. In de badkamer boven wordt het licht gedempt. Buiten blijven beveiligingslichten fel branden, en beneden wordt de geluiddichte kelder in absolute duisternis gehuld.

De eerste keer dat Lu Zagalsky de lichten zag uitgaan, was ze doodsbang. Het leek wel of haar hart door haar ribbenkast heen probeerde te komen om het op een lopen te zetten. Ze had het gevoel dat de duisternis een levend wezen was, een glibberige, satanische vorm die haar gezicht aftastte en haar wilde verstikken, haar wilde opslokken in de eindeloze zwartheid. De pijn van haar gebroken neus is inmiddels bijna draaglijk, maar haar ogen voelen aan alsof er zoutzuur in is gegoten. Lu heeft ontzaglijke dorst. Er is niets ter wereld wat ze niet zou doen voor één glas water. Ze heeft eens gehoord dat je lange tijd zonder eten kunt, maar dat je dan wel water moet hebben. Natuurlijk wist ze toen nog niet dat ze op een dag persoonlijk zou onderzoeken hoe lang je zonder water in leven bleef. Lu troost zich met het feit dat ze bijna helemaal over de honger heen is die zo hevig was op de eerste dag nadat hij wegging. Nu heeft ze helemaal geen honger meer. Jammer genoeg zou ze daar niet blij mee moeten zijn. Wetenschappelijk onderzoekers hebben ontdekt dat na twee dagen zonder voedsel sensoren in het maag-darmkanaal of de aderen die zich daar bevinden signalen naar de hersenen sturen waardoor het hevige hongergevoel wordt weggenomen en het spijsverteringsstelsel wordt afgesloten. Waarschijnlijk begint Lu's lichaam zichzelf nu onherstelbare schade toe te brengen. Het eet zichzelf op.

De lichten in de kelder gaan weer aan en haar ogen branden van pijn als ze in de felheid boven haar hoofd kijkt. Boven zet een andere digitale klok een ander apparaat in gang. Er wordt een opnameapparaat aangezet.

De camera's om haar heen pannen, zoomen en stellen zich in.

Een digitale harde schijf komt zoemend in actie om de uren vast te leggen die naar Spiders overtuiging de laatste van Lu Zagalsky's leven zullen zijn.

44

San Quirico D'Orcia, Toscane

Nancy King dook weg toen de gemaskerde man de zaklantaarn in haar richting gooide. Het ding viel aan stukken tegen de muur achter haar hoofd. Nancy gaf een schreeuw. De man duwde haar opzij, denderde de trap af en rende de schemerig verlichte tuin in.

'Paolo! Giuseppe, help!' schreeuwde ze vanuit het slaapkamerraam. 'Hou hem tegen! Hou hem tegen!'

Paulo draaide zich bliksemsnel om van de tafel met de taart, nog net op tijd om de zwaargebouwde figuur in het zwart de tuin in te zien rennen.

De indringer zag de twee mannen en het mes in Paolo's hand. Hij bleef zo abrupt staan dat hij slipte in het natte gras. Toen hervond hij zijn evenwicht en rende de keuken weer in. Een ogenblik dacht Paolo erover het mes achter hem aan te gooien, maar toen liet hij het vallen en zette hij de achtervolging in.

De gemaskerde man rende de keuken uit, het restaurant door, en door de smalle gangen van het hotel. Hij duwde gasten opzij, die hun laatste glas hadden laten staan om te kijken wat dat toch voor tumult was. De gangen voerden hem automatisch naar de receptie, waar Maria een moedige poging deed hem tegen te houden door een stoel naar hem toe te steken. Hij greep het andere eind vast, duwde haar tegen de muur en ontsnapte door de voordeur terwijl Maria als een lappenpop op de vloer zakte.

Toen Paolo in de receptieruimte kwam, huilde Maria van pijn en hield ze haar handen tegen haar buik. Er zat niets anders voor hem op dan de achtervolging te staken en te kijken hoe het met haar ging. 'Gaat het? Stil blijven liggen, Maria. Vertel me waar het pijn doet.'

'Mijn buik,' zei ze. 'Mijn buik en mijn ribben doen verschrikkelijk pijn. Wat is er gebeurd?'

Giuseppe en Nancy waren er enkele ogenblikken later, gevolgd door een aantal gasten.

'Het is in orde, mensen. Maakt u zich geen zorgen,' zei Nancy, die gebaren in hun richting maakte. 'Er heeft zich blijkbaar een vervelend incident voorgedaan, maar het is nu voorbij. Gaat u naar het restaurant terug en laat u ons hier de dingen regelen. Bedankt voor uw hulp.' Ze sloot de deur tussen de receptieruimte en de rest van het hotel. Samen met de anderen hielp ze Maria overeind.

'Gaat het wel, Maria? Heeft hij je pijn gedaan?' vroeg Nancy.

'Ik ben ongedeerd, mevrouw King. Denk ik,' zei de receptioniste, nog in tranen. 'Ik pakte die stoel op om hem tegen te houden, maar hij duwde me omver en rende weg.'

'Ga zitten,' zei Paolo. 'Neem een glas water en wacht tot je weer op adem bent.'

Giuseppe pakte een karaf water achter de balie vandaan en schonk een glas in.

Nancy stond even op haar nagels te bijten en na te gaan wat er gebeurd was. Op zulke momenten miste ze Jack. Paolo en Giuseppe hadden de indringer heel goed weggejaagd, maar als Jack er was geweest, nou, dan zou die man op dit moment hebben gewild dat hij een ander hotel in Italië had uitgekozen om in te breken.

'Zal ik de politie bellen, of belt u meneer King?' vroeg Paolo.

'Bel de Polizia of de carabinieri,' antwoordde Nancy. 'Jack heeft belangrijkere dingen aan zijn hoofd. Ik wil hem niet met zoiets lastigvallen.'

Paolo voerde het telefoongesprek en praatte zo lang dat Nancy dacht dat hij de zaak met alle aanwezigen op het politiebureau besprak. Maria herstelde geleidelijk en hield vol dat ze alleen maar een blauwe plek op haar buik had. Ze putte troost uit het feit dat het een geweldig verhaal was om op televisie te vertellen als ze aan de verkiezingen voor Miss Italië meedeed. Nancy bedankte hen allemaal voor hun inspanningen en beloofde dat ze hun steun niet zou vergeten als het weer salaristijd was.

Giuseppe bood aan Maria met zijn auto naar huis te brengen. Toen ze weggingen, vroeg Nancy zich af of er iets meer dan vriendschap tussen die twee ontlook. Paolo bood aan die nacht in het hotel te blijven, want de politie kon pas de volgende morgen iemand sturen, maar daar wilde Nancy niets van weten. Evengoed liep hij nog een laatste keer het hele hotel door voordat hij op zijn scooter vertrok, waarvan de roestige uitlaat zo'n lawaai maakte dat honden bij een boerderij op een halve kilometer afstand gingen blaffen.

Nancy ging naar boven om naar bed te gaan. Ze poetste haar tanden en legde de tandpasta terug voor Jack, want ze was even vergeten dat hij er niet was. Toen ging ze naar Zacks kamer en nam haar slapende peuter in haar armen. Ze droeg hem naar haar donkere slaapkamer en legde hem voorzichtig in het koele bed. Ze deed dat om er zeker van te zijn dat hij veilig was, maar eerlijk gezegd ook omdat het haar zelf een goed gevoel gaf dat hij naast haar lag.

Toen het hard ging regenen, dacht Nancy aan de prachtige taart voor Onafhankelijkheidsdag die nog in de tuin stond en nu helemaal verwoest werd. Er was niets aan te doen. Ze zou haar bed pas weer uitkomen als het helemaal licht was in de kamer en ze in het hotel weer stemmen hoorde die ze vertrouwde.

Beneden werd zachtjes een sleutel in het slot van de buitendeur omgedraaid. De nieuwe gast, Terry McLeod, deed zijn best om niemand wakker te maken.

Deel 5

Donderdag 5 juli

45

Hotel Grand Plaza, Rome

Het was nog diep in de nacht toen Jack wakker werd, buiten adem en drijfnat van het zweet. De nieuwste nachtmerrie was de persoonlijkste en ergste die hij ooit had meegemaakt.

Hij was omstreeks middernacht in slaap gevallen met de gedachte dat hij een goede nachtrust zou krijgen. Wat had hij zich daarin vergist!

Algauw had zijn slaap hem weer naar de kelder gelokt, waar de patholoog-anatoom in zijn witte jas even mysterieus als altijd om het lijk heen liep. Op een of andere manier leek alles nog intenser dan anders. Het bloed liep sneller van de buizen op de zwarte muren. Het viel op de vloer en in de plassen die zich daar vormden zaten vreemde vormen, als inktvlekken van een rorschachtest. Daarin waren de gezichten van BRK's slachtoffers verschenen. Ze kwamen een voor een en gingen langzaam in elkaar over, totdat Jack uiteindelijk in het gezicht van Cristina Barbuggiani keek. Ze probeerde geluidloos woorden te vormen met haar lippen, maar hij kon haar niet horen. Even reikten haar jonge vingers uit het bloed en smeekten ze hem haar vast te pakken en te redden. Maar op het moment dat hij haar aanraakte smolt haar vlees. De hand werd een skelet en brak af.

Jack veegde het zweet van zijn gezicht en probeerde zich te herinneren wat hij nog meer had gedroomd. Hij wist nog dat een mengeling van mannen- en vrouwenstemmen had geschreeuwd: 'HET IS JOUW SCHULD!' Hij had zich aan de sectietafel vastgeklampt, bang als hij was dat zijn benen onder hem zouden bezwijken. Intussen had zijn hoofd zich met stemmen gevuld.

'Het is waar wat ze zeggen. Je bent een mislukkeling, King. Je bent helemaal opgebrand.'

'Bedenk eens hoeveel meisjes er zijn gestorven omdat jij ze niet kon redden.'

'Denk eens na! Zijn het er vijf, tien, vijftien, twintig of meer?'

Jack had zich aan de stalen tafel vastgeklampt, terwijl de patholoog-anatoom de botzaag omhoogbracht. Hij moest deze redden; er mocht niet nóg iemand worden gedood.

Het zaagblad kwam dichter bij het lichaam op de tafel. De scherpe tanden gingen op onschuldig vlees en bot af. Jack stak zijn hand uit naar de patholoog-anatoom, probeerde de zaag terug te duwen, maar doordat hij dat deed, verloor hij zijn evenwicht. Toen hij in de plas bloed viel, kreeg hij het gezicht van het slachtoffer op de stalen tafel duidelijk te zien.

Het was het gezicht van zijn vrouw.

46

San Quirico D'Orcia, Toscane

Terry McLeod zat in zijn eentje aan een tafel voor vier. Zijn ontbijtbord was volgeladen met ham, kaas, croissants, jam en boter. Aan zijn ene kant lag een grote kaart met het opschrift *Terre di Siena*, en aan zijn andere kant lag *La Nazione*. Hij sprak geen Italiaans, maar het was een eigenaardigheid van hem dat hij overal waar hij kwam een krant uit dat land mee naar huis nam. Hij was een ekster, dat was hij altijd al geweest en zou hij altijd blijven, en hij hield van niets zoveel als van internationale souvenirs.

Paullina, de serveerster, kwam zijn dubbele cappuccino brengen, iets waarom niemand haar ooit eerder had gevraagd. Ze had gedacht dat hij een enkele cappuccino bedoelde, met een dubbele dosis koffie, en de gast had gelachen en gezegd dat hij het prima vond.

'Wat gaat u vandaag bezoeken?' vroeg ze. Ze zag zijn kaart terwijl ze een sapglas en een schaaltje voor ontbijtvlokken weghaalde. 'Misschien Siena of Pienza?'

'Nou,' zei McLeod, kauwend op een croissant, zijn mond open, 'dat weet ik eigenlijk niet. Ik heb nog een beetje last van jetlag. Misschien ga ik hierheen.' Hij wees naar een nabijgelegen stadje. 'Hoe heet dat?'

Paullina boog zich over de kaart en McLeod genoot van het gevoel dat ze zo dicht bij hem was.

'Chianciano Terme,' zei ze met een stem zo lief dat hij een extra hoog telefoontarief zou hebben betaald om ernaar te kunnen luisteren.

'Of, weet je wat,' voegde hij eraan toe, 'misschien ga ik gewoon naar Montepulciano. Gisteravond zeiden mensen onder het eten dat het heel mooi is.'

Paullina knikte. 'Dat is het. Het is beroemd om zijn uitzicht en zijn kerken. Het is hoog op de heuvel, maar de moeite van het klimmen waard.'

'Lijkt me net iets voor mij. Ik hou van jullie Italiaanse kerken en al die Da Vinci-dingen,' zei McLeod, terwijl hij kruimels van zijn mond veegde. 'Je hebt me zojuist overgehaald, eh... Sorry, hoe heet je?'

'Paullina,' zei ze. 'Ik ben Paullina Caffagi.'

'Terry McLeod, aangenaam kennis te maken.' Hij stak zijn hand uit en ze schudde hem aarzelend. 'Ik ben hier nu een paar dagen, maar ik heb je nog niet gezien. Werk je parttime?'

'Scusi, dat versta ik niet.'

'Parttime – alleen 's morgens, alleen ontbijt?'

'Ja, ik werk alleen bij het ontbijt.'

'Als je daarna vrij bent, wil je misschien wel als gids met me mee,' stelde McLeod hoopvol voor.

'O nee, dat kan ik echt niet doen,' zei Paullina. Ze vroeg zich af in welke bezienswaardigheden hij werkelijk geïnteresseerd was.

'Waarom niet? Ik zal je betalen. Wat je krijgt voor je werk bij het ontbijt, betaal ik je om me in Montepulciano rond te leiden.'

Paullina dacht even na. Hoewel hij een sukkel was, leek hij haar onschuldig genoeg, en het extra geld kon ze goed gebruiken. 'Goed dan. Ik zal u graag Montepulciano laten zien.'

'Geweldig!' zei McLeod. 'Wanneer komt het je uit?'

'Morgen. Om twaalf uur ben ik hier klaar en kan ik vertrekken. Is dat goed?'

'Dat is uitstekend,' zei McLeod. 'Kun je een taxi voor ons bestellen? Ik ben niet handig met openbaar vervoer.'

Paullina glimlachte. 'Ik zorg dat er een staat te wachten.'

McLeods belangstelling voor Paullina verdween zodra Nancy King het restaurant binnen kwam. De oudere vrouw hoefde maar een halve blik in Paullina's richting te werpen en het meisje liep al vlug weg om verder te gaan met haar werk.

Hij had geluk. Ze was het restaurant in gekomen om met de gasten te praten, hun te vragen of ze van hun verblijf genoten, dat soort dingen. McLeod roerde met zijn vork in het schuim van de cappuccino en luisterde intussen naar de gesprekken. Ze ging alle tafels af. Ze ging van een oud echtpaar achterin naar een stel dat op huwelijksreis was, toen naar twee wandelaars en ten slotte naar hem.

'Goedemorgen,' zei ze opgewekt. 'Ik ben Nancy King. Mijn man en ik zijn eigenaar van La Casa Strada, en we hopen dat u geniet van uw verblijf bij ons.'

'Terence T. McLeod,' zei hij. Hij stond op om haar een hand te geven. 'En ik heb het hier geweldig, mevrouw King. U hebt hier een fantastisch hotelletje en bijzonder goed personeel.' Hij knikte naar Paullina terwijl hij weer ging zitten.

'Dat is erg aardig van u. Dank u, meneer McLeod,' zei ze. 'We doen ons best om het iedereen naar de zin te maken.'

'Ik hoop dat u het niet erg vindt, maar ik heb uw serveerster daar gevraagd of ze me Montepulciano wil laten zien. Ik heb natuurlijk aangeboden te betalen. En als daar een opslag of honorarium voor uw hotel bovenop komt, is dat ook goed. Ik wil gewoon een goede gids voor een middag.'

Nancy keek op van het ongewone verzoek. Ze dacht er even over na en ging toen akkoord. 'Nee. Nee, ik heb daar helemaal geen bezwaar tegen. We moedigen het personeel niet aan om buiten het hotel met de gasten om te gaan, maar als het zuiver zakelijk is, heb ik er helemaal niets op tegen.'

'Geweldig. Dank u.'

Nancy glimlachte en maakte aanstalten om weg te lopen. Ze wilde even een woordje met Paullina wisselen terwijl die kwestie nog vers was. 'Een prettige dag gewenst, meneer McLeod.'

'U ook,' zei McLeod en hij voegde eraan toe. 'O ja, hebt u hem te pakken gekregen?'

Nancy draaide zich meteen om. 'Sorry?'

'Die man van gisteravond. Hebt u hem te pakken gekregen? Iedereen in het restaurant had het erover. Een kerel die met een kap over zijn hoofd door het hotel rende.'

Nancy herstelde zich. 'Nee, nee, dat is niet gelukt. Maar ik verzeker u dat het niets ergs was. Er is niets meegenomen en we hebben de politie gebeld. Alstublieft, maakt u zich er niet druk om. Ik kan u verzekeren dat iedereen en alles hier volkomen veilig is.'

'Daar ben ik van overtuigd,' zei McLeod. 'Was het uw man die hem wegjoeg? Ik meen ergens te hebben gelezen dat hij bij de politie is geweest, bij de FBI of zo.'

Nancy wou dat er een eind aan het gesprek kwam. De gebeurtenissen van de vorige avond hadden haar prikkelbaar gemaakt, en hoewel het alleen maar begrijpelijk was dat de gasten vragen stelden over wat er was gebeurd, ergerde ze zich aan deze man. 'Nee, meneer McLeod. Dat was niet mijn man. Dat waren mijn kok en zijn keukenjongen. Die man heeft geluk gehad. Ik moet er niet aan denken wat ze met hem zouden hebben gedaan als ze hem te pakken hadden gekregen.'

'Zou er dan inbrekerfilet op het menu hebben gestaan?' grapte McLeod zwakjes.

'Dat zou nog maar het voorgerecht zijn geweest,' zei Nancy King.

Ze glimlachte weer en slaagde er nu in bij de tafel vandaan te lopen. Terry McLeod was opgetogen. Als de ex-FBI-man Jack King hier de vorige avond niet was geweest, uitgerekend op de Amerikaanse Onafhankelijkheidsdag, en als hij er deze ochtend ook niet was om zijn vrouw na haar beproeving te troosten, waar was hij dan precies?

47

Rome

Jack had de verschrikkingen van zijn nieuwste nachtmerrie niet uit zijn hoofd kunnen zetten totdat hij met Nancy belde. Hij had gewacht tot kort na zeven uur, toen hij er zeker van was dat haar wekker al was gegaan. Hij was tot bedaren gekomen toen hij de slaperige stem van zijn vrouw hoorde en zich voorstelde hoe warm ze zou hebben aangevoeld als hij bij haar in bed had gelegen. Nancy had niet over de inbreker gesproken, al had ze daar wel steeds aan moeten denken.

Na het telefoontje voelde Jack zich gerustgesteld en gestimuleerd genoeg om een eindje door het centrum van Rome te gaan joggen. Daarna nam hij een warme douche en een gezond ontbijt op het terras. Toen hij in de auto met chauffeur stapte die hem naar het hoofdbureau van politie zou brengen, stonden de straten bijna helemaal vol met verkeer. De rit duurde twee keer zo lang als hij had moeten duren en toen Jack uitstapte, had hij het warm genoeg om alweer naar een douche te verlangen.

Hij gaf de chauffeur die Massimo hem had gestuurd een fooi, al zei de man nadrukkelijk dat het niet nodig was, en ging naar de vergaderkamer. Massimo had die dag andere afspraken en Jack zou met Orsetta, Benito en Roberto praten. Ze zouden hem op de hoogte stellen van hun onderzoek en eventuele nieuwe ideeën met hem uitwisselen. De bijeenkomst zou om twaalf uur beginnen. Jack had er nog steeds moeite mee dat mensen niet om acht uur 's morgens of al eerder aan hun bureau zaten, zoals hij in New York gewend was. De Italianen hadden blijkbaar een beter evenwicht tussen werken en leven bereikt dan de Amerikanen. Ze werkten om te leven, in plaats van andersom. Vrije tijd, tijd voor hun gezin, tijd voor henzelf – dat waren de drie dingen waarop ze zich het meest verheugden.

Jack zat in zijn eentje in de lege, saaie kamer en bekeek een checklist van de onderwerpen die hij wilde bespreken. Toen kwam Orsetta binnen.

'Buon giorno,' zei ze. 'Je bent een beetje vroeg, hè?'

'Niet voor Amerikaanse begrippen,' antwoordde hij. 'De bijeenkomst is toch pas om twaalf uur?'

'Dat klopt,' zei Orsetta. 'Ik dacht wel dat ik je hier al zou vinden. Daarom ben ik wat eerder gekomen dan de rest.'

'Dacht je dat of hoopte je het?' vroeg hij. Hij kon het niet laten een beetje te flirten.

'Beide, denk ik,' zei ze koel. 'Maar ik dacht eerder aan iets professioneels dan iets persoonlijks.' Evengoed kon ze het niet laten hem met een speelse fonkeling in haar ogen aan te kijken.

'Steek maar van wal,' zei hij.

Ze gingen in zwarte plastic stoelen aan weerskanten van een hoek van een lange tafel zitten, tegenover whiteboards en videoschermen. Ze was zedig gekleed in een donkerbruin jasje en een broek in ongeveer dezelfde kleur, met een groen gestreepte blouse. Haar haar was met een groene strik naar achteren gebonden.

'Oké,' zei ze, alsof ze eindelijk wist hoe ze het gesprek moest beginnen. 'Een jaar of wat geleden ging ik naar Engeland en volgde ik cursussen bij Scotland Yard, en ook ergens buiten de stad. Brams Hall, heette dat...'

'Bramshill,' onderbrak Jack haar. 'Het heet Bramshill, niet Hall, en je hebt daar het National Police Staff College. Dat staat onder leiding van de Association of Chief Police Officers. Ik neem aan dat je daar je profileeropleiding hebt gevolgd?'

'Ja, dat klopt,' zei Orsetta, een beetje geërgerd omdat ze werd gecorrigeerd.

'De ACPO heeft de daderprofilering in Groot-Brittannië ingevoerd. Ze moesten het jarenlang via de regionale korpsen spelen. De cursus in Bramshill is waarschijnlijk de beste ter wereld – behalve Quantico natuurlijk.'

'Natuurlijk,' zei Orsetta. 'Nou, toen ik daar was, in Bramshill dus,' ging ze verder, 'leerde ik naast de training een erg belangrijk Engels gezegde.'

'Welk gezegde?' vroeg Jack, die zich afvroeg waar ze uiteindelijk naartoe wilde.

Orsetta sprak langzaam om de vreemde Engelse uitdrukking duidelijk naar voren te brengen. 'Niemand van ons wil over de olifant in de kamer praten.'

'Hè?' zei Jack met een glimlach zo breed als zijn schouders.

'We willen niet over het grootste, meest voor de hand liggende ding praten. We doen alsof het er niet is,' legde Orsetta uit.

'Nou, het spijt me,' zei Jack, 'maar ik kan je niet volgen. Maar eerlijk gezegd ken ik de meeste van die Britse gezegden ook niet. Wat er glipt tussen kop en lip, hoogmoed komt voor de val, de schuurdeur dichtdoen als het paard ervandoor is, huilen om gemorste melk – die Engelsen praten de helft van de tijd in raadsels.' Hij zag aan haar gezicht dat ze niet in de stemming was voor luchtigheid. 'Mijn verontschuldigingen. Je had gelijk. We vermijden vaak de voor de hand liggende grote dingen die we vlak voor onze ogen hebben. Nou, wat is het? Wat is het grote ding?'

Ze beet op haar lip en gooide het er toen uit. 'Jij, Jack, jij bent het grote ding. Jij bent de olifant.'

'Hè?'

'Ik hoorde jou en Massimo zeggen dat BRK de politie uitdaagt. Dat stond zelfs in de FBI-rapporten. Maar als het nu eens persoonlijker is? Als BRK nu eens Jack King uitdaagt?'

Jack keek haar afwijzend aan. 'Dat kunnen we wel buiten beschouwing laten. Ik zie het niet. Waarom zou hij in godsnaam op mij gefixeerd zijn?' Hij zweeg even, zoekend naar mogelijkheden. 'Nee, ik zie het echt niet. In de loop der jaren hebben zeven mensen de leiding van dat onderzoek gehad. Ik geloof niet dat ik iets anders deed dan die anderen.' Hij slaakte een zucht. 'In elk geval heb ik hem ook niet te pakken gekregen. Had je iets specifieks in gedachten?'

Dat had Orsetta niet, maar ze had geleerd haar instincten serieus te nemen, vooral wanneer het zo aan haar knaagde zoals het nu deed. 'Ik weet het niet. Het laat me niet los dat jij het enige bent wat BRK, Italië en de Verenigde Staten met elkaar verbindt. Misschien belichaam jij voor hem de politie, of de hele overheid, en moet hij jou vernietigen om iets te wreken wat hem is aangedaan. Misschien belichaam jij een onrecht dat hem is aangedaan, of iemand van wie hij heeft gehouden.' Het kwam er allemaal veel zwakker uit dan haar bedoeling was geweest, maar ze wist niet hoe ze het beter onder woorden kon brengen, en nu kon ze zien dat Jack naar haar keek alsof ze een eerstejaars op de politieacademie was die hopeloos in de fout ging. 'Moet je horen,' voegde ze er vlug aan toe. 'Hij moordde in Amerika toen jij daar was, en nu jij in Italië bent, moordt hij hier. Is dat alleen maar toeval?'

Jacks scherpe, afkeurende blik verdween. Eenvoud had hem altijd aangesproken, en zoals alle rechercheurs geloofde hij niet in zuiver toeval. Als ervaren profiler wist hij dat je een goede reden moest hebben om iets buiten beschouwing te laten. 'BRK moordde allang voordat ik aan de zaak ging werken. Ik ben er maar zo'n vijf jaar mee bezig geweest en PROFILER, het computersysteem van de FBI, brengt hem minstens twaalf jaar daarvoor in verband met moorden. De zaak-Kearney bijvoorbeeld, dat is nu precies twintig jaar geleden, en...' Jack zweeg even. Stukjes van de zaakdocumentatie gingen door zijn hoofd. 'Hé, tenzij ik me vergis, is het precies twintig jaar geleden dat Sarahs lichaam is gevonden. Dat is veel waarschijnlijker de aanzet tot die jongste activiteiten. Misschien ben je onopzettelijk op iets gestuit.'

Orsetta legde haar hand op zijn arm. 'Jack, dit klopt niet. Als BRK gestimuleerd werd door de gedachte dat hij precies twintig jaar geleden zijn eerste slachtoffer heeft gemaakt, kan dat een reden voor hem zijn geweest om naar het graf terug te gaan, maar je gaat voorbij aan het feit dat hij de schedel van dat slachtoffer naar de FBI stuurde, ter attentie van jou. En bovendien is er de mogelijkheid dat hij een moord in Livorno heeft gepleegd.'

Jack haalde zijn schouders op. Hij had hier al over nagedacht. 'Ik was de laatste die de leiding van het onderzoek had. Ik stond in alle kranten en ik kwam op televisie. De leider krijgt altijd alle aandacht, vooral wanneer het om psychopaten gaat.' Hij kromp ineen. 'Het heeft zelfs in de kranten gestaan dat ik stopte met de zaak, dus als doelwit voor zijn woede stel ik niet veel voor.'

Orsetta keek nors. 'Maar als je jezelf uitsluit, wat is dan de connectie met Italië?'

Jack dacht dat hij het antwoord had. 'Italië mag dan zijn nieuwe jachtterrein zijn, maar dat wil nog niet zeggen dat hij niet naar Amerika terug kan vliegen voor een gedenkdag. Als die gekken opgewonden zijn, gedragen ze zich vaak grillig. Ze plegen hun misdrijven in golven, net zo lang tot hun energie is verbruikt. Dat wil ik veel eerder geloven dan dat BRK iets tegen mij persoonlijk heeft.'

Jack trok zijn hand van haar weg en leunde in zijn stoel achterover. Hij dacht aan wat ze zojuist had gezegd. Ze had een gevoelige snaar geraakt. De connectie met Italië was inderdaad vreemd. Toen kreeg hij een idee.

'Toch zet je me aan het denken. Waarom Italië? Als het echt BRK is, waarom slaat hij dan in Italië aan het moorden? Er staat niets in zijn profiel dat hem met dit land in verband brengt, en je hebt gelijk: ik ben de enige geografische connectie.'

Orsetta kon het niet laten hem aan te kijken met een blik van: zei ik het niet?

'Laten we eens veronderstellen dat we hier met BRK te maken hebben. Het betekent veel voor hem dat hij zijn eerste moord precies twintig jaar geleden pleegde en hij wil opnieuw een moord plegen,' zegt Jack, die een patroon zag. 'Het zou echt iets voor BRK zijn om zijn comeback zorgvuldig te organiseren en een afleidingsmanoeuvre in gang te zetten en er op die manier voor te zorgen dat wij onze middelen spreiden, niet alleen nationaal maar zelfs internationaal. We zouden door zoveel dingen worden afgeleid dat hij intussen zijn zieke fantasieën kan botvieren.'

Orsetta merkte dat Jack de haat, de ellende van de jacht op zijn oude vijand weer beleefde. Onbewust draaide hij de gouden trouwring aan zijn vinger rond. Toen ging hij verder: 'Nou, als we jouw redenering even volgen, moordt BRK in Italië omdat hij weet dat de Italiaanse politie mij zal benaderen. Dat is een redelijke veronderstelling. Onze verhuizing naar Toscane heeft thuis in alle kranten gestaan, dus daar kan hij heel goed over hebben gelezen. Hij wist dat als er een in stukken gezaagd lichaam op de kust werd gevonden, met een briefje waarin hij zijn naam noemt, jullie vast en zeker bij mij zouden aankloppen.' Jack liep zichtbaar warm voor die theorie. 'Dat zou verklaren waarom hij in dat briefje twee keer liet weten dat we met BRK te maken hadden. En als iedereen zich dan op Italië concentreert, richt hij zijn aandacht weer op zijn oude vlam Sarah Kearney. Dat zou dan een rol spelen bij wat hij echt van plan is.'

Orsetta kon hem niet helemaal volgen. 'Waar wil je heen, Jack? Bedoel je dat je denkt dat hij niet meer in Italië is en van plan is weer te gaan moorden in Amerika?'

Dat was precies wat hij dacht. 'Of hij is van plan daar te moorden, of hij heeft dat al gedaan. Italië is een afleidingsmanoeuvre die om mij heen is opgebouwd. Je had gelijk toen je zei dat ik de olifant in de kamer was. Nu is het alleen maar een kwestie van tijd voordat er weer een lichaam opduikt, waarschijnlijk in de Verenigde Staten. En je kunt erop rekenen dat als BRK weer aan het moorden slaat, hij deze keer veel erger tekeergaat dan alles wat we ooit eerder hebben meegemaakt.'

48

San Quinto D'Orcia, Toscane

De plannen voor Nancy Kings ochtend werden overhoopgegooid toen er onverwachts een hovenier kwam om het verzakte deel van de achtertuin te bekijken. Vincenzo Capello was een oude vriend van haar bedrijfsleider Carlo, en in de receptieruimte kusten en omhelsden die twee elkaar zo innig dat je gemakkelijk zou denken dat het homominnaars waren. Het was lang geleden dat Carlo had beloofd dat zijn vriend Vincenzo het gat aan het eind van hun terrasgewijs aangelegde tuin zou dichten, en ze was hem al bijna vergeten.

Vincenzo vormde het levende bewijs van de vaak verkondigde voordelen van een gezond Italiaans dieet: verse voeding, olijfolie en sterke rode wijn. Nancy had gehoord dat hij dichter bij de zeventig dan de zestig was, maar nu ze naar hem keek, zou ze hem geen dag meer dan vijftig geven. Carlo zei 'Ciao!' en ging zijn personeel opjagen, zodat het aan Nancy was om een nog grijnzende Vincenzo naar de plek des onheils te leiden.

'Carlo zei dat u een groot gat in uw tuin hebt. Hij zegt dat iedereen bang is erin te vallen.' Vincenzo's ogen fonkelden. Zijn eeuwige glimlach liet een goed stel sterke, witte tanden zien.

'Niet echt een gat,' zei Nancy, terwijl ze hem bij de receptie vandaan leidde. 'Maar het is een grote verzakking en ik ben bang dat het nog erger wordt. Het eind van het tuinterras, achter de moestuin waar we groente voor de keuken kweken, is bezweken en daaronder is een soort tunnel geopend. Ik ben vooral bang dat de grond erboven ook niet veilig is.'

Vincenzo scheen het niet te horen. Hij keek naar het bordje op de deur van de toiletten. Blijkbaar was zijn blaas het enige wat niet zo jeugdig was gebleven als zijn uiterlijk. '*Un momento brevissimo*,' zei hij, en hij ging vlug naar binnen. Nancy wachtte geduldig af. Haar arendsogen zagen hout met afgebladderde verf dat moest worden opgeknapt als het zomerseizoen voorbij was en alle gasten vertrokken waren. Vincenzo kwam even later terug. Hij schudde water van zijn gewassen handen. 'Houdt u van Italië?' vroeg hij.

Italianen die in La Casa Strada kwamen, vroegen dat altijd, en Nancy stelde het op prijs dat ze hun liefde voor het land met haar wilden delen.

'Ik ben gék op Italië,' zei ze vol vuur. 'We zijn hier nu een paar jaar en ik voel me hier elke dag meer thuis.'

Vincenzo straalde. '*Meraviglioso*, geweldig,' zei hij.

'Ik zal u de schade laten zien,' zei Nancy.

Toen ze naar buiten liepen, hield ze even haar pas in en keek om zich heen. Dat deed ze altijd als ze buiten La Casa Strada kwam. Voor haar was elk uitzicht bij het hotel een lust voor het oog, iets heerlijks wat marineerde in de tijd zelf en dat verrukkelijker werd met elke dag die ze daar doorbracht. Vandaag was het zonlicht in de privétuin achter de keuken zo zacht en goudgeel als zuivere honing.

'Het is die helling daar,' zei Nancy, en ze wees door de tuin. 'U ziet waar mijn man wat oude hekken heeft neergezet om te voorkomen dat iemand daarheen gaat.'

Vincenzo knikte en liep er langzaam naartoe, terwijl hij ook het uitzicht over het weelderige dal naar de Monte Amiata in het zuiden en Siena in het noorden in zich opnam. Nancy zag hem over de helling verdwijnen, en toen hoorde ze tussen de vogelzang in de sinaasappelbomen een vreemd geluid, een hard geklik en gerammel, een metaalachtig soort geluid dat gewoon niet in een tuin thuishoorde. Ze liep om een boom heen en stond tot haar schrik recht tegenover haar wel heel erg nieuwsgierige mede-Amerikaan, Terry McLeod.

'Pardon,' zei ze abrupt. 'Het is hier privé. Wilt u naar de gastentuinen terugkeren?'

'O, sorry,' zei McLeod joviaal. Hij had een camera aan een dikke Nikon-riem om zijn hals hangen, met zijn vinger nog op de sluiterknop.

'Het geeft niet,' zei ze. 'Als u er voortaan maar om denkt.' McLeod had iets wat haar niet aanstond, al zou ze niet precies kunnen zeggen wat het was.

'Het is een nieuwe camera. Ik kan er gewoon niet afblijven,' zei de Amerikaan. Hij hield hem omhoog en maakte op datzelfde moment een foto van Nancy's hoofd en schouders. Dat maakte haar kwaad. 'U denkt er nooit aan ergens om toestemming voor te vragen, hè?' snauwde ze met een kleur.

'Hé, nogmaals sorry,' zei McLeod onoprecht. Hij slenterde weg zonder gedag te zeggen. De camera bungelde aan zijn riem.

Een ogenblik had Nancy een flashback. Die grote zwarte camera kwam haar merkwaardig bekend voor. Waarom?

En toen herinnerde ze het zich. Hij leek sterk op het vierkante, zwarte voorwerp dat ze de vorige avond had gezien. Het voorwerp in de hand van de inbreker in haar slaapkamer.

49

FBI-kantoor, New York

Angelita Fernandez legde de telefoon neer en keek Howie Baumguard met een grimas aan. De grote man zag eruit alsof hij dringend aan vakantie toe was. En die vakantie zou hij niet krijgen. 'Ik heb net met Gene Saunders in Myrtle gepraat. Blijkbaar is onze Stan niet meer komen opdagen.'

'Is hij ooit eerder weggebleven?' vroeg Howie, die op de computer met iets bezig was.

'Nee. Niet eerder. Zijn baas bij UMail2Anywhere zegt dat het een goede jongen is. Altijd stipt op tijd. Neemt nooit een dag vrij zonder het te vragen. Op zijn minst belt hij met een goede reden in plaats van een excuus.'

'Zo te horen krijgt Jack gelijk,' zei Howie, typend met twee vingers. 'Die arme jongen.'

Fernandez probeerde zich voor te stellen hoe die boodschappenjongen eruitzag. Ze zag hem als een jonge, magere jongen die zijn weg in het leven nog moest vinden. 'Denk je echt dat Stan is vermoord voordat BRK het vliegtuig nam?'

'Daar begint het sterk op te lijken,' zei Howie.

Fernandez pakte een potlood op en draaide het als een majorettestokje tussen haar vingers door. Dat was een trucje dat ze op school had geleerd en dat haar soms hielp zich te concentreren. 'Ik ga beneden bij de botten kijken. De tandheelkundige specialisten zullen wel wat meer over Kearney weten. Denk je dat het gebit overeenkomt?'

'Ik durf te wedden van wel,' zei Howie. Hij had het gebit laten onderzoeken om er dubbel zeker van te zijn dat de schedel die ze hadden gevonden echt van Sarah Kearney en niet van iemand anders was. Het zou een grote blamage zijn als later bleek dat ze voor de zoveelste keer door BRK in de maling waren genomen. Hij hield op met typen en keek Fernandez aan. 'Weet jij veel van necrofilie?'

'Je maakt een grapje, hè?' zei ze met een afkeurende blik. 'Ik heb in mijn tijd wat dooie klootzakken gekend, mijn ex-man in de eerste plaats, maar niet letterlijk.'

'Necrofielen,' citeerde Howie een FBI-tekst op het scherm, 'krijgen er een kick van om seks met dooien te hebben.'

'Ga weg. Dat had ik nooit kunnen raden. Nu begrijp ik waarom je die strepen hebt.'

'Wees nou even stil en luister. Misschien heb ik hier je hulp bij nodig.'

Ze draaide het potlood weer rond en bedacht dat hij best wel grappig was als hij deed alsof hij kwaad was.

'Het woord komt voort uit de Griekse woorden *nekros*, lijk, en *philia*, dat, zoals we allemaal weten, liefde betekent.'

'Ik heb die twee woorden liever niet in dezelfde zin,' zei Fernandez.

Howie wierp haar weer een blik toe van hou-nou-je-kop.

'Volgens de psychologen hebben necrofielen weinig zelfrespect. Ze hebben de behoefte om macht uit te oefenen over, of wraak te nemen op iemand die hun het gevoel geeft ontoereikend te zijn; iemand of iets. Ze zijn niet in staat tot echt emotioneel contact.'

'Wacht eens even,' zei Fernandez, die nu serieus werd. 'Het weinige dat ik van die griezels weet – en ik zeg nogmaals met nadruk dat het niet uit persoonlijke ervaring is – is dat ze meestal niet moorden. Ze hebben graag dat hun vlees al gekookt is. Dat is toch zo? Zoals je het zo welsprekend zei, krijgen ze er een kick van om seks met dooien te hebben. Ze maken geen mensen dood om seks met ze te hebben.'

'Dat is een subtiel verschil, maar inderdaad, daar zit wat in,' gaf Howie toe. Hij zocht in het bestand dat hij op het scherm had naar meer informatie. 'Maar we zijn het erover eens dat seks met een lijk niet normaal is. Nou, vanuit dat intellectuele standpunt is het niet zo'n grote sprong om tot de veronderstelling te komen dat een abnormale kerel, die hem graag in een lijk mag steken, zelf lijken gaat maken als zijn normale bron van lijken is opgedroogd.'

'Jij hebt een aangeboren talent voor woorden. Heeft iemand je dat ooit verteld?' zei Fernandez sarcastisch.

'Ik vecht alle dagen tegen de aandrang om poëzie te gaan schrijven,' zei Howie, en hij ging op het scherm naar de volgende pagina.

'Waarom zou BRK een necrofiel kunnen zijn?' vroeg Fernandez.

Howie keek in een lijst. 'Als hij een moord heeft gepleegd, houdt hij het lijk bij zich. Bedenk maar eens hoe lang hij het meisje Barbuggiani bij zich heeft gehouden nadat hij haar had vermoord. Hij neemt trofeeën van ze mee. Hij keert terug naar graven, graaft hun lijk op en hakt hun hoofd af. Dat doet mij denken aan een necrofiel.'

'Dus die man kan seriemoordenaar én necrofiel zijn. Een soort hybride?'

'Dat denk ik,' zei Howie. 'Een extra griezelige psychopaat. Misschien ging hij moorden plegen om een niet-seksuele reden.'

'Je bedoelt wraak, of een ongelukje, of gewoon een gelegenheid die zich voordeed?' opperde Fernandez.

'Zoiets. En als hij dan een dood lichaam voor zich heeft liggen, wordt hij plotseling opgewonden.'

'Heb je daar case study's die ik kan nalezen?' vroeg ze.

Howie gebruikte een zoekfunctie. 'Ja, hier heb ik ze. Goh, het is een hele lijst: Carl Tanzler, Richard Chase, Winston Moseley, onze oude vrienden Ed Gein, Jeffrey Dahmer en Ted Bundy – die laatste drie komen zo ongeveer in elke lijst voor.'

'Die researchers zijn soms gemakzuchtig,' zei Fernandez, terwijl ze de namen noteerde. 'Als alles wat over Bundy is geschreven waar zou zijn, had hij drie levens moeten leiden.'

'Dit is interessant,' zei Howie, die haar geklaag over Bundy negeerde. 'Hier heb ik een puntsgewijs overzicht. Hier staat dat necrofielen meestal bang zijn afgewezen te worden door vrouwen die ze seksueel begeren.'

'Kun je je voorstellen wat een necrofiel zou doen als hij zich afgewezen voelt?'

Fernandez kon haar volgen. 'Je bedoelt dat hij haar vermoordt om haar bij zich te houden?'

'Precies!'

Fernandez dacht daarover na. 'Misschien is BRK een keer heel lelijk afgewezen en kon hij gewoon niet tegen het idee dat hij opnieuw een blauwtje zou lopen.'

'Door schade en schande...' zei Howie.

'Kon hij niet tegen het idee dat hij in zijn eentje was? Misschien was hij alleen maar doodsbang voor eenzaamheid. Een soort eenzaamheidsvrees?'

'Dat zou het best eens kunnen zijn,' zei Howie. 'Door ze te vermoorden zorgt hij ervoor dat ze hem nooit aan de kant zetten, dat ze bij hem blijven, dat ze hem voor altijd zijn toegewijd.'

'Hmm,' zei Fernandez. 'Dat zal ik onthouden als ik mijn nummer geef aan de volgende Brad Pitt-lookalike in een bar.'

50

Marine Park, Brooklyn, New York

Het is meer dan vijftig uur geleden dat er voor het laatst voedsel of vloeistof over de verdroogde en met blaren bedekte lippen van Ludmila Zagalsky is gegaan.

Ze raakt telkens in een delirium en wordt voortdurend gekweld door het besef dat ze bezig is met een unieke vorm van zelfkannibalisme. Naast dat afschuwelijke prikkende gevoel in haar ogen is er een nieuwe pijn opgekomen, een rauwe, ellendige stekende pijn in haar nieren. Lu weet niet genoeg van anatomie om zelfs maar te kunnen zeggen welk orgaan pijn doet, laat staan dat ze de diagnose kan stellen dat ze hard op weg is naar blijvende nierbeschadiging. Maar één ding weet ze zeker: iets belangrijks in haar schreeuwt om water en als ze dat niet krijgt, gaat ze dood.

Ooit, in de echte wereld waar mensen niet werden ontvoerd, ontkleed en doodgemarteld, had ze pizza gegeten met een oude vriend. Ze hadden naar *Scream* gekeken, of was het *Scream 2* of *3* geweest? In elk geval hadden ze er voor de grap over gesproken wat de ergste manier was om doodgemaakt te worden: de kogel, het mes, verdrinking of misschien vuur. Haar vriend had gezegd dat hij het verschrikkelijk zou vinden om levend op de brandstapel te worden gezet, zoals ze in Frankrijk deden met vrouwen als Jeanne d'Arc. Lu had bekend dat ze niet kon zwemmen, haar hele leven nog nooit in zee of in een zwembad was geweest en doodsbang was voor verdrinking. Toen ze de pizza op hadden en erover dachten te gaan vrijen, waren ze geen van beiden op het idee gekomen dat de hongerdood waarschijnlijk de ergste manier was om te sterven.

Op dit moment denkt Lu dat verdrinking misschien toch niet zo'n erge manier is om dood te gaan. Een meisje met wie ze vroeger op een hoek van de Beach werkte, had eens tegen haar gezegd dat je elke dag twee liter water moest drinken om gezond te blijven. Twee liter per dag! Ze had bijna in haar broek gepist van het lachen. Het meisje had gezegd dat ze met een of andere gezondheidsfreak neukte, een sportschoolmonster met spieren als de Hulk, en hij had tegen haar gezegd dat meer dan tachtig procent van je bloed uit water bestond, zodat je de vloeistofvoorraad steeds weer moest aanvullen. Lu had dat onzin gevonden. Tot nu toe. Voor het eerst in haar leven begrijpt ze er ieder woord van.

In het afgelopen uur heeft ze gemerkt dat haar mond niet alleen pijnlijk droog is maar dat haar tong ook bitter, bijna giftig smaakt. Als het sportschoolmonster erbij was geweest, had hij haar kunnen vertellen dat haar elektrolytenbalans ernstig verstoord was, of kritisch gedestabiliseerd, zoals ze het noemden. Haar lichaamscellen worden fataal belaagd en haar bloedplasma is al ernstig beschadigd.

Ludmila Zagalsky gelooft niet in God. In alle vijfentwintig jaren van haar leven is ze nooit in een kerk of in enige andere gebedsruimte geweest. Haar moeder had niet eens aangifte van haar geboorte gedaan, laat staan dat ze haar had laten dopen. Maar nu bidt ze. Ze zegt tegen de God van haar eigen speciale Duisternis, van welke religie Hij ook is, dat ze spijt heeft van alle slechte dingen die ze ooit in haar stinkende, ellendige, waardeloze leven heeft gedaan. Ze zegt tegen Hem dat ze haar stiefvader alle dingen vergeeft die hij met haar heeft gedaan; dat ze hoopt dat het goed met hem gaat, dat hij gezond en gelukkig is, en dat ze het niet meende toen ze tegen hem zei dat ze hoopte dat hij in de hel zou rotten terwijl duivelse honden zijn ballen opvraten. Ze vroeg God haar te vergeven dat ze haar ouders de schuld van haar woede gaf en dat ze haar moeder heeft gehaat omdat die haar zo vaak sloeg. En ze bekent alle zonden die ze heeft begaan en alle zondige gedachten die ze ooit heeft gehad. En in ruil daarvoor vraagt ze God om maar één ding.

Niet om haar te redden, maar haar snel te laten sterven.

51

Rome

Roberto kwam met vier bekers koffie en een mondvol slecht nieuws naar de incidentenkamer terug.

Hij zette het dienblad op een tafel en wachtte beleefd tot een gesprek van Jack en Benito was afgelopen.

'Sorry,' zei hij, 'maar toen ik koffie aan het zetten was, kreeg ik een telefoontje van mijn contactpersoon in Milaan.'

'Over de koerier?' vroeg Orsetta.

'Ja,' bevestigde Roberto. 'Ze zijn er nu zeker van dat er geen koeriersbedrijf met de naam Volante Milano is. Het bestaat niet.'

Jack pakte een beker van het dienblad en legde zich erbij neer dat hij weer verslaafd was aan cafeïne. 'Maar hoe kreeg BRK het pakje dan hier, als hij geen koerier gebruikte?'

Orsetta dacht het ondenkbare. 'Persoonlijk? Zou hij het persoonlijk hebben afgeleverd?'

Benito knikte. 'Zoiets.'

'Alsjeblieft,' onderbrak Roberto hen. 'Mijn contactpersoon had een vermoeden van wat er gebeurd kan zijn. Om deze tijd van het jaar zijn veel studenten op zoek naar extra geld. Het schijnt dat ze in Milaan als levende reclame bij vliegvelden en stations staan. Ze bieden aan om van alles te doen.'

'Alles? Wat bedoel je?' vroeg Orsetta.

'Sorry. Misschien vertel ik het niet goed,' zei Roberto. 'Ze houden een bord omhoog waarop staat dat ze dingen overal voor je naartoe willen brengen. Ze staan bij de pakjeskantoren en bieden aan dingen overal per trein naartoe te brengen, of zelfs per vliegtuig. De koeriersbedrijven balen daar enorm van.'

'Dat wil ik wel geloven,' zei Jack. 'Je bedoelt dus dat BRK het pakje misschien op een station aan een student heeft gegeven en het hier heeft laten afleveren?'

'Sì, ja, dat bedoel ik,' zei Roberto, blij dat ze hem eindelijk begrepen.

'Daarmee nam hij nogal een risico, hè?' zei Orsetta. 'Als ik iets kostbaars af te leveren had, zou ik dat niet aan een student toevertrouwen.'

'Hoe krijgen die studenten betaald?' vroeg Benito.
'Cash, denk ik,' zei Roberto.
Benito speelde met zijn sikje en dacht hardop na. 'BRK zal een retourkaartje voor de koerier hebben gekocht. Misschien ging hij met de trein, misschien met het vliegtuig. Hij zal cash hebben betaald om de transactie buiten de papieren te houden. Misschien heeft hij de koerier een voorschot gegeven en beloofd hem nog veel meer te betalen als hij terugkwam.'
'Het wil er bij mij niet in,' zei Jack.
Orsetta ergerde zich. Ze streek met haar vingers door haar haar. 'Ik raak helemaal in de war.'
'Dat is het!' Jack knipte met zijn vingers. 'Dat is precies wat hij probeert. Ons in verwarring brengen. Ons op schimmen laten jagen. Volante Milano bestaat niet. Toch deed hij enorm veel moeite om het te laten lijken of hij daar in Milaan was en gebruikmaakte van dat bedrijf. Hij deed dat om ons te laten denken dat hij daar was, want dan zouden we misschien middelen inzetten om in Milaan te zoeken.'
'Dus hij is nooit in Milaan geweest?' vroeg Orsetta, die het nog steeds niet helemaal kon begrijpen.
'Nee, helemaal niet,' legde Jack uit. 'Ik denk dat zal blijken dat het label van de Volante-koeriers op zijn eigen computer is gemaakt, en dat de kartonnen doos en noppenfolie overeenkomen met de doos van UMail2Anywhere die naar de FBI is gestuurd.'
'En die zwarte viltstift ook,' zei Orsetta.
'Die ook,' voegde Jack eraan toe.
'Hij stuurt ons van het kastje naar de muur,' gaf Benito toe.
'Dat probeert hij,' zei Jack. 'Het koerierverhaal dat Roberto ons heeft verteld, is waarschijnlijk oud nieuws en algemeen bekend. Ik heb gehoord van studenten die als koerier werden gebruikt; dat gebeurt in de Verenigde Staten al een paar jaar. Zoals Roberto zei, krijgen studenten gratis vakanties door pakjes over de hele wereld te bezorgen. Ik denk dat BRK ons wilde laten denken dat ons pakje was afgeleverd door een echt koeriersbedrijf in Milaan. Vandaar dat label. Als we door die test kwamen, kon hij erop rekenen dat we van die Milanese studenten zouden horen die als koerier werken en nog meer tijd zouden verspillen aan dat doodlopende spoor.
'Dat betekent dat hij het pakje misschien inderdaad zelf heeft afgeleverd,' zei Orsetta, die dacht dat zoiets voor de moordenaar een enorme kick moest zijn geweest.
Jack dacht van niet. 'Bedenk wel dat deze man niet geneigd is risico's te nemen. Ik durf te wedden dat hij het niet zelf heeft gedaan. Nee, ik ver-

moed dat Roberto's vriend voor een deel gelijk heeft, maar dat BRK een studentkoerier in Rome heeft gebruikt, niet in Milaan.'

Benito droeg nog een stukje van de puzzel aan. 'Omdat hij in Rome de student bij terugkeer kon betalen, zonder voorschot. Op die manier wist hij zeker dat het pakje goed aankwam.'

'Dat betekent,' zei Jack, 'dat onze man uit Rome en niet uit Milaan naar de Verenigde Staten is gevlogen en dat hij waarschijnlijk op de avond van 25 juni of in de loop van de zesentwintigste is vertrokken.'

'Misschien later,' zei Benito. 'Als hij erop rekende dat wij in Milaan op zoek zouden gaan, kon hij tot de achtentwintigste of negenentwintigste in Rome blijven en dan pas een transatlantische vlucht nemen, zodat hij op 30 juni op de begraafplaats in Georgetown kon zijn. We gaan alle vluchtgegevens van Rome ook na.'

Ze keken elkaar zwijgend en met een vaag glimlachje aan. Ieder van hen wist dat ze voor het eerst een spoor van BRK hadden gevonden.

'Nog één ding,' zei Jack. 'Ik wil geen domper op de vreugde zetten, maar laten we ook kijken of er de laatste tijd studenten zijn overleden in Rome. Jullie weten dat onze man graag alles achter zich opruimt.'

52

Pan Arabia News Channel, New York

Misdaadredacteur Tariq el Daher vroeg zich al af of hij de grootste fout had gemaakt van wat ooit als een bijzonder veelbelovende carrière was beschouwd. Er was nu iets meer dan een jaar verstreken sinds hij zijn baan bij Reuters had opgegeven en voor het controversiële station Pan Arabia, met hoofdkantoor in Dubai, was gaan werken om hun nieuwe Engelstalige netwerk te versterken.

In het begin hadden ze grote technische problemen gehad. Die hadden de lang verwachte lancering van het station ernstig vertraagd en hun geloofwaardigheid als nieuwszender enorm ondermijnd. Maar die moeilijkheden stelden niets voor in vergelijking met het bijtend cynisme dat op hem af was gekomen van de kant van concurrerende westerse mediagroepen toen ze eenmaal in de lucht waren. In zijn kantoor in New York, waar hij de digitale stations afging om te kijken wat de concurrerende kanalen brachten, troostte Tariq zichzelf met de wetenschap dat zijn bazen en hij nooit de illusie hadden gehad dat het van een leien dakje zou gaan.

Als moslim begreep hij niet alleen de feiten en cijfers van het leven van minderheden – hij maakte ze ook zelf mee. Van de twintig miljoen mensen in New York volgde nog geen twee procent de doctrines van de islam en was nog geen twee procent boeddhist, hindoe of sikh. Maar achter die cijfers gingen de aardschokken schuil van een grootscheepse verandering die nog niet zichtbaar was. Hoewel een kwart van alle joden van Amerika in New York woont, is die stad stilletjes ook het uitverkoren land voor een kwart van alle moslims in Amerika geworden.

Als je Tariq vroeg of hij meer van de islam hield dan van Amerika, zou de vrome vijfendertigjarige man je vraag als naïef van de hand wijzen en je vragen of je meer van je kind hield dan van je vrouw of man. Hij hield even hartstochtelijk van Amerika als van de islam, maar wel op een enigszins andere manier, en omdat hij vond dat die twee liefdes elkaar niet uitsloten, had hij een gat in de lucht gesprongen toen hij de kans kreeg om op de New Yorkse redactie van een van de grootste en snelst groeiende nieuwsstations van het Midden-Oosten te komen werken.

Maar de laatste tijd, vroeg hij zich af of hij wel de juiste keuze had gemaakt. Als medewerker van Reuters was hij welkom geweest bij elk stel journalisten in elke hotelbar ter wereld. En in zijn adresboekje hadden sommige van de belangrijkste politieke, juridische en maatschappelijke persoonlijkheden in het land gestaan. Maar tegenwoordig werden zijn telefoontjes niet beantwoord. Zijn verzoeken om toegang werden afgewezen. En de journalisten in de hotelbars gingen altijd net naar hun kamer terug als hij daar aankwam.

Zo langzamerhand werd Tariq el Daher bang dat zijn droombaan in een nachtmerrie veranderde. Hij keek naar de eerste versie van de lijst van mogelijke items die zijn assistent voor de volgende dag had opgesteld en was teleurgesteld toen hij zag hoe kort die lijst was. Twee moorden, in beide gevallen vanuit een rijdende auto gepleegd in Queens, waren maar een beetje interessant. Een zelfmoord van een moslimvrouw die in het geheim met een bekende beroepsgokker was omgegaan, leek al wat interessanter. Maar het was niet buitengewoon.

Hij wilde koffie, maar zijn secretaresse zat weer eens niet achter haar bureau. Die vrouw zou moeten vertrekken. Ze was via een uitzendbureau voor een maand in dienst genomen, maar ze zat nooit achter haar bureau als hij haar nodig had. Omdat niet van Tariq kon worden verwacht dat hij zijn eigen koffie ging zetten, klikte hij op de IN-box van zijn computer. In zijn Reuters-tijd had hij zijn computer altijd met enige schroom aangezet. Toen kreeg hij met gemak meer dan honderd e-mails per dag. Tegenwoordig mocht hij blij zijn als hij er tien had, en daar zaten altijd twee van zijn vrouw tussen. Vandaag was het niet anders. Hij werkte de korte lijst af en verwijderde junkmail waarin hem geweldige aanbiedingen werden gedaan voor van alles, variërend van beursinformatie tot goedkope Viagra. Het laatste bericht trok zijn aandacht.

Er stond alleen 'Exclusief' en het was blijkbaar verstuurd door een bedrijf dat 'Insidexclusive' heette. Hij klikte het open. Het was een leeg bericht, afgezien van de hyperlink www.insidexclusive.com en de instructie 'Voer wachtwoord 898989 in'. Hij ging er met de cursor naartoe en klikte weer met de muis. Er verscheen een kader met 'Voer wachtwoord in voor 22.00 uur'. Tariq keek op de kantoorklok. Er was nog tijd genoeg. Hij typte het wachtwoord in. Het kader verdween en het scherm vulde zich met de verticale kleurenstrepen die je soms aan het begin van een videoband ziet. Toen verdwenen de strepen en kwam er een zwart-met-grijze mist opzetten. Geleidelijk kwam daar een beeld uit naar voren, onscherp en wazig, alsof de camera zich snel opzij bewoog en tegelijk probeerde het beeld scherp te krijgen. Uiteindelijk zag hij iets wat op een krant leek, misschien een *USA*

Today. De krant lag op de vloer. Tariq wilde de beelden al stopzetten, want hij zag er het zoveelste virale mailtje in, verstuurd door een spammer om een nutteloos product aan te prijzen. Toen zag hij dat de camera voor de krant op de vloer bleef hangen. Tariq kon zelfs de datum zien. Hij was drie dagen oud, van 2 juli. Hij leunde achterover en gaf de beelden een kans; misschien wilde *USA Today* een vreemde, geavanceerde marketingcampagne uitproberen. De camera zoomde langzaam uit en de krant leek in zwartheid te verdwijnen. Toen kwam de rand van een tafel in beeld. Tariq schoot meteen naar voren op zijn stoel. Die beelden van de krant kregen opeens betekenis. Die krant lag daar om hem te laten zien dat het echt was wat hij zag, en dat het beelden van kortgeleden waren. Het zoomen hield op en het beeld werd haarscherp. Tariq zag duidelijk de liggende vorm van een naakte, jonge, blanke vrouw die op een tafel lag vastgeketend.

'Allemachtig!' vloekte hij hardop.

Het scherm ging over op beelden die van boven af werden gemaakt.

Hij zag het gehavende en doodsbange gezicht van de jonge vrouw. Het waren gruwelijke close-upbeelden. Ze bewoog haar hoofd met afschuwelijke monotonie heen en weer. Tariq had genoeg beelden uit oorlogsgebieden gezien, genoeg videobeelden van gemartelde mensen, om te weten wat echt was en wat niet. Hij twijfelde niet aan de authenticiteit van deze beelden. Het meisje verkeerde in een verregaand stadium van trauma, en dat schommelen wees erop dat ze het breekpunt nabij was.

Plotseling zoomde de camera weer in. Ditmaal was hij op de rechterkant van de tafel gericht.

Op de vloer kwamen geleidelijk drie witte stukken papier in zicht.

Tariq boog zich naar de monitor en tuurde ernaar. Op elk van de papieren zag hij grote, wazige vormen of letters. Het zoomen hield op en het beeld werd scherp.

Tariq was geschokt en verward. Drie woorden kwamen via het scherm op hem af: HA! HA! HA!'

53

FBI-kantoor, New York

Howie Baumguard beëindigde zijn telefoongesprek met de directeur van de FBI en drukte op de sneltoets van Jack Kings mobiele nummer. Hij nam zijn blik geen moment van het nieuwsbulletin op het televisiescherm weg.

In Rome sliep Jack al. De derde harde beltoon maakte hem wakker. 'Hallo,' zei hij suffig.

'Jack, met Howie. Ik vind het heel erg dat ik je wakker maak. Ik neem aan dat je sliep...'

Jack deed het licht op het nachtkastje aan. 'Ja, vreemd genoeg heb je dat goed geraden. Je weet wel: slapen, die rare gewoonte van types zoals ik die dat elke nacht doen, zo lang als we kunnen.'

Howie zette de televisie wat harder. 'Sorry, jongen, ik zit niet te klooien. Ik moest je echt bellen. Het loopt hier helemaal uit de hand.'

Jack werd serieus. 'Wat is er? Is er iets met jou?'

'Met mij is niks aan de hand, maar we zitten met een probleem en het ziet ernaar uit dat het te maken heeft met onze favoriete psychopaat, die goeie ouwe BRK in eigen persoon.'

Zodra de Black River-killer werd genoemd, ging Jack recht overeind zitten. 'Wat bedoel je? Rustig praten, Howie. Ik ben nog niet helemaal wakker.'

'Nou, dan word je dat nu wel. Je kent Pan Arabia, het Arabische tv-station dat wil concurreren met Al Jazeera, de kerels die altijd de homevideo's van Bin Laden brengen?'

Jack wreef slaap uit zijn ogen. 'Ja, ik zat in een van de eerste teams die onderzoek naar ze deden.'

'Nou, ze hebben nu een gigantische primeur. Ze hebben zojuist opzienbarende videobeelden laten zien. Het gaat om een vrouw die wordt gegijzeld en doodgemarteld.'

Jack kon het allemaal niet zo snel bevatten. 'Ik snap het niet, Howie. Je moet het echt langzamer vertellen, man. Ze hebben beelden van een Arabische vrouw die wordt gegijzeld en jij denkt dat het op de een of andere manier iets met BRK te maken heeft?'

'Verrek!' zei Howie. 'Sorry. Laat me opnieuw beginnen. Ze komen op hun Engelstalige nieuwskanaal met een exclusief verhaal. Ik heb het niet over hun gewone Arabische programma's. Het zijn videobeelden met een voice-over van hun voornaamste misdaadverslaggever, Tariq el Daher. In het item dat ze in elkaar hebben geknutseld zie je een blanke jonge vrouw die in een donkere kamer ligt vastgeketend. Ze is er verschrikkelijk slecht aan toe. Ze herhalen het nu, als je het op je tv daar kunt vinden.'

'Ik ga straks kijken,' zei Jack, die zijn ogen nu eindelijk goed open kreeg. 'Ik ben nog niet helemaal bij de les.'

'Jack, je zou dat meisje moeten zien. Ze ziet er zwaar gehavend en helemaal ontredderd uit. Onze vriend Tariq liet de beelden aan een stomme rechercheur van Moordzaken hier in New York zien. Die rechercheur kraamde zoveel onzin uit dat Tariq kon beweren dat er in het hele land een klopjacht aan de gang is om dat meisje te vinden voordat ze dood is.'

'Hoe weet je dat die beelden echt zijn?' vroeg Jack. Zijn brein draaide eindelijk weer normaal.

'Ik ben er vrij zeker van,' zei Howie. 'In de opname ligt een exemplaar van *USA Today* op de vloer, het nummer van 2 juli, en nu komt het, Jack, er zijn nog drie andere stukken papier te zien, en daarop staan de woorden "HA! HA! HA!"'

Jacks hoofd bonkte nu. 'Was dat net zo geschreven als in het briefje van BRK hier in Italië?'

'Precies hetzelfde,' zei Howie. 'Allemaal grote hoofdletters.'

'Godskelere!' Jacks ergste angsten werden bewaarheid. De Italiaanse connectie was inderdaad een afleidingsmanoeuvre geweest, zoals hij al vermoedde. En zoals hij ook had vermoed, had BRK een nieuwe golf van geweld in Amerika voorbereid die onvoorstelbaar afschuwelijk werd. 'Howie, denk je echt dat het meisje op dit moment ergens in Amerika door BRK wordt gevangengehouden? Denk je dat we hier in Italië alleen maar tegen de wind in staan te pissen?'

Howie voelde Jacks verdriet en vernedering. 'Daar komt het wel op neer, denk ik. Italië is een vals spoor dat alleen voor ons bestemd is. Hij zal vast wel veel plezier hebben gehad toen hij het maakte, zo'n griezel als hij, maar zijn echte daden verricht hij in Amerika. Dat heeft hij altijd gedaan en zal hij altijd doen.'

Jack dacht aan de videoband. Hij wist dat deze film meer dan een eenmalige publiciteitsstunt zou blijken te zijn. BRK zou met nog iets veel ergers als vervolg willen komen. 'Zoals het er nu naar uitziet, kan BRK dat meisje elk moment vermoorden en videobeelden van die moord naar het meest gehate nieuwsstation van de westerse wereld sturen.'

Howie had dezelfde angst. 'Zo is het. En je kent die klootzakken, Jack.

Ze laten onthoofdingen van westerse gijzelaars en alle mogelijke gruweldaden zien. Waarschijnlijk bidden ze tot Allah, of Mohammed, of weet ik veel, dat er zoiets gebeurt in de tijd dat de kijkcijfers worden gemeten.'

Jack liet een lange zucht ontsnappen. 'Wat ga je nu doen, Howie? Ik neem aan dat je nieuwe baas Joey Marsh er geen gras over laat groeien. Als ik hem ken, zit hij boven op de zaak en wil hij direct een briefing met meerdere diensten?'

'Zo is het. Marsh zit me zo dicht op de huid dat ik hem misschien chirurgisch moet laten verwijderen. We hebben je hier nodig, Jack. Kun je onder je verplichtingen tegenover de Italianen uitkomen?'

Jack dacht heel even na over de gevolgen. 'Vindt Marsh dat goed?'

'Ja, meer dan dat. Hij kwam zelf met het voorstel. Het gaat helemaal weer van start, en deze keer smeekt die verrekte klojo van een BRK ons om hem te komen halen. Je weet nooit, jongen, misschien staat hij op het punt zijn ene grote fout te maken.'

Jack dacht na over de mogelijkheden. Howie kon best eens gelijk hebben. Als BRK achter de videobeelden zat, nam hij risico's, en dat zou hij alleen doen als hij op het punt stond opnieuw te moorden. Het was een uniek moment. Nooit eerder hadden ze zo nauwkeurig kunnen voorspellen wanneer de seriemoordenaar weer zou toeslaan. 'Ik regel het wel met Massimo. Ik kom,' zei hij. 'Ik weet niet wanneer de volgende vlucht van Rome naar New York vertrekt, maar ik zit in dat vliegtuig. Ga jij intussen naar die Tariq. Zet zijn ballen in een bankschroef en knijp zo hard dat ze zijn oren uitkomen. Hij moet weten dat wat er nu gebeurt niets met tv te maken heeft maar met iemands leven of dood.'

Deel 6

Vrijdag 6 juli

54

Rome

Toen Orsetta en Massimo in hun kantoor aankwamen, was Jack al op weg naar New York. De conciërge van het hotel had hem aan een van de weinige overgebleven plaatsen van de Lufthansa-vlucht van vijf voor tien die ochtend vanaf vliegveld Fiumicino bij Rome kunnen helpen. Het werd niet de aangenaamste reis van zijn leven. Jack was meer dan een meter negentig lang en als er iets was waar hij de pest aan had, dan was het dat hij zich in een Economy-plaats moest persen. Tot overmaat van ramp moest hij in Düsseldorf overstappen en de tweede etappe van de lange vliegreis ook in de 'veeklasse' doorbrengen. Orsetta en Massimo hoorden dat alles in de boodschappen die hij insprak. Kort voordat hij in het vliegtuig stapte, had hij Nancy gebeld om te vertellen waar hij heen ging. Hij had gezegd dat ze zich geen zorgen moest maken als ze geen telefoontjes kreeg op de tijden die hij had beloofd. Hij had zich aangemoedigd gevoeld door de begrijpende houding die ze aannam. Hij had ook even met Massimo kunnen praten. Hij had hem het nieuws over BRK verteld en de reden waarom hij zo plotseling weg moest.

Orsetta zat in het kantoor van haar baas en leunde met haar ellebogen op zijn reusachtige bureau. Ze hadden allebei een espresso en gaven uiting aan hun teleurstelling over Jacks vertrek.

Massimo weerstond de verleiding een sigaret bij zijn koffie op te steken. Hij had zich namelijk voorgenomen om niet meer voor lunchtijd te roken. Hij tikte met zijn vinger op het bureau alsof hij as wegtikte. 'Orsetta, ik hoop dat Jack gelijk heeft en dat de moord op Cristina Barbuggiani alleen maar een wrede afleidingsmanoeuvre is, maar dat risico kunnen we niet nemen. Als Benito binnenkomt, moeten we hem goed duidelijk maken dat ons eigen onderzoek gewoon doorgaat. Ik wil niet dat iedereen achteroverleunt en denkt dat de Amerikanen het nu maar moeten opknappen. Dat zou wel eens een tragische fout kunnen zijn.'

Orsetta was hem voor. 'Ik heb gisteren met Moordzaken in Livorno gesproken. Ze gaan er daar hard tegenaan. Ik ken de leider van het team, Marco Rem Picci, en dat is niet iemand die toestaat dat zijn mensen zich ontspannen en niets doen.'

'Goed,' zei Massimo. De spanning van de zaak stond al in zijn roodomrande ogen te lezen. 'Ik word tegenwoordig bijna elke dag gebeld of gemaild door het bureau van de premier, de minister van Binnenlandse Zaken, het hoofd van de Polizia Scientifica, de Direzione Centrale Anticrimine della Polizia di Stato en zelfs de hoofdcommissaris. Ze willen allemaal weten of er al schot in de zaak zit.' Hij hief zijn handen ten hemel om zijn ergernis te tonen. 'Hopelijk zullen ze ons minder op de huid zitten nu er in Amerika van alles gebeurt.'

Orsetta dronk haar espresso op en nam een slok water om de bitterheid te verdrijven. Meer dan wie ook wilde ze verdergaan met de zaak. Dit was het grootste onderzoek waaraan ze ooit had deelgenomen, en wat haar betrof, was het niet afgelopen maar juist net begonnen. 'Ik zou graag verder willen gaan met de driedimensionale reconstructie van de plaats delict. Kun je me machtigen tot betaling en toegang?'

Al enige jaren maakte de Italiaanse politie gebruik van een verfijnd computersysteem dat de plaatsen waar een misdrijf was gepleegd met schokkend realisme wist te reproduceren. Alles werd zichtbaar gemaakt, vanaf de baan van de kogel tot het verplaatsen van het lijk.

'Bel RiTriDEC en zeg dat ze door moeten gaan. Ik stuur ze de papieren vanmiddag.' Massimo had het over het speciale laboratorium in Rome: het Riconstruzione Tridimensionale della Dinamica dell'Evento Criminale.

Orsetta was een grote fan van dat systeem. Het nam alle beschikbare gegevens over de plaats delict in zich op, van beelden van verkeerscamera's tot en met de metingen die de patholoog-anatoom had gedaan. Wanneer alles in het systeem zat, reconstrueerde het de plaats waar het misdrijf was gepleegd in driedimensionale beelden die op gigantische videoschermen in een speciale filmzaal werden vertoond. Experts als Orsetta zaten dan bijna als filmcritici naar die beelden te kijken. Ze bestudeerden elk detail, op zoek naar iets wat hen op het spoor van de moordenaar kon brengen.

Massimo riep haar naar de andere kant van het bureau. 'Benito heeft net een FBI-bestand doorgestuurd met de videobeelden waar Jack het over had. Ik heb het nu op de computer.

Zwijgend keken ze naar Tariq el Dahers bericht. Orsetta maakte aantekeningen en verbrak ten slotte de stilte. 'Dat er een *USA Today* op die video te zien is, wil nog niet zeggen dat het in Amerika is. Je kunt die krant op wel honderd plaatsen in Rome kopen.'

'Of in een vliegtuig dat in Rome landt,' voegde Massimo eraan toe. 'Misschien is Jack op het verkeerde moment op de verkeerde plaats. Ik wou dat we dit met hem konden bespreken.

Orsetta knikte. Ze dacht er hetzelfde over. Wat haar betrof, hadden Jack King en de FBI nog steeds geen oog voor de olifant in de kamer.

55

Montepulciano, Toscane

Montepulciano verhief zich in de avondschemering, zo mooi en mystiek als een versterkte middeleeuwse nederzetting zoals die in sprookjesboeken voor kinderen worden getekend. Vanaf zijn hoogverheven kalkstenen hoogvlakte, zeshonderd meter boven zeeniveau, keek het stadje majestueus uit over Toscane, het magische rijk van Italië.

Nancy King had Paullina, haar serveerster die op die dag als gids fungeerde, geïnstrueerd ervoor te zorgen dat de fotofanaat Terry McLeod op elke straathoek iets had waarop hij zijn lens kon richten. En Paulline had zich aan de belofte gehouden die ze haar bazin had gedaan.

Eerst liet ze hem het laatste deel van de beroemde Corso lopen, die bij de Porta al Prato begint en dan meer dan elf kilometer omhoogslingert naar de top van het stadje en het grote plein, de Piazza Grande. Ze aten een late lunch op het terras van de Trattoria di Cagnano, waar Paullina de fout beging erop te staan dat hij de plaatselijke *vino de nobile* zou proberen. McLeod gehoorzaamde enthousiast. Hij dronk het grootste deel van de fles, en ook een cognac, en werkte intussen een fiks bord pasta naar binnen, en ook nog een stuk *torte* dat groot genoeg was om een van de gigantische deuren van het stadhuis open te houden.

Na de lunch leidde ze hem langs de zestiende-eeuwse stadsmuren die ontworpen waren door groothertog Cosimo I de'Medici. Hij bleef een keer staan om foto's te maken, een keer om telefoongesprekken te voeren en een keer om zijn overdaad aan sterke rode wijn te lozen.

Paullina liet hem de kerk van Santa Maria delle Grazie zien en, kort voor ze weggingen, ook het heiligdom van de Madonna van St. Blaise aan de rand van het stadje.

Hij was veel minder in kerkarchitectuur geïnteresseerd dan hij had gezegd. Blijkbaar was hij veel nieuwsgieriger naar het leven van haar werkgevers.

Zoals beloofd, belde Paullina kort voordat ze de taxi terug namen naar Nancy. Ze bracht volledig verslag uit van wat ze hadden gezien en gedaan. Na het gesprek met Paullina wendde Nancy zich tot Carlo. Ze stonden in de slaapkamer van de zogenaamde toerist Terence T. McLeod. Nancy had de personeelssleutel gebruikt om hun de toegang te verschaffen. McLeod was net zomin een toerist als zij; daar was ze zeker van.

Nancy had er lang over gedubd of ze de privacy van haar gast mocht schenden. Mocht ze zijn kamer en zijn bezittingen doorzoeken terwijl hij weg was? Uiteindelijk had ze zich aan het oude gezegde van haar vader gehouden dat 'je veel beter sorry kon zeggen dan om toestemming vragen'. Verrassend genoeg had hun zoekactie helemaal niets opgeleverd wat haar oppervlakkige afkeer van hem of haar sterke gevoel dat hij de indringer in haar slaapkamer was geweest, kon ondersteunen.

'Wat denk je?' vroeg ze Carlo.

De bedrijfsleider haalde zijn schouders op. 'Het was donker toen het gebeurde. En u zegt zelf dat u de man niet hebt gezien, want hij had een masker op. We hebben niets gevonden waaruit blijkt dat het McLeod was.' Hij keek haar meevoelend aan. Hij wist dat ze diep getroffen was door het incident. 'Ik kan alleen maar denken dat u zich hebt vergist. Blijkbaar is onze meneer McLeod wat hij zegt dat hij is. Een Amerikaanse toerist. En het is mijn ervaring dat die soms veel vreemder en ook veel lastiger kunnen zijn dan inbrekers.'

56

Pan Arabia News Channel, New York

Tariq el Daher keek uit over de nevelige skyline van New York en vroeg zich intussen af hoe lang hij de twee FBI-agenten moest laten wachten. Hij keek op zijn horloge; het was net halftwaalf geweest. Waren twintig minuten lang genoeg om hen te laten weten dat hij de situatie beheerste en dat de dingen gebeurden zoals en wanneer hij wilde? Of moest hij hen een heel uur laten wachten om zich ervan te verzekeren dat tenminste deze overheidsdienst Pan Arabia voortaan serieus zou nemen en de beleefdheid zou opbrengen om zijn telefoontjes te beantwoorden en zijn televisiestation met evenveel respect te behandelen als bijvoorbeeld Fox en CNN?

Tariq gaf zijn secretaresse opdracht weer koffie voor hem te zetten en vroeg haar tegen de FBI-agenten te zeggen dat hij het erg druk had en zijn best zou doen hen zo gauw mogelijk te ontvangen. Hij dronk de koffie op terwijl hij de ochtendkranten uitlas. Hij glimlachte. De volgende dag zouden er citaten van hem in alle kranten staan, en waarschijnlijk ook een paar foto's. Hij hoopte dat ze de foto zouden gebruiken die een paar jaar geleden op een persdiner was gemaakt, toen hem een prijs voor onderzoeksjournalistiek werd toegekend.

Tariq verwachtte dat alle media, of het nu kranten, televisiestations of tijdschriften waren, gebruik zouden maken van het videobericht dat hij had samengesteld. Hij had de advocaten van Pan Arabia al opdracht gegeven een waarschuwing over het auteursrecht te doen uitgaan en digitaal verscherpte foto's in omloop te brengen die de pers gratis mocht gebruiken, natuurlijk op voorwaarde dat ze Pan Arabia als bron noemden. Ja, de volgende dag zouden alle persmuskieten op zijn primeur neerstrijken; daar was hij zeker van. Hij glimlachte opnieuw, ditmaal bij de gedachte dat ze naar zijn allang vergeten telefoonnummer moesten zoeken en zich zouden afvragen of híj zich zou verwaardigen met hén te praten. Maar eerst had hij die irritante gesprekken met de FBI en de politie van New York. De welwillende politieman die hij had gebruikt om het verhaal te ondersteunen, was nu razend op hem. De man beweerde dat hij buiten de context was geciteerd en dreigde Tariq tot moes te slaan omdat hij door hem in de problemen was gekomen. Tariq vroeg zich af of de politieman hem ook de vijfhonderd dollar zou teruggeven die hij in ruil voor het interview had gevraagd. Hij dacht van niet.

Na veertig minuten gaf Tariq zijn secretaresse opdracht de FBI-agenten naar de directiekamer te brengen. Toen veranderde hij van gedachten. Hij zou hen samen met de bedrijfsjurist in de kleinste van de vergaderkamers op de begane grond ontvangen, de kamer die meestal werd gebruikt door ondergeschikte verslaggevers die naar beneden werden gestuurd om potentiële tijdverspillers af te poeieren.

Ryan Jeffries van Juridische Zaken wachtte hem in zijn kantoor op en ze gingen samen met de lift. De vijftigjarige Jeffries had het allemaal al vele malen meegemaakt. In het hele mediarecht zat niet veel wat hij niet wist of kon omzeilen.

'Goedemorgen, agenten,' zei Tariq energiek toen hij de glazen deur naar het kleine kamertje had opengeduwd. 'Ik ben Tariq el Daher en dit is mijn hoofd Juridische Zaken, Ryan Jeffries. Sorry dat ik u heb laten wachten.'

Howie liet meteen met zijn ogen zien hoeveel minachting hij voor hen beiden had. 'Agent Howie Baumguard en agent Angelita Fernandez.'

Ze gingen om een goedkope houten tafel zitten, die zo gammel was dat hij bijna bezweek toen Howie zijn vlezige armen erop legde. Tariq leunde op zijn stoel achterover. Jeffries was eerst aan slag. 'Meneer El Daher en het station hebben al een verklaring voor de politie van New York afgelegd. We hebben begrepen dat die de operationele leiding heeft. We hebben een kopie ingeleverd van het materiaal dat we hebben gevonden en we zullen de politie van New York zo goed mogelijk blijven assisteren. Zoals u weet, is meneer El Daher een buitengewoon drukbezette man. Het lijkt ons niet nodig om zijn tijd te verspillen aan een herhaling van zetten.'

Fernandez was benieuwd hoe haar baas dit ging aanpakken. Zijn kolossale vuisten en de gezwollen aderen in zijn hals wekten de indruk dat hij zo groen als de Hulk zou worden. Zijn overhemd zou openscheuren en hij zou die jurist van zijn stoel plukken en hem als knuppel gebruiken om die arrogante journalist morsdood te slaan.

'Oké,' zei Howie. Hij klonk verrassend kalm en zacht. 'Agent Fernandez en ik vinden het bijzonder jammer dat we u hebben lastiggevallen. Zullen we nu dan maar weer vertrekken?'

Jeffries glimlachte en sloeg zijn handen op de tafel om zichzelf te ondersteunen bij het opstaan.

'Ga zitten, meneer,' zei Fernandez. 'Hij neemt u in de maling. Zo gaat het niet.'

Op Howies gezicht verscheen een wrede glimlach. 'Mevrouw heeft gelijk.

Natuurlijk kunnen we die onzin waarmee u komt aanzetten gewoon accepteren en weggaan. Maar als we dat deden, zou ik vanmiddag terug moeten komen met een gerechtelijk bevel om beslag te leggen op elke computer en elk videoapparaat in dit pand en dan zou ik uw buitengewoon drukbezette meneer El Daher moeten opsluiten in een kamertje dat nog kleiner is dan dit luciferdoosje waarin u ons ontvangt.'

'Bespottelijk! Op welke gronden?' sputterde Jeffries.

'Het achterhouden van bewijsmateriaal. Het belemmeren van de rechtsgang en van een politieonderzoek. We vinden wel iets,' zei Fernandez.

'Intussen,' voegde Howie eraan toe, terwijl hij uitgebreid bezig was vuil onder een van zijn nagels vandaan te halen, 'zal elke journalist ter wereld smullen van het verhaal dat wij naar buiten brengen, namelijk dat uw tv-station het leven van een jonge Amerikaanse vrouw in gevaar brengt. We leggen dat voor aan uw bestuur, uw directie en financiële ondersteuners. Het zal mij benieuwen of ze dan nog achter u staan.'

'Nu gaan we er nog van uit dat uw videobeelden echt zijn,' voegde Fernandez daaraan toe. 'Want als we ontdekken dat ze dat niet zijn, maken we zulk fijn gehakt van u dat het door een zoutstrooier kan.'

Tariq boog zich naar voren en legde zijn hand op de arm van de jurist om hem te beletten te reageren. 'Wat wilt u, meneer Baumguard?' vroeg hij met zo'n kalme stem dat hij bijna verveeld klonk.

'Laten we met enige beleefdheid beginnen,' zei Howie. 'En daarna mag u bij het begin beginnen en de hele herhaling van zetten doen. U vertelt ons hoe die beelden in uw bezit zijn gekomen.'

'En, hé, meneer de jurist,' zei Fernandez, 'terwijl hij dat doet, kunt u misschien koffie en donuts voor ons halen. We hebben vanmorgen ons ontbijt overgeslagen.'

57

San Quirico D'Orcia, Toscane

De zon zonk langzaam aan de horizon van San Quirico en absorbeerde een zijdezachte mengeling van goud en vermiljoen aan de verduisterende blauwe hemel.

In Terry McLeods badkamer kwam het paneel boven het toilet gemakkelijk los. McLeod pakte de dingen eruit die hij in de metalen luchtkoker had verborgen en nam ze mee naar de slaapkamer. Het waren enkele bijzondere foto's en ook wat extra apparatuur die hij heel goed geheim moest houden.

Paullina de serveerster was goed gezelschap geweest. En toen hij haar een royale fooi van vijftig euro had gegeven, boven op het honorarium van honderd euro dat hij haar absoluut had willen geven voor haar 'werk' als gids, was ze uiterst behulpzaam geweest. Sommige dingen die ze hem over de Kings had verteld, zouden van extreem veel waarde kunnen zijn. Ze had uitgebreid verteld dat de Amerikanen helemaal niets van het hotelvak wisten toen ze hun intrek in La Casa Strada namen, dat Carlo en Paolo de eerste zes maanden min of meer het hele hotel hadden gerund, maar dat mevrouw King toen langzamerhand de leiding nam. Ze vond het erg belangrijk dat er goed werd gekookt en dat de gasten werden behandeld alsof het vrienden waren die op bezoek kwamen. McLeod had geduldig aangehoord hoe ze maar doorpraatte over het eten en de menu's, het werk dat ze in het hotel deed en haar ambities voor als ze klaar was met haar studie. Uiteindelijk kon hij met een paar hints het gesprek op het onderwerp brengen dat hem werkelijk interesseerde: de voormalige FBI-agent Jack King.

Paullina had niet alles geweten wat McLeod had willen horen, maar wel genoeg. Ze vertelde tot in details hoe depressief Jack was geweest toen ze hem pas had leren kennen. In die tijd zat hij altijd in het eigen appartement van de Kings in het hotel en interesseerde zich blijkbaar nauwelijks voor het personeel of de gasten. Als ze hem op de gang of in de tuin tegenkwamen, probeerde hij nooit een praatje met hen te maken. Ze zei dat hij ongeveer twee jaar geleden vaak ging wandelen, meestal in zijn eentje, soms met zijn zoon in een kinderwagen. Hij liep dan rondjes door San Quirico. Hij liep zoveel van die rondjes dat winkeliers en bewoners zeiden dat hij *fuori di testa* was – niet goed bij zijn hoofd. McLeod nam al die informatie in zich op. Wat hem betrof konden er niet genoeg negatieve dingen over de held Jack King worden verteld. Paullina zei dat Jack zich in het begin helemaal had laten gaan. Hij was dik geworden en Nancy had Paolo moeten vragen een speciaal dieet op te stellen om hem te helpen de kilo's kwijt te raken. McLeod had dat wel willen meemaken. Maar de laatste tijd was hij afgeslankt, zei ze. In plaats van die lange, eenzame wandelingen ging hij nu twee of drie keer per week hardlopen. Tegenwoordig zag hij er in *buona salute* uit.

McLeod had gevraagd waar Jack op dat moment was en ze had geaarzeld voordat ze zei dat hij voorzover ze wist een heel eind weg was, misschien wel aan de andere kant van Italië. Maar McLeod vond het vooral opwindend dat Paullina dacht dat Jacks afwezigheid misschien iets met de Italiaanse politie te maken had. Ze herinnerde zich dat er een politievrouw uit Rome naar het hotel toe was gekomen. Blijkbaar was het contact tussen mevrouw King en die politievrouw niet goed verlopen, en uiteindelijk had de vrouw mevrouw King bevolen haar man te vragen haar te bellen, want het ging om 'een dringende politiezaak'.

McLeod glimlachte bij die gedachte. Hij keek naar de foto's van Jack die hij uit een album in Nancy Kings slaapkamer had gestolen. 'Ik heb een grote verrassing voor je, meneer de FBI-man,' zei hij, terwijl hij ze weglegde. Toen pakte hij langzaam de speciale apparatuur uit die hij had verstopt.

De apparatuur die hij nu voor Nancy King wilde gebruiken.

58

Vliegveld JFK, *New York*

Jacks vliegtuig landde precies op tijd bij terminal 4 van JFK. Howie stond te wachten met een auto, een omhelzing en enige schouderkloppen die een kleiner persoon in een ziekenhuis hadden doen belanden. Ze reden meteen naar kantoor en praatten elkaar onderweg bij. 'Heb je ergens een hotelkamer?' vroeg hij Jack toen ze eindelijk aan de verkeersdrukte bij het vliegveld waren ontsnapt.

'Nee, nog niet. Het was al moeilijk genoeg om een plaats in een vliegtuig uit Rome te krijgen, dus ik ben er niet aan toe gekomen. Zou Janie of een van de andere secretaresses iets voor me kunnen regelen?'

Howie keek hem fronsend aan. 'Welnee. Vergeet het maar, jongen. Jij logeert bij ons, in elk geval de komende nacht.' Howie deed zijn aanbod deels uit beleefdheid maar vooral omdat hij bang was dat Jack het er moeilijk mee zou hebben dat hij weer aan het werk was en dan ook nog meteen een avond in zijn eentje moest doorbrengen, zonder iemand om mee te praten.

Jack schoof de passagiersstoel achteruit om zijn benen te kunnen strekken. 'Ik wil Carrie en jou niet tot last zijn.'

'Dat ben je niet. Hé, ik kan op dit moment wel een vriend in huis gebruiken. En shit, man, misschien zie ik je niet terug tot God mag weten wanneer.'

'Dat is aardig van je. Dank je.' Jack keek door de voorruit naar de vertrouwde gebouwen die in de verte opdoemden. 'Weet je, ik ben nu voor het eerst sinds mijn burn-out in New York terug. Toen Nancy en ik naar Italië vlogen, nu zo'n drie jaar geleden, dacht ik niet dat ik hier ooit terug zou komen, en zeker niet om te werken.'

Howie claxonneerde naar een idiote toerist die tegelijkertijd probeerde te rijden en kaart te lezen. 'Neem de volgende keer een taxi, achterlijke idioot!' schreeuwde hij.

Jack lachte. 'Er is dus niets veranderd?'

Howie lachte ook. 'Helemaal niets, jongen. Zoals je ziet, is het nog steeds het New York waar je zoveel van hield.'

De rit deed Jack goed. Hij acclimatiseerde enigszins en keek uit naar wat hem te wachten stond. 'Kort voordat ik vertrok heb ik de beelden gezien,' zei hij. 'Luguber materiaal. Heb je nieuws?'

'Een beetje,' zei Howie. 'Fernandez en ik zijn met die lul van een Tariq wezen praten. Eerst hing hij de gepatenteerde hufter uit, maar we maakten hem een beetje bang en toen hoestte hij meer op dan een complete kankerafdeling.'

'Had hij juridische ondersteuning?'

'Ja, een of andere wijsneus, maar die vormde geen probleem. Het bleek dat BRK Tariq een mailtje heeft gestuurd met een hyperlink en een wachtwoord. Zo kwam hij aan de beelden die ze hebben uitgezonden.

'Zoeken we naar webmastersporen?'

'Natuurlijk, maar je weet net zo goed als ik dat iemand van twaalf al zo'n simpele website kan bouwen. BRK zal een valse identiteit hebben gebruikt toen hij met de hostingservice sprak. In de testfase heeft hij vast wel videobeelden op de site gezet die zo onschuldig waren als het maar kon. Hij zal hebben gewacht en het echte spul pas beschikbaar hebben gesteld op de dag dat hij dat mailtje naar Pan Arabia stuurde. De technische recherche denkt dat hij met dongle-encryptie heeft gewerkt.'

'Hè?' zei Jack. 'Is dat zoiets als wanneer je pik tussen je rits komt?'

Howie lachte. 'Het is een codemethode. Je stelt de beelden alleen korte tijd beschikbaar. De dongle is zoiets als een tijdmechanisme op een bom; hij tikt maar door en dan *boem*! De beelden verdwijnen en je kunt er niet meer bij.'

'Dus het is wel zoiets als je pik tussen je rits,' zei Jack.

Howies mobiele telefoon ging op het moment dat ze Federal Plaza op reden. 'Ja, hallo,' zei hij terwijl hij het stuur liet draaien.

'Baas, met Fernandez. De jongens in Myrtle hebben een lijk gevonden. Ze denken dat het Stan Mossman is, onze boodschappenjongen.'

59

FBI-kantoor, New York

Jack King deed er tien minuten over om iedereen een hand te geven en nog eens twintig om al zijn vrouwelijke ex-collega's te omhelzen, kussen en begroeten.

'Man, je moet echt even naar de toiletten om je op te knappen,' zei Howie. 'Ik heb kerels van een hengstenweekend zien terugkomen met minder lipstick op hun boord.'

'Het is een kleine prijs die je voor populariteit moet betalen,' grapte Jack, die zijn advies ter harte nam. 'Ik zie je in de briefingkamer.'

Het werd een grote bijeenkomst.

De leiding was in handen van Joe Marsh, directeur van het FBI-kantoor in New York, een kleine, slanke man van begin veertig met haar dat grijs werd bij de slapen en een natuurlijke glimlach waar de meeste politici hun halve campagnefonds voor over zouden hebben. Rechts van hem zat commissaris Steven Flintoff, hoofd Operaties van de politie van New York, een os van een kerel met een buik als een biervat, kort rossig haar en de opgestroopte mouwen die zijn handelsmerk waren. De volgende plaatsen aan de ronde tafel waren bezet door gedragswetenschappers Howie Baumguard en Angelita Fernandez, gevolgd door Elizabeth Laing, een perswoordvoerster van de politie van New York, en Julian Hopkins, de plaatselijke persman van de FBI. Ze waren nog koffie en water voor elkaar aan het inschenken toen Jack binnenkwam en hen met een zelfverzekerd 'Goedemorgen, iedereen!' begroette.

Er ging een spontaan applaus op. Marsh stond op om zijn hand te schudden. 'Het doet me goed je terug te zien, Jack. Kom hier naast me zitten.'

'Het doet mij goed om terug te zijn,' zei Jack. 'Al moet ik zeggen dat het is of ik helemaal niet weg ben geweest. Dezelfde zaak, dezelfde kamer, alleen een paar andere gezichten.'

'Angelita Fernandez,' zei de profiler, die zich over de tafel boog om hem een hand te geven. 'We hebben elkaar al eens ontmoet in dat videogesprek.'

'Ja, dat hebben we. Leuk je in het echt te ontmoeten,' zei Jack.

De anderen bogen zich om beurten over de tafel om zich voor te stellen, en toen kwam Marsh ter zake. 'Eerst even dit ten behoeve van de persvoorlichters: Jack King is als adviseur bij ons. Het liefst zouden we willen dat zijn naam helemaal niet wordt genoemd, maar we moeten realistisch zijn. Die kop van hem is zo bekend dat als hij hier een paar dagen is, de kranten jullie gaan vragen wat hij hier nou weer doet. Geen interviews met Jack, geen commentaar van Jack. Laten we zeggen dat hij hier alleen maar is om oude vrienden op te zoeken. Begrepen?'

Laing en Hopkins knikten.

'Goed,' zei Marsh. 'We praten straks telefonisch met Malcolm Thompson in Quantico en bepalen onze strategie voor de komende dagen. Jack, Malcolm is het nieuwe hoofd van het National Center for the Analysis of Violent Crime. Hij zit nog in het stadium dat hij iedereen afbeult, maar als hij eenmaal aan zijn baan gewend is, gaat hij het prima doen.' Marsh sloeg zacht met zijn beide handen op de tafel. 'Oké, Howie, Angelita, voordat we Mal bellen: wat is het laatste nieuws?'

Howie ging van start. 'We hebben met de journalist Tariq el Daher gepraat. Na wat wel een onwillig begin mag worden genoemd, draaide hij bij.' Hij knikte naar het hoofd Operaties van de politie van New York. 'Op dit moment installeren Stevies jongens alle mogelijke audio- en videorecorders in zijn kantoor, en ook trackingapparatuur op telefoons, computers, noem maar op. Deze keer kunnen we eventuele nieuwe videobeelden meteen te pakken krijgen als de dader ze stuurt.'

'En daar ging hij mee akkoord?' vroeg Marsh.

'Absoluut. Een schoolvoorbeeld van medewerking,' zei Howie met een zodanige grijns dat iedereen aan de tafel het meteen begreep.

'Is het materiaal nog ergens in hyperspace?' vroeg Jack.

'Nee,' zei Fernandez. 'Tariq heeft ons tien minuten geleden gebeld. Hij zei dat zijn toegangscode niet meer werkte.'

Jack dacht even aan dongles en tijdontstekingen en rampen met ritsen. 'Heeft de code een betekenis?' vroeg hij. 'Betekent 898989 iets voor iemand? Is dat het telefoonnummer van Pan Arabia, hebben we het als telefoonnummer geprobeerd, hebben we het nummer zelf door internet gehaald?'

'Ik heb het gegoogeld,' zei Fernandez.

'En?'

'Honderdzestienduizend hits. Ik heb er ongeveer twintig doorgenomen.'

De hele kamer lachte.

'De domeinnaam 898989 staat al op naam van iemand. Die is volkomen legitiem; geen enkele connectie. Het nummer brengt je ook naar een tuincentrum in Engeland en een vreemde website die "Just Curious" heet.' Fernandez liet dat even op hen inwerken en zei toen: 'Sorry, mensen, die is ook legitiem. Ik was eerst ook opgewonden, want ze hebben een motto: "Vreemden Helpen Vreemden".'

'Wat is het?' vroeg Flintoff.

'Je stelt anoniem een vraag en de hele wereld beantwoordt hem en geeft advies,' legde Fernandez uit.

'Klinkt geweldig,' zei Howie. 'Stel er een namens ons. Zeg tegen de hele wereld dat we er hartstikke nieuwsgierig naar zijn waar BRK is, en of iemand hem heeft gezien.' Ze lachten weer allemaal.

'Geen slecht idee,' zei Jack. 'Als je nagaat hoeveel eigenwaan die rotzak van een BRK heeft, is er misschien een kans dat hij op die site komt en antwoord geeft. Jammer genoeg denk ik dat een miljoen andere gekken dat ook gaan doen.'

'Wat nog meer?' zei Marsh. 'We moeten een beetje opschieten.'

Howie pakte de draad weer op. 'Er is slecht nieuws. Het ziet ernaar uit dat een van onze mogelijke getuigen, een jongen die een signalement van onze dader kon geven, vermoord is. De jongens in Myrtle waren op zoek naar een boodschappenjongen van UMail2Anywhere, een zekere Stanley Mossman. Fernandez kan jullie beter de rest vertellen; ze heeft net met Myrtle gebeld.'

Fernandez nam het over. 'Stan lag in de kofferbak van zijn eigen auto op een terrein voor langdurig parkeren van Myrtle International. Ik weet niet alle details, maar volgens Gene Saunders ziet het ernaar uit dat BRK daar met hem heeft afgesproken en hem daar heeft vermoord. Blijkbaar is de keel van de jongen doorgesneden toen hij achter zijn eigen auto stond, en daarna heeft de moordenaar de kofferbak opengemaakt en hem erin gegooid.'

'Bewakingscamera's, technische recherche?' vroeg Marsh.

Fernandez knikte. 'Ja, er wordt aan gewerkt. De dokter doet morgen de sectie, maar hij heeft het lichaam ter plaatse gezien. Hij zegt dat het een mes met de snede aan één kant van het lemmet is geweest, kort en vlijmscherp. Er is van achteren gesneden, snel en hard.' Ze streek met haar vinger over haar keel en maakte het snijgeluid: *sjwiep!*

'Dat is professioneel,' zei Howie. 'Waarschijnlijk liet hij de jongen iets in zijn kofferbak leggen, ging achter hem staan, haalt een soort stiletto tevoorschijn en snijdt met één haal Stans keelader door.'

'Is het onrealistisch om te hopen dat het allemaal door een camera is vastgelegd?' vroeg Marsh.

Fernandez glimlachte. 'Ik denk dat je gedachten kunt lezen, baas. Het was niet een normaal, goedgekeurd parkeerterrein. Het was op het dak van een oud gebouw, een paar straten achter Jetport Road. Geen camera's.'

'Dat is interessant,' zei Jack. 'Om een parkeerterrein te vinden dat geen bewakingscamera's heeft moet je eerst naar de terreinen gaan die er wel een hebben en die van je lijstje schrappen. Iemand in Myrtle kan alle autoverhuurbedrijven bij het vliegveld bellen en hun vragen hun camerabeelden van de afgelopen drie weken te bewaren. Er is een kleine kans dat er opnamen van hem zijn.'

'Lijkt me prachtig werk voor een paar groentjes bij de recherche van Horror County,' zei Marsh.

Jack schonk zichzelf water in en zei: 'Ik neem aan dat Myrtle de auto in beslag heeft genomen?'

'De technische recherche heeft hem al meegenomen,' zei Fernandez. 'Als er haren, vezels of andere sporen zijn, vinden ze die.'

'Er is maar één nadeel,' zei Howie.

Jack maakte het voor hem af: 'We hebben geen verdachte ter vergelijking.'

60

Marine Park, Brooklyn, New York

Ze wonen in een wit huisje met een rieten dak aan een rivier met een waterrad, en hun jonge kinderen rennen achter elkaar aan door een tuin met een oud stenen pad dat door een veld vol madeliefjes slingert. Lu Zagalsky hallucineert, en daar is ze blij om. Ramzan en zij zijn getrouwd en hebben twee mooie kleine kinderen, een jongen en een meisje die precies op hen lijken. Het ontbreekt hun aan niets en ze leiden een volmaakt leven in een volmaakt huis in een volmaakt land waar nooit een eind aan de zomer komt, en niemand trekt al je kleren uit en laat je voor dood achter alsof je een hond bent. Ze heeft veel gedroomd sinds ze in de kelder wordt vastgehouden, en maar weinig van haar dromen waren zo mooi als deze. De meeste dromen gingen over pijn, vernedering en dood. Sommige waren zo angstaanjagend dat ze nu bang is in slaap te vallen.

Maar het afgelopen uur heeft ze gefantaseerd over Ramzan. In haar leven van nog maar enkele dagen geleden was hij niet meer dan een lange, aantrekkelijke ober geweest die haar aandacht had getrokken. Vandaag stelt ze zich hem voor als haar minnaar, haar man en de vader van haar kinderen. Vooral die laatste gedachte doet pijn, want ze beseft nu dat ze nooit moeder zal worden. Ze zal nooit kinderen baren en ze zal nooit glimlachjes op de gezichten van haar baby's zien.

Lu doet haar ogen open en staart naar het zwarte plastic van het plafond, met het felle rattenoog van de camera dat op haar neer kijkt. Soms is ze er zeker van dat hij nog bij haar in het huis is en ergens achter de deur naar haar kijkt: hij beweegt de camera's om het beter te kunnen zien en rukt zich ongetwijfeld af terwijl zij langzaam naar de dood afglijdt. Ze heeft in haar leven de nodige griezels ontmoet, sadisten en masochisten, voyeurs en scatofielen, maar deze man was erger gestoord dan alles wat ze ooit had meegemaakt.

Hoe kun je er nou een kick van krijgen dat je iemand anders ziet sterven van de honger? Wat voor verknipte geest vindt dat opwindend?

Het is nu zevenentachtig uur geleden dat Lu voor het laatst iets te eten of te drinken heeft gehad, en zelfs dat was maar een vanillemilkshake. De effecten van de uithongering en uitdroging worden met het uur acuter. Ze ijlt en hallucineert en haar lichaamstemperatuur is enorm hoog. Ondanks het gebrek aan voedsel braakt ze veel, al is het meer kokhalzen, want haar maag is helemaal leeg en de binnenkant is zo droog als perkament. Telkens wanneer ze kokhalst, gaan er golvende krampen door haar heen en schiet er pijn door haar buik en borst. Ze urineert bijna helemaal niet meer, maar als ze het doet, is het een brandend stroompje zuur dat de laatste flarden van haar waardigheid vernietigt.

Misschien zal iemand je vinden, Lu. Misschien hebben ze hem te pakken gekregen en zijn ze op dit moment op weg hierheen en trappen ze de voordeur in. Je kunt ze nu elk moment die keldertrap af horen komen.

En wat dan?

Boem! Dát komt er dan.

Zei hij niet dat het hele huis dan tot een vuurbal zou exploderen en dat iedereen levend zou verbranden? Nou, liever verbranden dan zo doorgaan. Maar dan sterven die anderen ook, Lu. Onschuldige mensen gaan dood omdat ze jou willen redden. Wil je dat? Ben je zo wanhopig en onwaardig geworden?

En zo kwellen de gedachten haar. Ze laten haar nooit met rust, drukken elk beetje hoop de kop in, maken dat ze zich steeds het ergste verbeeldt. En als ze klaar met haar zijn, komt het schuldgevoel ervoor in de plaats.

Je krijgt je verdiende loon; dit is Gods straf voor het zondige leven dat je hebt geleid. Som ze maar eens op, Ludmila, alle zonden die je hebt begaan; de diefstallen, de leugens, de ontucht. Is er één gebod dat je niet hebt geschonden? Moord was nog het enige, en op dit moment zou ze met het grootste genoegen de griezel vermoorden die haar deze levende hel laat doormaken.

Lu's gezichtsvermogen is nu voortdurend wazig en haar ogen doen zo'n pijn dat ze ze niet dicht kan doen. De band om haar hoofd is losser geraakt en ze kan het nu heen en weer bewegen, maar de riem heeft haar huid geschaafd. Haar huid, die zijn natuurlijke vettigheid en elasticiteit heeft verloren en begint te verschrompelen, is voor het grootste deel volledig verdoofd. Soms trekt dat verdoofde gevoel weg en tintelt haar huid. Alleen is het dan niet het gevoel dat ze zachtjes met spelden wordt geprikt, zoals ze dat als kind had gehad. Dit is het getintel van een veeprikker met een hoog voltage, het getintel dat zo'n schok teweegbrengt dat ze denkt dat ze erin blijft.

Lu vraagt zich af of ze al zo ziek is dat ze, ook als er nu nog redding komt, toch zal sterven aan wat hij haar heeft aangedaan. Ze is zich er volledig van bewust dat ze door haar eigen lichaam wordt gedood; haar lichaam is een wapen geworden om haar te vermoorden.

Dat is gerechtigheid, Ludmila, na het leven dat je hebt geleid. Als je je lichaam aan vreemden verkoopt, zal God je straffen. Oog om oog en tand om tand; dat moet je nooit vergeten. Daar had je toch echt aan moeten denken.

Lu wil over haar lippen likken, maar dat is bij lange na niet mogelijk. Haar tong is gezwollen en pijnlijk gebarsten. Haar keel voelt geblokkeerd aan en het is zelfs moeilijk om lucht in te slikken. In de afgelopen uren is haar gebroken neus weer gaan bloeden. Dat komt voor een deel doordat hij hem heeft gebroken, maar de voortdurende stijging van haar lichaamstemperatuur komt de zaak ook niet ten goede, evenmin als het feit dat de binnenkant van haar neus helemaal is opgedroogd en gebarsten als pleisterkalk. Het gestolde bloed verstopt bijna haar neusgaten en het is net of ze ademhaalt door een beschadigd rietje.

Ze probeert positief te denken. Er is dat huisje buiten, met de kinderen die bij de rivier spelen, en misschien is er ook een hond, een langharige goudgele hond die blaffend opspringt naar de bal die in zijn richting wordt gegooid.

En dan gebeurt het.

De veeprikkers komen weer opzetten. Ze knetteren tegen haar huid, schokken door haar zenuwen. Ditmaal is het heviger en pijnlijker dan alle vorige keren.

Lu's hele lichaam is verkrampt.

De wereld wordt zwart.

En ze houdt op met ademhalen.

Spider zit bij de monitor en kijkt met grote ogen naar de krampen die door Ludmila heen gaan. Opgewonden als een sportliefhebber zit hij op het randje van zijn stoel. Hij buigt zich naar het scherm, met zijn kin op zijn samengevouwen vingers. Blijkbaar gaat ze veel eerder sterven dan hij had gewild, maar dat geeft niet, hij kan zijn plannen aanpassen.

Hij steekt zijn hand uit en strijkt ermee over het scherm. Statisch geknetter stroomt over zijn vingertoppen. Hij had een speciaal doel voor ogen toen hij haar uitkoos, een reden die verderging dan verlangen of begeerte, maar op dit moment wil hij haar, wil hij haar net zoals hij alle anderen wilde. Geef de strijd op, mijn lieve, lieve Sugar. Laat je laatste adem ontsnappen en ga naar de Betere Plaats.

Hij ziet op het scherm dat haar lichaam onbeheersbaar schokt. Haar spieren trekken zich strak en ontspannen dan even plotseling. De groothoekcamera laat zien dat haar hele lichaam trilt als een lappenpop, dat het op en neer stuitert op de harde leren tafel, met golvingen van spieren van voeten tot hoofd.

Ze staat voor de deur van de dood en hij wil erbij zijn om zijn lippen en huid tegen haar aan te drukken en te voelen hoe die kostbare laatste kramp van het leven door haar lichaam gaat.

Het trillen wordt heviger en dan ploft Lu slap neer op het zwarte leer van de bondagetafel.

De plafondcamera laat een close-up van haar gezicht zien. Het is bewegingloos.

Spider legt zijn handen teder aan weerskanten van de monitor, als een minnaar die het gezicht van een stervende partner vasthoudt. Hij kijkt aandachtig in Lu's ogen.

Glazig als de knikkers waar kinderen mee spelen. Zie hoe haar ogen diep in hun kassen zijn gezonken. Zie hoe mooi hol haar wangen zijn geworden. En haar huid, is die niet prachtig? Zo wit, zo mooi bleek. Je moeder zou haar goedkeuren, Spider. Je moeder zou deze ook hebben uitgekozen.

Met zijn gewonde hand streelt Spider haar gezicht en dan drukt hij zijn wang tegen de hare. Hij houdt de monitor bijna een halve minuut vast, voelt zich dicht bij haar, voelt zich in haar laatste ogenblikken met haar verbonden.

Mooi, zo adembenemend mooi.

Het lichaam ligt slap op de tafel. Hij verlangt ernaar om de boeien van haar armen en benen los te maken. Hij hunkert ernaar om haar te wassen, om haar helemaal met poeder te bestrooien en netjes aan te kleden. En dan voelt hij zich bedroefd. Bedroefd omdat het plan dat hij met haar had, het plan dat hij voor haar heeft uitgedacht, het onmogelijk maakt dat hij haar houdt, en haar verkent.

De tijd was altijd al het probleem. Rotting: zijn minst favoriete woord.

Spider heeft in dagboeken bijgehouden wat er met de andere Sugars is gebeurd en hij weet dat die levendige blauwe ogen van haar binnen een uur zullen veranderen. De bloedvaten worden grof en vlekkerig en de rode bloedlichaampjes zullen samenklonteren. Binnen twee dagen zullen er vreemde, gele, driehoekige vlekken op haar hoornvliezen verschijnen, die vervolgens in bruin en zwart overgaan. Spider houdt de temperatuur in de kelder op zevenendertig graden, gelijk aan de lichaamstemperatuur. Hij hoopt daarmee het natuurlijke afkoelingsproces van haar lijk te vertragen, maar hij weet dat de rigor mortis daardoor waarschijnlijk tot ongeveer achtenveertig uur na haar dood zal aanblijven. Hij weet ook dat hij niets kan doen om te voorkomen dat het bloed en andere lichaamsvloeistoffen omlaag zakken. Die vloeistoffen blijven in haar rug, schouders en billen hangen als ze daar op die leren tafel ligt en zullen lelijke rood-paarse lijkenvlekken maken die hij met crèmes en poeders zal moeten camoufleren.

Pas het plan aan. Vind een manier om een tijdje bij haar te zijn.

Spider zit te fantaseren. Hij is heel lang eenzaam geweest en hunkert ernaar om weer iemand aan zijn zijde te hebben. Als het kon, zou hij dag en nacht bij haar blijven, haar vasthouden, tegen haar praten, intieme momenten met haar delen, met haar slapen en met haar wakker worden. Het zou perfect kunnen zijn. Maar dat is niet het plan.

En dan trekt iets op het scherm zijn aandacht.

Lu's linkerhand trilt even.

Is het een stuiptrekking, een dode spier die nog even een beweging maakt voordat het lichaam tot rust komt?

Of zou dat kleine kreng echt nog leven?

61

West Village, SoHo, New York

Jack kwam niet in bed terecht.

Nadat hij een paar biertjes had gedronken en een Ambien had genomen, viel hij in zo'n diepe, intense slaap dat je beter van een coma kon spreken. Howie had erover gedacht hem van de bank naar de logeerkamer te verplaatsen, maar het leek hem gemakkelijker de slaapkamer naar hem toe te brengen. Hij legde een kussen onder Jacks hoofd, gooide een lichte deken over hem heen en ging zelf ook naar bed.

Carrie zat met haar rug in de kussens naar het eind van *Law and Order* op tv te kijken, het laatste wat hij zou willen zien. Toen hij uit de badkamer kwam, ging hij naast haar in bed liggen. Het leek wel of ze met de dag magerder werd.

Oké, dus ze hield zich aan haar dieet, iets wat hij niet kon, maar goh, al die crèmes en andere troep die ze elke avond op haar gezicht smeerde, deden het nut van al dat afvallen teniet. Zoals Howie het zag, vielen vrouwen af en bleven ze slank om aantrekkelijker te zijn voor de mannen in hun leven. Als dat zo was, wat had het dan voor zin om je gezicht met sneeuwwitte hondenstrontcrème in te smeren en in bed te gaan liggen in nachtkleding die zelfs een potloodventer uit Riker's Island geen trilling in zijn broek zou bezorgen? Natuurlijk tenzij ze het met iemand anders deed. Dat muntje viel als een piano van het dak van het Chrysler-gebouw. Howie pakte de afstandsbediening en zette de tv uit.

'Hé, wat doe je?' protesteerde Carrie. 'Ik keek daarnaar.'

'Vertel eens, Caz, met wie neuk je?'

Alleen de witte hondenstrontcrème verborg dat het bloed uit haar gezicht wegtrok.

Carrie wachtte enkele hartslagen. Ze vroeg zich af of ze zich eruit moest liegen of dat ze blij moest zijn dat haar grote, lelijke geheim eindelijk tot die grote, lelijke man van haar was doorgedrongen. 'Ik weet niet waar je het over hebt,' loog ze om tijd te winnen.

Howie had nooit overwogen een vrouw te slaan, tot nu toe. Nu zou hij haar met het grootste genoegen buiten westen kunnen slaan. Niet zozeer omdat ze het met een andere kerel deed, al zou dat voor sommige familieleden van hem reden genoeg zijn, en zelfs niet omdat hij tot nu toe te stom was geweest om erachter te komen. Nee, wat hem kwaad maakte, was dat hij tien kilo was afgevallen en al dat lekkere eten was misgelopen omdat hij – naar nu bleek vergeefs – aantrekkelijk voor haar had willen blijven en haar in zijn bed had willen houden.

Nou, ze kon de pest krijgen! Hij wilde haar toch al niet in zijn bed. Howie liet zich meeslepen door zijn woede, en voor hij er erg in had, stond hij op, pakte met zijn reusachtige handen het bed bij de zijkant vast en tilde het op.

Carrie tuimelde op de vloer en dreunde pijnlijk tegen de muur.

'Bedriegster, vuile teef!' zei hij, en toen liet hij het bed met een harde klap neerkomen, als een gewichtheffer die zijn laatste halter laat vallen.

Het raakte de grond en maakte het geluid van een kleine bom. De houten poten aan zijn kant versplinterden.

Howie keek naar het huwelijksbed en zag het metaforisch. 'Nou, dat is dus helemaal kapot.'

Deel 7

Zaterdag 7 juli

62

West Village, SoHo, New York

Terwijl de laatste restjes nacht in het warme rood van de dageraad oplosten, strekte Howie zijn pijnlijke ledematen uit op de bank tegenover die waarop Jack lag te snurken. Hij en Carrie hadden in de slaapkamer tegen elkaar geschreeuwd, in de keuken tegen elkaar gebulderd en zelfs in de tuin dingen naar elkaar gegooid, tot ze kort na vier uur eindelijk geen energie meer hadden. De ruzie was heftig genoeg geweest om het grootste deel van de buurt wakker te maken, maar Jack had dwars door die emotionele aardbeving heen geslapen. In het harde ochtendlicht voelde Howie zich zo moe als hij eruitzag. Zijn hoofd deed erger pijn dan bij alle katers die hij ooit had gehad en hij voelde zich neerslachtiger, woedender en meer vernederd dan sinds iemand op de middelbare school al zijn gewone kleren en sportkleren had gestolen terwijl hij onder de douche stond.

Toen ze naar kantoor reden, wist Jack dat er iets grondig mis was. 'Waardoor was Carrie nou zo van streek?' vroeg hij. Hij gaapte, vocht nog tegen de sufheid van de slaappil. 'We waren vanmorgen allebei lucht voor haar.'

Howie liet een lang kreungeluid horen en zette de radio zachter. 'Ze heeft me gisteravond verteld dat ze het met iemand anders doet. Het grootste deel van de nacht hebben we ruziegemaakt, maar jij sliep er dwars doorheen.'

'Sorry, jongen. Ik heb de pest aan slaappillen, maar nu en dan neem ik er eentje om acht uur slaap te krijgen.'

'Hoezo sorry? Dat je er doorheen sliep? Of dat ze het met iemand anders doet?'

Ze lachten allebei. Jack dacht aan de praktische consequenties. 'Ik denk dat jij de komende nacht ronde twee hebt. Ik zal maar een kamer in een Holiday Inn of zo nemen.'

'Misschien een goed idee,' zei Howie. 'Misschien kunnen we korting krijgen als we twee kamers nemen. Ik moet daar waarschijnlijk ook naartoe.'

'Is het zo erg?'

'Misschien wel. Weet je wat zo jammer is? Ik weet eigenlijk niet of ik het wel goed wil maken. Misschien hebben we onze tijd gehad. Misschien zijn we op elkaar uitgekeken.'

'Wil je mijn advies?'

'Ja, zeg het maar.'

'Je moet het niet overhaasten. Misschien heb je gelijk en hebben jullie het beste gehad, maar je moet ook aan de kinderen denken. Dit zou jullie beiden wakker kunnen schudden.'

'Man, dat is wel het laatste waar ik behoefte aan heb: wakker geschud worden. Ik heb liever acht uur narcose,' grapte Howie. Er kwam een nieuwsjingle uit de luidsprekers en hij zette de radio harder. 'Eens kijken wat die klotemedia weten wat wij niet weten.'

Aan de sombere stem van de nieuwslezer konden Jack en Howie al horen dat het eerste item een tragisch karakter had. Terecht waren ze bang dat het onderwerp henzelf zou raken. 'Eerst nieuws dat zojuist is binnengekomen. Het controversiële nieuwsstation Pan Arabia heeft vanmorgen opnieuw verontrustende beelden laten zien van een jonge vrouw die volgens het station ergens in Amerika gevangen wordt gehouden en langzaam wordt doodgemarteld. De videobeelden die een halfuur geleden door de Engelstalige versie van het Arabische nieuwsnetwerk zijn uitgezonden, laten zien dat de vrouw, van wie wordt aangenomen dat ze blank en midden twintig is, naakt is vastgebonden op een soort tafel. Tariq el Daher, misdaadredacteur van Pan Arabia, verdedigde het besluit van zijn station om meer beelden uit te zenden...'

'Die klootzakken moeten onze traceerapparatuur hebben uitgeschakeld,' zei Howie, en hij sloeg met zijn hand op het stuur.

Tariqs stem klonk kalm en emotieloos. 'Pan Arabia gelooft dat het in het belang van zowel het Amerikaanse publiek als het slachtoffer is dat de beelden worden uitgezonden. Wij hebben niet alleen de democratische principes van vrijheid van meningsuiting en het recht op ongecensureerd nieuws hoog in ons vaandel, maar wij zenden dit materiaal ook uit om snel een eind te maken aan de slapheid van de FBI en politiediensten in heel Amerika. Als deze jonge vrouw sterft, kleeft haar bloed aan hun handen. Wij dringen er bij alle politiediensten in het hele land op aan om haar overleving tot een prioriteit te maken. Als Amerika vandaag evenveel geld en middelen inzet om deze vrouw te redden als voor het uitvechten van buitenlandse oorlogen, zal ze vanavond veilig bij haar dierbaren terug zijn.'

'De schoft!' riep Howie uit. Hij sloeg weer op het stuur.

De nieuwslezer kwam terug en ging verder met het verhaal. 'De terreurorganisatie al-Qaeda heeft al een verklaring uitgegeven waarin ze zegt niets te weten van de ontvoering of van de videobeelden die exclusief op Pan Arabia worden vertoond. De organisatie verklaart met nadruk het martelen van personen altijd te hebben veroordeeld.'

Howie zette de radio zachter. 'Een versluierde verwijzing naar Abu Ghraib?'
'Niet zo versluierd,' zei Jack.

Howie gaf richting aan, keek in zijn spiegeltje en liet de auto met gierende banden rechtsomkeert maken. 'Laten we met onze vriend Tariq gaan praten. Hij zou wel eens de perfecte uitlaatklep voor mijn opgekropte woede kunnen zijn.'

63

Rome

Orsetta Portinari was woedend. Ze had tien keer naar Jack Kings mobieltje gebeld en de hufter had niet eens de beleefdheid kunnen opbrengen om terug te bellen. De rotzak! Massimo zei dat hij ook niets van hem had gehoord, maar dat kon haar niet troosten. Al bewees het voor Orsetta wel dat Jack gewoon onprofessioneel was, en dat hij haar dus niet negeerde omdat ze zich belachelijk had gemaakt door met hem te flirten. Wat haar betrof, mocht Jack King dan aantrekkelijk en intelligent zijn, maar was hij soms ook een ongemanierde hork.

Orsetta gooide het portier van haar auto dicht; daardoor voelde ze zich beter. Ze was kwaad omdat hij zo snel was weggegaan. De Italiaanse politie had hem om hulp gevraagd, hij had beloofd dat hij zou meewerken, en nu was hij plotseling naar dat Amerika van hem vertrokken.

Ze voelde zich bedrogen. Ze voelde zich afgewezen. En ze had vooral het gevoel dat het verkeerd van hem was om weg te gaan.

Geloofde hij echt dat hij die ontvoerde vrouw kon redden door naar New York te vliegen? Het stond niet eens vast dat ze in Amerika was. Zoals Orsetta al had gezegd, kon je overal op de wereld de *USA Today* kopen. Videobeelden van de krant bewezen absoluut niet dat het meisje Amerikaans was en in Amerika werd vastgehouden. De plaats van het misdrijf zou zich heel goed in Italië kunnen bevinden. Misschien was die zwarte spelonk dezelfde kamer waar Cristina Barbuggiani was vermoord. Misschien bevond die kamer zich maar een paar kilometer bij Cristina's huis in Livorno vandaan. Misschien gebeurde het allemaal in Rome, onder de neus van iedereen op hun hoofdbureau. Orsetta dacht dat Massimo volkomen gelijk had. Die Amerikanen konden naar de pomp lopen. Ze zou aan de zaak blijven werken alsof ze niet bestonden. Ze zou er zo hard mogelijk aan werken, want het leven van een andere onschuldige vrouw zou wel eens afhankelijk kunnen zijn van wat zij deden.

64

FBI-kantoor, New York

FBI-agente Angelita Fernandez gaf de informatie over necrofilie door aan de nieuwste rekruut van de speciale eenheid, Sebastian Hartson. Hij kwam pas van de Academy en was nog zo nat achter zijn oren dat Fernandez hem wilde afdrogen. Die oren staken trouwens als zeilen opzij, een verschijnsel dat werd benadrukt door het militaire millimeterkapsel waarvoor hij in zijn onverstand had gekozen. 'Laat het groeien, man, over die oren heen,' had ze tegen hem gezegd.

Fernandez wilde erg graag met Jack en Howie mee om 'Tering-Tariq' te intimideren, zoals ze hem noemde, maar Howie zei dat ze die ochtend achter de andere losse eindjes aan moest. Manny Lieberman stond boven aan haar lijst. De FBI had eigen forensische documentonderzoekers, maar bijna iedereen die Manny kende, gebruikte Manny. Hij was tweeëntachtig, maar zijn ogen waren nog zo scherp als een vos die midden in de nacht een kippenhok overvalt.

Fernandez wist dat het geen zin had om hem te bellen. Als Manny met iets bezig was, negeerde hij de telefoon; trouwens ook al het andere. Ze pakte haar spullen bij elkaar, liet haar telefoontjes doorverbinden en ging naar zijn kantoor bij Liberty Avenue, bij de joodse begraafplaats. Volgens de zwarte letters op de matglazen ruit was daar de firma Lieberman & Zoon & Dochter gevestigd. Dat '& Dochter' was er twee jaar geleden aan toegevoegd toen Annie, zijn 'prinses', zoals hij haar noemde, was afgestudeerd en eindelijk had besloten dat ze toch voor de oude man wilde komen werken. Zoals Manny zei, had ze getwijfeld tussen hem en taxidermie, en had hij zich gedwongen gezien al zijn charme, rijkdom en familieconnecties in te zetten om het ternauwernood van die opgezette dieren te winnen. Wat kon hij anders zeggen? De Liebermans specialiseerden zich in alle vormen van handschriftanalyse, waaronder het ontdekken van vervalste handtekeningen, het aantonen van de echtheid van handtekeningen, het signaleren van veranderingen in testamenten, eigendomspapieren en allerlei andere zakelijke documenten.

De muren van zijn kleine receptieruimte waren beplakt met honderden vervalste cheques die hij had ontdekt en die de politie hem als souvenir had gegeven wanneer de vervolging van de daders met succes was afgesloten. Onder de laagste rij cheques, in totaal voor ongeveer twee miljoen dollar, nam Manny's zoon David de telefoon op en deed hij de administratie. David was adembenemend mooi en homoseksueler dan Elton John. Wat zonde, vond Fernandez toen ze in zijn babyblauwe ogen keek en wachtte tot hij had opgehangen.

David Lieberman hield zijn hand over de telefoon en fluisterde tegen haar: 'Loop maar door, agent Fernandez. Dat vindt mijn vader niet erg.'

'Bedankt,' zei ze. Ze vroeg zich af of het mogelijk was hem te 'bekeren'. Ach, ook als dat niet kon, wilde ze het best proberen.

Fernandez klopte op een goedkope houten deur, duwde hem open en liep een kamer in die er nog goedkoper uitzag. Manny gaf niet graag geld uit aan andere dan absoluut noodzakelijke dingen, en tot die laatste categorie rekende hij alleen de hulpmiddelen die hij nodig had om zijn vak uit te oefenen. De laatste tijd was hij zo goed als doof geworden. Hij keek dan ook niet van zijn werk op toen Fernandez in de deuropening bleef staan, wachtend tot hij haar uitnodigde verder te komen.

De oude man zat achter een opgeruimd bureau, met felle bureaulampen en allerlei kostbare vergrootglazen, die met hun lange stelen als weggegooide lolly's voor hem lagen. Hij droeg een oeroud donkerblauw jasje, een wit overhemd en een blauwe das die strak was aangetrokken.

'Goedemorgen, meneer Lieberman,' zei Fernandez poeslief.

Het hoofd met uitgedund wit haar richtte zich half naar haar op. Een van zijn ogen was nog gericht op zijn vergrootglas en het papier daaronder.

'Goedemorgen, agent Fernandez, kom binnen. Kom je een oude man lastigvallen?'

'Beslist niet,' loog ze, en ze liep de kamer in. 'Ik kom hem juist erg gelukkig maken.' Ze groef in haar tasje en haalde daar een papieren zak met geglazuurde koffiebroodjes uit, van een soort die alleen verkrijgbaar was bij een bakker in de buurt van het huis van haar ouders op Staten Island.

Lieberman schonk haar nu zijn volle aandacht. 'O, jij bent een engel die uit de hemel is gevallen,' zei hij terwijl hij ze van haar aanpakte. De geglazuurde koffiebroodjes waren een grapje van hen beiden, al vanaf de eerste zaak waaraan ze samen hadden gewerkt; Manny had Angelita toen geholpen een topinbreker en criminele juwelier uit Manhattan op te pakken. De juwelier verkocht diamanten van hoge kwaliteit aan rijke cliënten en gaf vervolgens aan de inbreker de adressen door waar het 'ijs' was. De inbreker stal de diamanten en de juwelier kocht ze van hem terug voor een fractie van de waarde. Vervolgens verkocht de juwelier de diamanten opnieuw via winkels die hij in andere delen van het land had.

'Weet je, Angelita,' zei Manny met een vijfkaraats fonkeling in zijn ogen, 'als ik vijfentwintig jaar jonger was, en ik was nog vrij, dan zouden jij en ik...'

'Ja,' lachte Fernandez, 'dan zou u achter de tralies zitten, want dan zou ik minderjarig zijn, en u nog steeds een oude viezerik.'

Ze lachten allebei. Fernandez nam een van de koffiebroodjes en at van het glazuur. 'Hebt u iets voor me, meneer Lieberman? Of moet ik nog eens terugkomen?'

Manny Lieberman zuchtte. Hij wist dat hij door de brutale jonge agente werd 'bewerkt', en dat vond hij prachtig. Hij stopte het papier dat hij had bestudeerd in een map en legde die in een bureaula. Toen haalde hij een andere map tevoorschijn. Fernandez herkende meteen het zorgvuldig uitgeknipte stuk karton dat met zwarte viltstift was beschreven. Het kwam uit het pakje waarin Sarah Kearneys hoofd naar de FBI was gestuurd. Manny nam ook een fotokopie van het BRK-briefje uit Italië en legde hem naast het stuk karton.

'Ik weet dat jullie je aandacht nooit lang ergens bij kunnen houden, en dus zal ik proberen dit zo kort mogelijk uit te leggen.' Hij vouwde zijn handen samen. 'Het is dezelfde man met dezelfde viltstift. Jullie Italiaanse pakje en jullie Amerikaanse pakje zijn door dezelfde persoon geadresseerd.'

Fernandez' gingen wijd open bij het besef van wat zijn weinige woorden betekenden. 'U weet het zeker?'

Manny pakte een bril met gouden montuur en zette hem op. 'Ach, dus nu wil je de niet zo korte versie?'

'Ik ben bang van wel.'

'Oké. Laten we dan met de wetenschap beginnen. Zoals je weet, zijn mijn methoden een beetje ouderwets, maar ze hebben me nog nooit teleurgesteld. Ik heb een heel klein beetje inkt van het karton geschraapt. Ik onderwierp die inkt en het inktmonster uit Italië aan pyrolysegaschromatografie, waaraan ik altijd de voorkeur heb gegeven bij het analyseren van verf- en vezelmonsters. De resultaten van dat proces zijn nagenoeg uniek. Het onderzoek is in elk geval zo betrouwbaar dat ik met het volste vertrouwen op elke rechtbank kan zeggen dat de monsters overeenkomen.'

'Goed,' zei Fernandez, die aan de bewijsvoering dacht. 'Dat betekent dus dat hetzelfde type viltstift gebruikt is, misschien zelfs dezelfde viltstift, maar dat zou toch niet bewijzen dat dezelfde man hem heeft gebruikt?'

'Nee, dat niet. En dat is vermoedelijk ook de voornaamste reden waarom je naar mij toe gekomen bent.'

'Meneer Lieberman, waar zou ik anders heen gaan – u bent de beste.'

'Met vleierij, agent Fernandez, bereik je alles wat je hartje begeert.'

Manny schoof een vel overtrekpapier uit de map, legde het over de fotokopie van de BRK-brief die in Italië was gevonden en zette het vast met paperclips. 'Eerst heb ik de bovenkant van de letters geanalyseerd en heb ik dit "spoor" aangegeven om te laten zien hoe de dader zijn letters begint. Zie je?'

Fernandez moest achter hem gaan staan om het goed te kunnen zien. Het overtrekpapier was bedekt met kleine tekentjes. De eerste tekentjes zaten op het hoogste punt van alle letters. 'Ik zie het,' zei ze.

'Oké. Toen heb ik aangegeven waar zijn tweede toppen zijn. Op de letter B bijvoorbeeld zit mijn eerste teken op de top van de B en mijn tweede teken op het punt waar de bovenste halve cirkel van de B het midden van de verticale letterlijn raakt. Zie je dat ook?'

Fernandez keek aandachtig naar het overtrekpapier. 'Ja, meneer Lieberman, ik kan u nog volgen.'

Manny leunde achterover. 'Nadat ik alle toppen en dalen van de letters met die stipjes had aangegeven die je hebt gezien, kon ik de stippen met elkaar verbinden om een soort grafiek te verkrijgen. Ik zal het je laten zien.' Hij boog zich weer over het overtrekpapier en streek met zijn vinger langs de potloodlijn, die voor Fernandez sterk op de uitdraai van een ECG of een leugendetector leek. 'Daarna nam ik deze overtrek van de BRK-brief en legde ik hem over wat er geschreven staat op het etiket van de doos die hij naar jullie kantoor hier in New York stuurde.' Manny schoof de overtrek over het karton en legde hem netjes op zijn plaats. 'Je ziet nu dat hij weliswaar met hoofdletters schreef, uiteraard om te voorkomen dat het handschrift tot hem werd herleid, maar dat hij ons toch genoeg aanwijzingen geeft. De hoogte van alle letters is identiek, de punten in het midden zijn identiek, de ruimtes tussen de letters zijn identiek, de ruimte tussen de woorden is identiek en de ruimte tussen de regels die hij heeft geschreven is ook identiek. Zoals ik al zei: dezelfde man schreef dezelfde berichten met dezelfde viltstift.'

'Meneer Lieberman, op momenten als dit zou ik willen dat ik vijftig jaar ouder was,' zei Fernandez, en ze drukte een kus op zijn kruin.

Plotseling waren al hun instincten en ingevingen gerechtvaardigd. Eindelijk hadden ze duidelijk bewezen – hopelijk op een dag ook duidelijk genoeg voor juryleden – dat er niet twee moordenaars aan het werk waren geweest. Alleen die ene. De Black River-killer was inderdaad de oceaan overgestoken en had in Italië gemoord.

65

Pan Arabia News Channel, New York

Jack en Howie hadden geen tijd te verspillen aan beleefdheden. Howie duwde zijn FBI-insigne voor het gezicht van de bewakers op de receptie van Pan Arabia en maakte op botte wijze duidelijk dat hij en zijn collega regelrecht doorliepen naar El Dahers kantoor, of ze dat nu leuk vonden of niet.

Ze namen de lift en stelden zich allebei voor wat er straks zou gebeuren. De metalen deuren schoven open en ze kwamen in een druk open kantoor met ook een receptiebalie. Howie liet zijn insigne weer zien. 'FBI. Waar is het kantoor van Tariq el Daher?'

Een jonge vrouw van midden twintig had bijna de moed en de tegenwoordigheid van geest om hem te vertragen, maar ze bezweek en zei: 'Links achteraan. Zal ik zijn secretaresse bellen en zeggen...'

Jack en Howie waren al weg voor ze haar zin had afgemaakt. Ze liepen langs journalisten die op toetsenborden hamerden en secretaresses die met veelkleurige scripts in de weer waren. Toen ze de glazen deur van Tariq el Dahers kantoor openduwden, zat de journalist daar met een andere man tv te kijken.

'Ik wist niet dat u een afspraak had, meneer Baumguard,' zei de journalist zonder zijn blik van het scherm weg te nemen.

'Heb ik die nodig?' zei Howie, en hij stak zijn vinger uit naar de knop om het toestel uit te zetten. 'Ik dacht dat we gisteren iets hadden afgesproken. En vanmorgen rij ik naar mijn werk en krijg ik op de radio een heleboel onzin te horen waar ik me zo kwaad over maak dat ik regelrecht hierheen ben gekomen.'

Tariq keek Howie aan. 'Als u zo goed wilt zijn de televisie weer aan te zetten, laat ik u iets zien wat u zal interesseren.'

Howie wierp hem een onderzoekende blik toe en zette toen het toestel weer aan.

Jack ging omstandig met zijn grote lijf naast Tariqs metgezel op de bank zitten. 'Hallo daar,' zei hij. Het klonk eerder intimiderend dan beleefd. De man, zo te zien een vrijeberoepsbeoefenaar van achter in de vijftig, keek hem aan, maar zei niets.

Tariq drukte op een knop van de afstandsbediening om de videobeelden terug te spoelen. 'Ik kreeg vanmorgen een telefoontje van iemand die onze receptie had gebeld en had gevraagd mij te spreken. Anonieme bellers worden in de regel niet doorverbonden, maar hij vroeg de receptie me de cijfers 898989 door te geven. Ik nam het telefoontje aan en hij zei dat de hyperlink waarop ik gisteren had geklikt over vijf minuten weer zou worden geactiveerd en na nog eens vijf minuten weer buiten werking zou zijn. Hij voegde eraan toe dat de link niet zou werken als ik de politietracering erop liet zitten.'

'Hoe klonk hij?' vroeg Jack.

Tariq keek hem fronsend aan. 'En u bent?'

Jack keek fronsend terug. 'Ik ben degene die u de vraag stelt. Hoe klonk hij?'

'Zijn stem was vervormd,' zei Tariq. Hij wees naar zijn bureau met glazen blad. 'Ik heb het opgenomen. Ik zal een kopie voor u laten maken.'

'Hé, bedankt,' zei Howie. 'Wat zei hij?'

Tariq gaapte, alsof het hem grote moeite kostte hun vragen te beantwoorden. 'Dat was het. Hij zei alleen dat ik vijf minuten de tijd had om naar de site te gaan. Ik denk dat we dertig seconden zijn misgelopen, misschien een minuut. Toen u binnenkwam, keek ik naar de beelden.'

'Dezelfde beelden die u vanmorgen in uw journaal van acht uur liet zien?' vroeg Howie.

'Ja,' bevestigde Tariq. 'Maar ik neem aan dat als u er op de radio over hebt gehoord u het materiaal zelf nog niet hebt gezien?'

'Dat neemt u terecht aan,' zei Howie.

Tariq drukte op de afstandsbediening. Zodra de eerste beelden op het scherm te zien waren, zette hij ze stil. 'Ik zal het u laten zien, maar u moet wel begrijpen dat we deze versie niet in zijn geheel uitzenden. We hebben alleen het minst schokkende deel van de video uitgezonden, en dat ook maar twintig seconden.'

'Heel ingetogen,' zei Jack sarcastisch. 'Wat verantwoordelijk van u.'

Tariq legde de afstandsbediening op zijn schoot en keek Jack weer fronsend aan. 'U bent Jack King, nietwaar? Ik heb een foto van u gezien toen ik bij Reuters werkte, vier of vijf jaar geleden. Heb ik gelijk?'

Jack keek hem strak aan. 'We hebben hier geen tijd voor. Laat de beelden zien.'

Tariq keek naar het gezicht van de man. Hij was er zeker van dat hij gelijk had. Hij drukte op PLAY en de beelden kwamen in beweging.

Howie en Jack gaven geen krimp. Ze reageerden niet toen ze de afschuwelijke stuiptrekkingen van het meisje zagen. Zonder enige emotie tuurden ze naar elke vierkante centimeter van het scherm, op zoek naar iets wat hun kon vertellen waar ze was geweest toen de opname werd gemaakt en of ze misschien nog in leven was.

Jack dacht aan de redenen waarom iemand de scène met vaste camera's zou opnemen, in plaats van bij het slachtoffer in de kamer te zijn. Waarom filmde hij het niet zelf met een camera die hij in zijn hand had? Dan kon hij dichtbij komen en was het persoonlijker.

Misschien zou hij dat ook doen, als hij een keuze had. Dat betekende dat hij niet in het gebouw was waar het meisje werd vastgehouden.

Waarom zou hij niet in dat gebouw zijn? Omdat hij overdag werkte? Of, en dat was waarschijnlijker, omdat hij bij de plaats van het misdrijf vandaan wilde zijn als ze stierf, zodat het veel moeilijker werd om hem met de moord in verband te brengen?

De opnamen duurden bijna vier minuten. Toen ze het slachtoffer ongeveer dertig seconden stil hadden zien liggen, vroeg Howie om een onderbreking. 'Stop. Zet hem even stil. Wat denk je, Jack? Is ze dood of niet?'

Jack krabde aan zijn nek en wilde net zijn opinie geven toen Tariqs metgezel voor het eerst sprak. 'Als ik me mag voorstellen: ik ben Ian Carter, arts. Ik ben adviseur van het televisiestation en ik ben vroeger lid geweest van de World Health Organisation. Ik heb de beelden nog maar drie of vier keer gezien, maar op grond van wat ik heb waargenomen zou ik zeggen dat ze vreselijke stuiptrekkingen heeft gehad en daarna het bewustzijn heeft verloren. Ik kan niet met zekerheid zeggen dat ze dood is. Jammer genoeg kan ik u ook niet met veel overtuiging zeggen dat ze nog in leven is.'

'Hoe lang is ze al zo?' onderbrak Jack hem.

'Het is mogelijk dat deze beelden een tijdje geleden zijn gemaakt en dat het meisje al dood is. Het kunnen ook heel recente beelden zijn. In dat laatste geval kan ik u als deskundige zeggen dat zelfs wanneer ze die stuiptrekkingen heeft overleefd, ze kritiek dicht bij de dood is.'

'Hoe lang zou u haar geven, dokter?' vroeg Howie.

Carter dacht daar even over na. 'Achtenveertig uur op zijn hoogst.'

Deel 8

Zondag 8 juli

66

Holiday Inn, New York

Laat op de avond was Howie eindelijk naar huis gegaan voor ronde twee met Carrie. Jack had een kamer genomen in de Holiday Inn aan Lafayette Street.

Jack vermoedde dat de FBI een contract op budgetniveau had, want de kamer was klein en stonk naar zijn onzichtbare, onreine voorganger. Toen hij zich op het bed liet vallen, ontdekte hij dat de springveren vervaardigd waren door holbewoners. Hij belde de receptie en vroeg of hij een broodje en een glas melk kon krijgen. De man lachte en zei iets in het Spaans waarvan Jack vermoedde dat het 'Vergeet het maar' betekende. Hij legde de telefoon neer en was eerst razend van woede, maar bedacht toen dat het misschien wel goed voor hem was om eens een nachtelijke snack over te slaan. Hij dacht aan het meisje op de videobeelden en voelde zich schuldig. Het arme kind zou alleen al voor de fles water in zijn kamer een moord begaan, laat staan voor een chocoladereep uit de minibar, en hij maakte zich kwaad omdat hij geen roomservice kon krijgen.

Jack trapte zijn schoenen uit, keek op zijn horloge en belde Nancy. In New York liep het tegen één uur 's nachts, zodat het in Toscane zeven uur 's morgens zou zijn. Enkele seconden nadat haar wekker was afgegaan, belde hij. Nancy was een gewoontedier. De wekker stond altijd op dezelfde tijd afgesteld, zelfs op zondag. Ze zag er het nut niet van in om in bed te liggen en wilde altijd zo vroeg mogelijk aan de dag beginnen. Ze praatten niet lang met elkaar, net lang genoeg om te zeggen dat ze van elkaar hielden. Jack vroeg haar Zack namens hem een kus en een knuffel te geven.

Nadat hij had opgehangen, ging Jack weer op het bed liggen, met zijn pak nog aan. Hij stelde zich voor dat zijn vrouw en kind aan hun dag begonnen. Die beelden waren geruststellend genoeg om hem een slaperig gevoel te geven, maar hij nam voor alle zekerheid een Ambien en spoelde hem weg met water. Hij was van plan even te rusten en dan naar de badkamer te gaan, maar daar kwam hij niet meer. Binnen enkele seconden nadat hij zijn ogen had gesloten sliep hij al.

En toen begon de nachtmerrie.

Alleen ging het deze keer anders.

Deze keer was hij in dezelfde kamer als het meisje op de video. Ze had weer stuiptrekkingen. Haar hele lichaam stuiterde over die vreemde tafel waarop ze was vastgebonden. Jack legde zijn hand op haar borst om haar tot bedaren te brengen. Hij keek naar haar gezicht, ze haalde nog adem. Hij maakte haar kettingen losser en draaide haar op haar zij om te voorkomen dat ze stikte, en toen haalde hij ergens een deken vandaan om haar ermee te bedekken. Algauw liep de kamer vol met ziekenbroeders, politieagenten en technisch rechercheurs. De broeders tilden het meisje voorzichtig op een brancard, legden een infuus met een zoutoplossing aan en droegen haar naar een ambulance.

Jack voelde zich goed; ze kwam er wel bovenop. Hij had haar gered. Hij keek naar de kamer, terwijl de technische recherche foto's maakte en sporenmateriaal in zakjes deed en die van een etiket voorzag. Hij zag iets op de vloer liggen. Iets schokkends.

Jack werd wakker.

Een gedachte schoot als een bliksemschicht door zijn onderbewustzijn.

In de droom die hij zojuist had gehad, stak hij zijn hand uit naar de krant op de vloer, de *USA Today* van 2 juli.

Plotseling had Jack het antwoord op de vragen die hij in het kantoor van Tariq el Daher aan zichzelf had gesteld.

Waarom zou haar belager het niet zelf filmen met een camera in zijn hand, zodat hij dicht bij haar kon komen en het persoonlijker werd?

De krant was daar achtergelaten om te laten zien dat de videobeelden die Tariq op 5 juli had gekregen recent materiaal waren. Maar toen Tariq op 7 juli nieuwe beelden kreeg, lag er geen nieuwe krant.

Waarom niet?

Het antwoord was eenvoudig. Omdat hij niet in die kamer was geweest sinds hij die krant had achtergelaten die op de beelden te zien was. Omdat hij vanaf 2 juli, zes dagen geleden, het meisje had laten doodhongeren en op afstand de camera's bestuurde en de beelden via internet verstuurde. Internet: het ideale hulpmiddel van anonieme misdadigers.

Maar waar was hij nu?

67

San Quirico D'Orcia, Toscane

De zonsopgang draaide de klok terug in San Quirico D'Orcia, maakte het stadje weer zo onbedorven als in de tijd dat de middeleeuwse stichters zich daar hadden gevestigd.

Terry McLeod glipte ongehoord en onopgemerkt door de voordeur van La Casa Strada. Geen van de andere gasten was op en het zou nog een hele tijd duren voordat Maria arriveerde, haar make-up bijwerkte en haar plaats bij de receptie innam. McLeod had voor schoenen met rubberen zolen gekozen om geen geluid te maken, zelfs niet toen hij over de goudkleurige stenen platen liep die om het hotel heen lagen. Hij droeg een wijde groene combatbroek, een bruin T-shirt, een groene trui waarvan hij wist dat hij hem zou uittrekken zodra de zon een halve meter hoger aan de hemel stond en een bruine pet om zijn ogen af te schermen. Hij droeg een middelgrote rugzak, die gevuld was met het 'gereedschap van zijn vak' en ook eten en drinken om hem op de been te houden terwijl hij geduldig wachtte tot de gebeurtenissen van de dag zich zouden voltrekken.

De straten waren verlaten, maar vertelden toch hun verhaal over het samengaan van verleden en heden. Aan de in lichte kleuren beschilderde muren van eeuwenoude huizen hingen waslijnen met witte lakens, gekleurde overhemden en grijs geworden ondergoed. Daarnaast, voor de cafés en restaurants met hun glazen puien, stonden tafels en stoelen opgestapeld, wachtend tot de straten waren schoongemaakt. Een enkel gevallen ijsje had veelkleurige vlekken op de gladde stenen tegels achtergelaten. Fietsen stonden naast portieken of in steegjes, nooit op slot gedaan door bewoners voor wie diefstal even ondenkbaar was als slechte plaatselijke voeding of wijn. Enkele straten verderop sloegen kerkklokken het halve uur. Het was halfzeven.

McLeod wist precies waar hij heen ging. In de afgelopen dagen had hij de exacte plaats voor de gebeurtenis van deze dag bepaald.

Hij liep in zuidoostelijke richting naar het punt waar de Via Dante Alighieri op de Via Cassia uitkomt. Toen verliet hij het platgetreden toeristenpad en volgde een meer zuidelijke koers. Even later beklom hij een met struiken begroeide heuvel waarvan het bestaan waarschijnlijk alleen bij een paar van de meer avontuurlijk ingestelde kinderen bekend was. Het gras was hier hoog en was waarschijnlijk nooit gemaaid of zelfs begraasd door levende have. Rotsen van zandsteen, nog donkerder dan de eeuwenoude muren van het stadje, vormden beschutting tegen de zon en eventuele nieuwsgierige ogen.

McLeod keek om en tuurde naar mogelijke routes die naar zijn positie leidden. Hij onderzocht de grond om hem heen en ging zitten. Met zijn zorgvuldig gekozen groene en bruine kleding kon hij als een kameleon in het rotsachtige terrein opgaan.

Hij maakte de flap van zijn rugzak los, haalde een krachtige kijker tevoorschijn, veegde de lenzen met een zacht lapje af en tuurde erdoor. Hij vond La Casa Strada bijna onmiddellijk. Hij stelde de kijker bij. Als hij een beetje naar rechts ging, had hij een perfect zicht op de privétuin waaruit Nancy King hem bits had weggestuurd. Een beetje naar links en omhoog en hij zag het raam van de kamer waarin ze nog sliep. Haar luiken waren dicht, maar het raam daarachter was duidelijk nog open.

McLeod stond op en posteerde zich achter een van de grote zandstenen rotsen. Als hij de kijker een beetje bewoog, kon hij nu de straten bij het hotel zien, en de route die ze met haar kind naar Pienza volgde. Hij was tevreden over zijn positie. Vanaf dit punt had hij een perfect overzicht.

De Toscaanse zon bewoog zich loom door de blauwe ochtendhemel, alsof hij gebukt ging onder de last die het was om weer een smoorhete dag op zijn rug te dragen. De gouden stralen overgoten algauw de buitenkant van La Casa Strada en kleurden de terracotta dakpannen bloedoranje. Kort na zeven uur opende Nancy King haar ramen en nam de schoonheid van de nieuwe dag in zich op.

Terry McLeod liet de verrekijker zakken en pakte een Nikon D-80 met een Nikkor 1200mm telescopische lens. Hij stelde het kleine statief bij en drukte de sluiterknop tot de helft in. De multi-area autofocus van de camera ging aan en hij kon Nancy duidelijk door de slaapkamer zien lopen. Ze had haar nachtkleding nog aan, maar die kon McLeod niet bepaald sexy noemen. Hij drukte op de sluiter en de Nikon maakte zijn eerste plaatje. Heel even dacht hij dat ze de bovenkant van de pyjama van haar man droeg, maar toen besefte hij dat het een gestreept nachthemd was dat ongetwijfeld een smak geld kostte. Nancy schudde haar haar uit voor het raam en ademde de naar lavendel geurende lucht in.

Klik. De Nikon sloeg weer toe.

McLeod hoopte dat ze de bovenkant zou uittrekken, zodat hij een blik kon werpen op wat volgens hem een geweldig stel tieten moest zijn, maar in plaats daarvan wendde ze zich van het raam af en bukte ze om iets op te rapen.

Ze was nu half in de schaduw en hij kon niet zien wat ze deed. Nancy maakte een eind aan zijn twijfels door met een kind in haar armen naar het raam terug te keren. Klik, klik!

McLeod veronderstelde dat het Zack was, de driejarige jongen over wie Paullina hem had verteld. Nancy streek bij het raam door zijn haar, kuste zijn wang en wees dingen in de tuin en in de heuvels aan.

Klik. De camera legde elk gebaar vast.

Het was goed dat hij close-ups van het kind kon maken. Wanneer er een kind in het spel was, wist McLeod het altijd in zijn voordeel te gebruiken. Ja, het was erg gunstig voor hem dat hij dicht bij het kind kon komen.

68

Holiday Inn, New York

Jack sliep nog in zijn hopeloos verkreukelde pak, toen om zeven uur die ochtend de telefoon ging. Hij tuurde met slaapogen naar het schermpje en kon nog net zo'n beetje Howies nummer herkennen.

'Hallo,' bromde hij.

'Hé, man, ga douchen en je aankleden. Ik sta over tien minuten voor je hotel,' zei Howie opgewonden. 'We hebben een echt spoor. Iemand van IAD heeft een corrupte politieman in Brooklyn de duimschroeven aangezet. Die politieman is goede maatjes met een Russische pooier die een hoer heeft die bevriend is met het meisje op onze video.'

De woorden vlogen zo snel langs Jack heen dat alleen de essentiële frasen tot hem doordrongen: een echt spoor, iemand in Brooklyn, een hoer die bevriend was met het meisje op onze video. 'Oké. Ik sta op. Tot over tien minuten.'

Jack trok zijn pyjama uit en strompelde naar de douche. Hij kon nog steeds niet helemaal bevatten wat Howie hem had verteld. Het deed er niet toe. Ergens was er iemand die het meisje kende en dat betekende dat ze een kans maakten om uit te zoeken waar ze was.

Jack had maar één pak meegebracht, en hij was zo dom geweest om daarin te gaan slapen. Het jasje zag er nu uit alsof een zwerver het had geleend voor het jaarlijkse bal van spiritusdrinkers. Hij liet het op het bed liggen en trok een overhemd zonder das en een effen zwarte broek aan.

Toen hij buiten kwam, stak Howie zijn middelvinger op naar een automobilist die naar hem had getoeterd. Jack ging naast hem zitten. 'Hartstikke goed dat we de dag met goed nieuws kunnen beginnen. Waar gaan we heen?'

'Ontbijt in Brooklyn. We werken samen met een zekere Pete McCaffrey.' Howie gooide het stuur om, trapte het gas in en vond met gierende banden een opening in het verkeer. 'McCaffrey is een van de weinige mensen van Interne Zaken die hun vak verstaan. Hij jaagt niet op politiemensen die fouten maken en soms iets verknoeien, zoals we allemaal wel eens doen, maar richt zijn pijlen op de echt rotte appels in de mand.'

'Help me eens even,' zei Jack. 'Wat is de exacte connectie met ons meisje?'

'Pete en zijn collega Gerry Thomas zaten op het spoor van een corrupte politieman, een zekere George Deaver. Deaver kreeg gratis nummertjes van hoeren in de Beach-wijk. Hij haalde de oude truc uit: als hij klaar was, liet hij zijn insigne zien en zei hij dat hij niet ging betalen.'

'Geen groot nieuws,' zei Jack.

'Nee, maar nu blijkt dat onze vriend Deaver een Russische gangster, een zekere Oleg Smirtin, kwaad heeft gemaakt. En die is wél groot nieuws. Smirtin is een van de grote jongens in Little Odessa en het schijnt dat Deaver meisjes van Smirtin heeft gebruikt voor gratis nummertjes.'

'Niet erg slim,' zei Jack. 'Ik neem aan dat je vriend McCaffrey plotseling geïnteresseerd was vanwege de betrokkenheid van Smirtin?'

'Precies. Ze denken dat die Rus een paar politiemensen op zijn loonlijst heeft staan en ze hebben Deaver onder druk gezet om hun informant te worden. Hoe dan ook, Deaver komt naar hen terug en zegt dat de meid met wie hij het deed zegt dat ze een vriendin is van het meisje op de video.'

'Noemde hij ook een naam?' vroeg Jack.

'Zo ver is hij niet gekomen. Fernandez is al in Brooklyn. Ze roept iedereen op. We kunnen samen met McCaffrey en Deaver praten, en dan gaan we naar dat hoertje. Desnoods praten we ook met Smirtin.'

'Waar ontmoeten we ze? Hebben we het kantoor in Cumberland Street nog?'

'Jazeker,' zei Howie. 'Daar gaan we nu heen. En de cafetaria om de hoek heeft nog steeds het beste ontbijt buiten mijn moeders keuken.'

69

San Quirico D'Orcia, Toscane

Terry McLeod zat nu een uur geduldig op zijn schuilplaats.

Hij begreep dat de dingen in Italië zelfs onder de gunstigste omstandigheden nooit snel gingen, en op een zondag in Toscane... nou, dan lag het tempo lager dan dat van een gewonde slak.

Hoe langer het wachten, hoe mooier het resultaat, zei hij tegen zichzelf.

Hij dronk water uit een fles die hij in zijn rugzak had en gebruikte de militaire kijker om te volgen wat er in het hotel gebeurde. Die vrouw King maakte een heel gelukkige indruk, zoals ze daar door haar veilige huis liep.

Geniet er maar van, zei hij in gedachten tegen haar. Straks ga ik jouw gelúkkige leventje helemaal op zijn kop zetten.

Hij leunde achterover en wachtte op zijn kans.

Geduld was een van McLeods goede eigenschappen. Als het moest, wachtte hij de hele dag.

70

Brooklyn, New York

De tien kilometer lange rit van Jacks hotel naar Brooklyn had vijftien tot twintig minuten in beslag moeten nemen, maar het verkeer op Flatbush Avenue schoot niet erg op en daar kwam nauwelijks verbetering in toen ze door Veronica en Erasmus reden.

Howie belde toen ze parkeerden en Fernandez bestelde een ontbijt voor hen: sap, koffie, muffins, pannenkoeken en een fruitmix. Dat fruit was een idee van Jack; Howie was alleen geïnteresseerd in de pannenkoeken en muffins.

Fernandez zat al in een kamertje met Pete McCaffrey en Gerry Thomas, de twee rechercheurs van Interne Zaken, en hun nieuwe beste vriend, George Deaver. Al voordat ze aan Jack werden voorgesteld, wist hij wie wie was. McCaffrey zat op de rand van een groot lomp houten bureau en droeg grote lompe kleren. Hij had een ruig gezicht, met een zwarte das die strak was aangetrokken boven zijn effen witte overhemd. Hij dronk water uit een plastic coolerbeker en probeerde indruk op Fernandez te maken, zoals alleen oudere rechercheurs van Interne Zaken denken dat ze dat kunnen, namelijk met overdreven macho lichaamstaal en verhalen over wat ze hadden gedaan voordat ze in de gehate wereld van Interne Zaken verzeild waren geraakt. Thomas, een jongere kloon van zijn baas, met een iets goedkoper zwart pak en een veel lossere en goedkopere das, hing aan McCaffreys lippen. George Deaver was het buitenbeentje. Hij zat met een somber gezicht een stukje bij de anderen vandaan, zijn armen over elkaar als iemand die alle zorgen van de wereld op zijn schouders torste. Dat laatste was niet zo ver gezocht, want hij was een corrupte politieman die was opgepakt en die waarschijnlijk in de rechtbank en misschien in de gevangenis terecht zou komen.

Howie stelde Jack voor en ze gaven elkaar een hand. Toen werd Deaver door McCaffrey voorgesteld en kreeg alleen een hoofdknikje. De streep was al getrokken en dat lieten ze Deaver onwillekeurig weten.

'Waar is het meisje?' vroeg Howie.

'Hiernaast,' antwoordde Fernandez. 'We hebben frisdrank voor haar gehaald, maar waarschijnlijk hadden we beter een dokter kunnen halen. Ze ziet eruit alsof ze zich de afgelopen nacht helemaal vol heeft gegoten. Er let iemand op de deur, dus ze loopt niet weg.'

McCaffrey zette alles nog eens uiteen en Jack luisterde beleefd, alsof hij het voor het eerst hoorde. Toen vertelde Deaver hen over zijn ontmoeting met Smirtin, tegen wie hij had gezegd dat hij naar zijn verdwenen hoertje zocht.

'Dat meisje op die videoband heet Ludmila Zagalsky, al schijnt iedereen haar Lu te noemen,' zei Deaver, die zijn best deed om als een behulpzame politieman over te komen, en dus niet als een corrupte. 'Ze is vijfentwintig en Russisch. Ze komt uit Moskou, denken we. Smirtin heeft me erg weinig over haar verteld toen we samen in zijn kebabtent zaten, al was ik daar speciaal naartoe gegaan om over haar te praten. Het interesseerde hem meer of ik bij het openbaar ministerie iemand kende die hem kon helpen met tabaksproblemen.'

'Roken is dodelijk,' zei Fernandez, 'tenminste dat zegt de overheid, en dat is het enige advies dat klootzakken als Smirtin zouden moeten krijgen.'

Deaver negeerde haar. 'Nou, de volgende dag, dat was de zesde, belt hij me en zegt hij dat hij weet waar Lu is; hij heeft haar verdomme op tv gezien. Nou, het blijkt dat die A-ra-bie-ren...'

'Ja, dat weten we al,' onderbrak McCaffrey hem. 'Het gaat om het gesprek dat je met haar vriendin had. Deze jongens hier zijn met hun pensioen tegen de tijd dat jij ter zake komt.'

Deaver slikte zijn afkeer in en ging verder met het verhaal. 'Die avond ging ik naar haar vriendin Grazyna Macowicz ...'

McCaffrey onderbrak hem opnieuw. 'Dat is de hoer die we hiernaast hebben zitten. Die hij voor niks naaide.'

'Grazyna trilde als een espenblad,' zei Deaver. 'Toen ik haar vond, had ze een fles wodka op, al was het nog maar vijf uur 's middags. Ze zei dat de ontvoerde vrouw die op alle nieuwsstations te zien was, haar vriendin was.'

'Is ze daar voor honderd procent zeker van?' vroeg Howie, en hij voegde eraan toe: 'Dit is toch niet een aandacht trekkende, tijd verspillende stunt van een liegend junkhoertje, hè?'

Fernandez haalde diep adem. 'Dat kun je niet zeggen, baas. Ik heb haar gesproken en ik denk dat ze de waarheid spreekt.'

Howie negeerde haar en bleef Deaver aanstaren, wachtend op een antwoord.

De corrupte politieman trommelde met zijn vingers op de armleuning van zijn stoel en dacht erover na. 'Dat denk ik ook,' zei hij. 'Het gezicht is op die video vrij goed te zien. Ik heb al een fotootje van Ludmila; Grazyna heeft er nog een paar voor ons gevonden.' Deaver gaf een automaatfoto van de twee meisjes samen. Howie keek er eerst naar en gaf hem toen aan Jack.

De telefoon op het bureau ging en iemand vroeg Fernandez of het ontbijt mocht worden binnengebracht. Terwijl de anderen ruimte op het bureau vrijmaakten voor het eten, trokken Jack en Howie zich in een hoek terug.

Jack gaf de foto terug. 'Ze lijkt wel op het meisje van de videobeelden,' zei hij.

'Ja, dat denk ik ook,' beaamde Howie. 'Denk je dat ze nog hier in de buurt is?'

'Daar kunnen we niets over zeggen,' zei Jack. 'Een andere vraag is belangrijker: is er een kans dat ze nog leeft?'

Het eten kwam en Jack stapelde muffins en pannenkoeken op twee borden. Hij pakte ook wat fruit en twee kartonnen bekers koffie.

'Leuk om te zien dat je in al die horecajaren hebt leren oberen,' grapte Howie toen ze naar de andere kamer gingen om met Grazyna te praten. Howie opende de deur en de jonge vrouw die tegenover hen zat keek op, haar schouders ingetrokken, haar gezicht wit en mager.

'Ik ben Howie Baumguard, mevrouw. Deze menselijke serveerwagen hier is Jack King. Hij heeft ontbijt voor je meegebracht.'

'Goeiemorgen, Grazyna,' zei Jack vriendelijk. 'We zijn hier om te proberen je vriendin te vinden.' Jack vroeg niet of ze wilde eten, maar zette het gewoon voor haar op de tafel neer en trok het deksel van haar beker koffie. De ervaring had hem geleerd dat veel mensen niets van een politieman wilden accepteren. Daarom was het beter ze iets te geven zonder het eerst te vragen.

Howie ging naast haar zitten. 'We hebben gehoord dat je zeker weet dat het meisje op die videobeelden die op tv worden vertoond, het meisje dat ergens wordt gegijzeld, je vriendin Ludmila Zagalsky is. Klopt dat?'

Grazyna pakte de koffie op. Haar hand beefde zo erg dat ze de beker weer moest neerzetten om zich niet te branden. 'Dat klopt,' antwoordde ze met een gesmoord stemmetje. 'We zijn bijna zussen. Ik herkende haar meteen.'

'Wanneer heb je haar voor het laatst gezien, Grazyna? Weet je dat nog?' vroeg Jack.

Daar had Grazyna veel over nagedacht. 'Dat was zes nachten geleden, om ongeveer één uur, bij Primorski's restaurant aan Beach Avenue.'

Howie en Jack keken elkaar vragend aan. 'Hoe weet je dat zo zeker?' vroeg Howie.

Nu aarzelde Grazyna. Ze beet op haar lip en wendde haar ogen van hen af. 'Ik ga met een ober van Primorski, een jongen die Ramzan heet. Lu viel ook op hem, maar ik heb hem versierd toen ze er niet bij was en ik durfde haar er niet over te vertellen. Ik had aan het eind van zijn dienst met hem afgesproken, en toen ik kwam aanlopen, zag ik Lu bij het raam naar hem zwaaien. Ik dook in een portiek aan de overkant en verstopte me daar een tijdje.'

'Waarom deed je dat?' vroeg Howie.

'Weet ik niet,' zei Grazyna. 'Ik vroeg me af of hij mij misschien bedroog. Dus bleef ik daar staan om te zien of hij naar buiten kwam om haar te kussen of zoiets.'

'En deed hij dat?' vroeg Jack.

'Nee, dat deed hij niet. Na een tijdje zwaaide ze weer zo'n beetje naar hem en toen verloor ze blijkbaar haar belangstelling. Een paar minuten later kwam er iemand aanrijden. Hij ging naar de geldautomaat bij het restaurant en ze sloeg hem aan de haak.'

De instincten van Jack en Howie kwamen als de stekels van een egel omhoog.

'Die automaat zal wel kapot zijn geweest, want ik zag Lu door de straat wijzen. Toen bewerkte ze hem, u weet wel, ze flirtte met hem. Nou, dacht ik, goed zo, meid, een paar dollar extra is nooit weg. En ja hoor, even later reed ze met die kerel mee.'

'Welke kant op?' vroeg Howie.

Grazyna fronste haar wenkbrauwen. 'Ik ben niet goed in richtingen. Even denken.' Ze wees met haar handen van zich af. 'Hij ging naar het oosten. Ja, dat weet ik zeker. Ze gingen naar het oosten.'

Howie hield zijn adem in. 'Heb je het autonummer?'

Grazyna fronste haar wenkbrauwen. 'Nee. Het was een gele Hyundai; ik zag het symbool op de achterkant.'

'Twee portieren of vier?' vroeg Howie.

Ze keek naar het plafond alsof ze daar inspiratie zocht. 'Vier.'

Howie verliet de kamer en gaf Fernandez opdracht een zoekactie naar een vierdeurs Hyundai op touw te zetten. Hij stelde voor om ook naar witte uit te kijken, want in het natriumlicht van de straatlantaarns kon Grazyna zich in de kleur hebben vergist.

Jacks hoofd gonsde van opwinding.

Eindelijk kregen ze antwoorden op een paar belangrijke vragen. Ze wisten nu de naam van het slachtoffer – Ludmila Zagalsky. Ze wisten de plaats waar ze was ontvoerd – Beach Avenue. Ze wisten het tijdstip van de mogelijke ontvoering – één uur 's nachts op 2 juli.

Op één vraag van cruciaal belang hadden ze geen antwoord: leefde ze nog?

71

Brighton Beach, Brooklyn, New York

De FBI en de politie van New York keken naar autonummers en beelden van bewakingscamera's en gingen Hyundai-dealers en handelaren in tweedehands auto's af.

Fernandez bleef bij Grazyna Macowicz, die een signalement probeerde te geven van de man met wie ze Lu had zien weggaan. Een politietekenaar werkte aan de lichaamsvorm, de bouw en de houding, terwijl een agente een compositie van zijn gezichtskenmerken maakte.

Intussen stond Jack King op het trottoir van Beach Avenue. Hij stond met zijn neus tegen het raam van Primorski en stelde zich voor wat Ludmila Zagalsky bijna een week geleden in haar laatste vrije ogenblikken had gedaan. Het was belangrijk voor hem dat hij wist in welke stemming ze verkeerde, welke gemoedstoestand haar ertoe kon hebben gebracht een risico te nemen of te vermijden. Eerst stelde hij zich het moment voor waarop ze Ramzan in het restaurant zag. Ze zwaaide naar hem in de hoop dat hij naar de deur zou komen en haar zou vragen binnen te komen, in de hoop dat ze haar avond zou eindigen in de armen van die grote lange jongen met dat knappe gezicht en die vaste baan. Maar om een of andere reden kwam hij niet.

Ach, hij kon verrekken! Een gemiddeld einde van een gemiddelde dag.

Hij stelde zich voor dat Lu zich van het raam afwendde en zich afgewezen voelde. Maar wat dan?

Jack draaide zich ook van Primorski's raam weg. Hij probeerde haar eenzaamheid te voelen, vroeg zich af wat ze nu zou doen.

Iemand kwam aanrijden om de geldautomaat naast haar te gebruiken. Tippelaarsters pikten vaak mannen op bij die automaten. De komst van die man vormde de perfecte afleiding voor Lu. Waarom niet? Hij leek onschuldig genoeg. Waarom zou ze de gelegenheid niet benutten?

Omdat ze door een man was afgewezen, wilde ze waarschijnlijk haar zelfvertrouwen herstellen door geld en macht aan een andere man te onttrekken.

Had Grazyna gelijk? Was de geldautomaat defect geweest?

Jack nam zich voor dat te laten nagaan. Zelfs als de dader een valse rekening gebruikte, zoals in feite onvermijdelijk was, zou die toch exacte informatie bevatten over de plaatsen waar hij op bepaalde tijden was geweest, en Jack had nog altijd de hoop dat die klootzak op een dag een simpele fout zou maken. Hij keek naar de geldautomaat; gebruikers werden niet in geval van een defect naar de volgende verwezen. Natuurlijk zou dat voor BRK niets hebben uitgemaakt. Ook als de automaat had gewerkt, zou hij hebben gedaan alsof hij defect was. Hij wilde alleen maar dat meisje in zijn auto krijgen.

Wilde dat zeggen dat hij al wist waar de andere geldautomaten waren? Had hij deze omgeving verkend? Had hij Lu Zagalsky zelfs een paar dagen geobserveerd en had hij op het juiste moment gewacht om in haar leven te komen?

Jack was ervan overtuigd dat hij niet een willekeurig meisje van de straat had geplukt. BRK bereidde alles zorgvuldig voor.

BRK zou het meisje de hele dag hebben gevolgd, misschien meer dagen. Dit was zijn moment geweest: de straten waren leeg en ze was alleen. Hij zou gewoon met zijn auto langs de stoeprand zijn gestopt en naar haar toe zijn gelopen. Zodra ze zich van het raam van het restaurant had afgewend, zou hij hebben toegeslagen.

Toegeslagen: die frase bleef in zijn gedachten hangen. Voor seriemoordenaars als BRK was het instinct van jagen en doden zo sterk en onweerstaanbaar als de aandrang om te paren bij fatsoenlijke mensen.

Jack liet zijn blik langs de rij winkels gaan om te zien of er bewakingscamera's hingen. Hij hoopte dat er minstens een op de geldautomaat gericht zou zijn, maar hij had pech.

Nou, Lu, wat deed je toen? Jack ging terug naar haar tijd en ruimte, naar de gedachten in haar hoofd die haar tot het maken van een fatale fout hadden gebracht.

De man ziet er onschuldig genoeg uit; straks zal hij bankbiljetten in zijn hand hebben. Hij is laat op en wil geld opnemen: misschien wil hij daar leuke dingen mee doen. Hé, ben ik geen leuk ding? Aan het werk! Een babbeltje, hem laten zien waar de volgende geldautomaat is, en dan van je hopperdehopperdehop: extra geld in de portemonnee voordat je gaat afnokken.

Jack liep langzaam over Beach Avenue. Aan de overkant reed een politiewagen mee. Die kon hem overal heen brengen waar hij maar naartoe wilde.

Terwijl hij daar liep, belde hij Howie en hoorde van hem waar de twee dichtstbijzijnde geldautomaten waren. Ergens tussen een doe-het-zelfzaak die dichtging en een Russische videotheek die openging bleef hij staan en zette zijn gedachten op een rijtje.

Waar bracht ze hem heen? Een straatje in? Een nummertje tegen de muur voor snel geld of moest hij het maar naast een vuilnisbak doen? Nee, dat kon niet. Jack leunde tegen de muur van een winkel, terwijl Lu's gedachten in zijn hoofd fluisterden.

Je kunt het ook zo bekijken, Jack: die griezel wil een pak bankbiljetten uit de muur trekken, en al doet hij zich onschuldig voor, daar trapt niemand in, hij wil er echt wel wat van aan ondergetekende besteden. Moet je hem toch eens zien, hij is een makkelijke prooi, hij is achter in de dertig, misschien in de veertig, hij ziet er ontwikkeld uit, hij zal een hotelkamer of appartement in de buurt hebben. Ze kunnen ergens heen gaan waar meer te verdienen valt dan op straat.

Jack stond roerloos op het trottoir. Voor het winkelend publiek en de toeristen die in een stroom aan hem voorbijliepen leek het of hij in trance verkeerde, of hij met zijn gedachten in een heel andere wereld was.

Aan Lu's gedachten had hij nu niets meer. De val was dichtgeklapt; de jager had zijn prooi. Van nu af moest Jack als een moordenaar denken.

Als een moordenaar voelen.

Een flitsapparaat ging af in zijn hoofd; beelden flikkerden voorbij; de kamer die hij had voorbereid; de banden en kettingen; en vooral hoe hij zich voelde: opgewonden, uitbundig, niet meer tegen te houden.

Jack keek in het waas van het verkeer en probeerde zich in BRK te verplaatsen, die in de Hyundai reed en Lu aankeek, die naast hem zat.

Ik heb hier in de buurt een huis. Daar kunnen we heen gaan.

Jack huiverde. Het flitste weer in zijn hoofd en bij zijn rechteroog trok een zenuw. Was hij hier echt klaar voor? Hij moest zich concentreren. Naar wat voor huis bracht hij haar en waar was dat?

Het is niet ver, we hoeven niet ver te rijden...

Waar hij haar ook heen had gebracht, het kon geen lange reis zijn geweest. De jager zou zo gauw mogelijk met zijn prooi alleen willen zijn. Hij zou daarnaar hunkeren.

De zenuwtrek versnelde, trok aan zijn huid als een verborgen naald die draad door zijn vlees trok. Jack legde zijn vinger op zijn rechterslaap en wreef erover.

Tippelaarsters zijn niet dom. Ze gaan een paar kilometer mee, maar niet meer dan tien of vijftien minuten rijden.

Het zenuwtrekje nam af.

Voor wat BRK van plan was had hij een huis met veel privacy nodig, hoe afgelegener hoe beter. Maar het zou ook respectabel moeten zijn; een goede buurt, want anders zou ze worden afgeschrikt. Geen enkele vrouw zou midden in de nacht meegaan naar een schuur of een pakhuis. En waar hij haar ook heen bracht, hij zou de auto uit het zicht moeten zetten. Het huis zou een garage of een schuur moeten hebben, en ook een grote kamer.

Een kamer die hij voor andere zaken gebruikt.

Zaken als het in stukken zagen van lijken.

Het is een groot, oud huis met een garage – en een kelder.

Ze wordt in de kelder vastgehouden.

Jack voelde zich misselijk bij het besef dat op datzelfde moment die jonge Russische vrouw waarschijnlijk een langzame, afschuwelijke dood stierf in een kelder op minder dan vijftien minuten rijden van de plaats waar hij stond.

Zijn hoofd bonsde nu; het was vervuld van motorgeluiden en van het haperende flikkeren van neonlampen die wel zoemden maar niet goed werkten. En toen kwamen de stemmen weer, de hopeloze stemmen die het uitgilden van pijn, die schreeuwden om hulp. Jack drukte zijn handen tegen zijn slapen.

Het is te vroeg. Nancy had gelijk. Je bent hier niet klaar voor.

Hij wreef met zijn handen over zijn gezicht en zei tegen zichzelf dat hij niet aan zichzelf moest twijfelen en zich moest concentreren. Hij keek door Beach Avenue. Vijftien minuten rijden vanaf de plaats waar hij stond: dat betekende alle huizen binnen een straal van tien kilometer.

'Shit!' zei hij hardop, en meteen zette zijn hart een sprint in. Brooklyn was het grootste stadsdeel van New York City; er woonde bijna een derde van de hele bevolking van de stad. Ludmila Zagalsky behoorde tot een half miljoen mensen die zich in het zoekgebied bevonden.

Eén op tweeënhalf miljoen: de kans dat ze haar levend zouden vinden, was klein, erg klein.

72

San Quirico D'Orcia, Toscane

De telelens die McLeod van de Nikon af schroefde, was dezelfde die hij had gebruikt om de foto van het onthoofde geraamte in Georgetown te maken. Hij zette de dop op beide uiteinden en deed de lens in zijn eigen katoenen hoes, die hij vervolgens in de rugzak stopte, bij de rest van zijn apparatuur. Hij had een fortuin verdiend met die foto van Sarah Kearneys graf en was eeuwig dankbaar voor de anonieme tip die ervoor had gezorgd dat hij daar eerder was dan de politie.

McLeod was journalist, een oude rot in het vak, een freelance fotogaaf die zijn geld verdiende door foto's en verhalen te leveren aan Crime Channel, Court TV, *Crime Illustrated* en allerlei andere *true crime*-bladen en publicaties. Hij was het gewend om in zijn eentje te werken, om clandestien te werk te gaan, om af te gaan op een tip hier en een gefluisterd woord daar. De tips kwamen vooral van politiemensen, ambulancebemanningen en een paar criminelen zelf. Gewoonlijk wilde 'de bron' aan het eind wat smeergeld, maar in het geval van Kearney was er niet om betaling gevraagd.

Het geld dat Georgetown hem had opgeleverd, had zijn belangstelling voor de zaak-BRK aangewakkerd. Het had hem ook aan het denken gezet: wat was er gebeurd met de politieman die uit het onderzoek was gestapt omdat de spanningen van de jacht op de seriemoordenaar hem te veel waren geworden en hij was ingestort? McLeod had dagenlang onderzoek naar de zaak gedaan en ten slotte op een website over Toscaanse kookkunst de verblijfplaats van de Kings ontdekt. Die site besteedde aandacht aan de opkomende topkok Paolo Balze, en McLeod had het geluk dat Balze zo grootmoedig was zijn eigenaren Jack en Nancy King te bedanken. Nou, de oude journalist was ook van plan een artikel te schrijven, maar dat was niet bestemd voor een glossy lifestyleblad.

Jack King die van het goede leven genoot in Toscane, met een pensioen van de Amerikaanse overheid, terwijl zijn ex-collega's te maken hadden met de schennis van het graf van een van de slachtoffers die King zijn rug had toegekeerd. Dat was een schitterend verhaal voor de boulevardpers. Hij dacht aan een voorpagina van de *National Enquirer*, of een diashow van foto's op Court TV. Er was alleen het probleem dat King er niet was.

Eerst was McLeod bang geweest dat het verhaal dood was, maar toen had hij zich er weer geduldig op geconcentreerd. Misschien had hij geluk en waren de Kings uit elkaar. In dat geval was het zelfs een veel beter menselijk drama en was er een prachtig verhaal van te maken: *FBI-agent die BRK-zaak liet vallen, laat ook vrouw vallen die hem steunde!*

Als hij dan ook nog wat foto's van de eenzame vrouw tussen het verhaal door strooide, met een kindje dat verdrietig was omdat papa was weggelopen, zouden de hoofdredacteuren als duiven uit zijn hand eten.

Maar de afgelopen dagen waren er aanwijzingen gekomen dat de vroegere FBI-agent de Italiaanse politie ergens mee hielp. Daar kon ook een goed verhaal in zitten. *'Gepensioneerde' FBI-agent met staatspensioen kan ons niet helpen, maar helpt wel zichzelf en de Italianen!*

Die laatste kop was nog niet helemaal goed, maar McLeod wist dat het verhaal zou verkopen. Trouwens, alles wat met BRK te maken had, verkocht goed.

Met dat in gedachten maakte hij een eind aan zijn lange wake en klom zijn schuilplaats uit om naar La Casa Strada terug te gaan en Nancy King over de verblijfplaats van haar man te ondervragen. Op die manier zou hij aan de citaten komen die hij nodig had om zijn verhaal compleet te maken. Hij zou zich door niets laten weerhouden.

Eigenlijk deed het er niet toe wat Nancy King zei. McLeod wist dat hij genoeg materiaal had om een exclusief verhaal te schrijven waarvoor veel mensen een moord zouden plegen.

73

Livorno, Toscane

Toen Orsetta Portinari in Livorno aankwam, vroeg ze zich twee dingen af: wat had Cristina Barbuggiani op 9 juni het laatst gedaan en wat was de connectie tussen Jack King en haar moordenaar?

Marco Rem Pici van de plaatselijke afdeling Ernstige Delicten haalde haar van het station, met een echte glimlach en een kus op beide wangen die hij haar alleen kon geven door op zijn tenen te gaan staan. Het was een klein mannetje, zelfs voor Italiaanse begrippen, maar hij was altijd onberispelijk gekleed in donkere pakken die zijn korte donkere haar, atletisch brede schouders en slanke taille accentueerden. Ze reden naar Cristina's appartement, een goedkoop flatje, hoog op een helling met een geweldig uitzicht op de Medici-haven – mits je een telescoop had. Het lelijke betonnen gebouw stond in grimmig contrast met de eeuwenoude torens en forten die naar de historische binnenstad leidden. Ze werden naar de tweede verdieping gebracht door de huisbaas, een dikke kale man van in de zestig die dacht dat witte hemden en broeken met kapotte rits de nieuwste mode waren. Hij opende de zware metalen voordeur en liet hen zonder een woord te zeggen met hun werk alleen. Met hun moordzaak.

Terwijl Orsetta om zich heen keek, vloekte ze in stilte op Jack. Deze trip had ze met hem moeten maken, zodat hij haar als expert terzijde had kunnen staan, in plaats van naar Amerika te verdwijnen. Als je het huis van een slachtoffer bezocht, was het altijd net of je een preparaat van hun hele leven onder een microscoop bekeek en de cruciale geheimen blootlegde waarvan niemand ooit had gedacht dat ze aan het licht zouden komen. Het zou haar enorm hebben geholpen als ze hem bij zich had gehad.

Orsetta keek naar de lichte marmeren vloer, de bank met bekleding van geel katoen en de gele zitzak voor een open haard waarin een terracottavaas met droogbloemen stond. Op een plank bij de haard stonden een paar boeken over archeologie en op een plaat marmer in een hoek van de kamer stond een kleine televisie. En dat was alles. Geel en wit waren hier de enige kleuren. Kalm maar levendig, eenvoudig, sober en netjes, dacht Orsetta, die sympathie voor de dode vrouw opvatte.

'Hebben jullie die allemaal doorgenomen?' vroeg ze, wijzend naar de boeken.

'Boek voor boek, de ene slaapverwekkende bladzijde na de anderen. Niets wat voor ons van belang is,' zei Marco.

Orsetta's hakken tikten over het marmer. Ze keek in de badkamer en onderzocht toen de hele keuken. Bij het aanrecht hing een dunne kalender aan de muur. Ze pakte hem van zijn punaise af en bladerde de maanden door. Voor elke maand was er een ander recept, met ingrediënten van die tijd van het jaar, maar Orsetta interesseerde zich niet voor de culinaire tips. Toen ze bij juni keek, werd ze teleurgesteld, want er stond niets bij de negende of tiende genoteerd.

'Vertel me nog eens wie haar op 9 juni het laatst hebben gezien,' zei ze, haar blik nog op de kalender gericht.

Marco slaakte een vermoeide zucht. Hij had het al zo vaak verteld dat hij het achterstevoren had kunnen opzeggen. 'Twee vrienden, Mario en Zara Mateo, kwamen om ongeveer zeven uur 's avonds en nodigden haar uit voor een diner. Ze zei "nee, dank je" en ze gingen met zijn tweeën. Volgens het restaurant bleven ze tot na twaalf uur 's nachts. Ze werden een beetje dronken en namen een taxi naar huis. Het volgende wat we weten, gebeurde de dag daarna. Cristina's moeder wilde dat ze wat medicijnen ophaalde en belde zes of zeven keer naar haar mobieltje. 's Avonds maakte ze zich zorgen en ging ze met Cristina's vader naar het appartement, waarna ze alarm sloegen. De politie registreerde hun telefoontje om 20.33 uur.'

Orsetta knikte en bladerde weer in de kalender. Er stond bijna niets op, alleen een notitie in de laatste week van mei: 'Dieet en joggen beginnen vandaag!' Ze glimlachte en voelde zich opeens bedroefd. Er was geen vrouw op de wereld die niet zulke afspraken met zichzelf had gemaakt. Ze hing de kalender weer aan zijn punaise en volgde Marco naar de enige slaapkamer van het appartement. Die was amper groot genoeg voor een twijfelaar, een goedkope kaptafel en een witte plastic stoel die eruitzag alsof hij in een tuin thuishoorde. Orsetta schoof de deur van een ingebouwde kleerkast open die van grenenhouten latjes was gemaakt. Die was leeg. 'Kleren in het lab?' vroeg ze. Ze wist het antwoord al.

'Ja,' zei Marco. 'Ik heb foto's en lijsten meegebracht van alles wat is verwijderd en niet teruggebracht. Ik wist wel dat je die zou willen zien.'

Orsetta nam een stapel kleine afdrukken van hem over. Op de eerste opname zag ze wat de fotograaf had gezien toen hij de deur had opengemaakt. Spijkerbroeken aan de linkerkant van de stang, gevolgd door andere broeken, dan blouses, rokken en ten slotte jurken. Het waren eenvoudige, functionele kleren; ze leken niet duur en ook niet erg nieuw. Orsetta bekeek

de foto's en vond de afdruk die ze zocht. Schoenen. Ze zette grote ogen op.
'Zijn dat alle schoenen die ze had?' vroeg ze ongelovig.
Marco keek over haar schouder. 'Ja, daar ziet het naar uit.' Eén paar schoenen met hoge hakken, twee paar platte bruine schoenen, twee paar platte zwarte en een paar zwarte laarzen. Er was iets mis. Orsetta zou niet kunnen zeggen wat het was, maar ze wíst gewoon dat er iets mis was.
Ze liet de foto's op de kaptafel vallen en keek vlug de drie laden door.
Niets.
Ze ging aan de kaptafel zitten en wachtte tot ze begreep wat haar dwarszat. 'Ligt er nog iets uit deze laden in een lab?'
Marco dacht even na. 'Nee, ik geloof van niet.'
Orsetta keek onderzoekend door de kamer, tot in elke hoek. Ze wilde erg graag de aanwijzing zien waarvan ze wist dat hij hier ergens te vinden was. 'En een wasmand?'
'Ja,' zei Marco, die begreep waar ze aan dacht. 'Drie slipjes, twee T-shirts, een spijkerbroek, verder niet veel. Allemaal zonder sporen. Geen DNA die niet van het slachtoffer was.'
'Daar dacht ik niet aan,' zei Orsetta. Ze trok de onderste la eruit, kieperde de inhoud op het bed en zocht in een mengeling van panty's, kousen, slipjes, beha's en sokken. Ze was dicht bij iets; dat kon ze voelen. Maar wat was het?
Ze sorteerde de kleren, maakte er vlug stapeltjes van. Ze nam aan dat het fraaiere ondergoed voor kantoor bestemd was, of voor de weinige afspraakjes die Cristina had, en de oudere, min of meer versleten dingen voor als ze in haar eentje thuis was. Zo bleven er twee gelijke paren witte Lotto-hardloopsokken over, zoals ze in pakjes van drie werden verkocht. Orsetta stak haar hand in haar jasje en haalde een foto van Cristina tevoorschijn om zichzelf aan de lengte en het figuur van het meisje te herinneren.
'Hebben jullie in de wasmand een sportbeha gevonden, of witte Lottosokken zoals deze?' Ze wees naar het paar waar ze een balletje van had gemaakt.
Marco dacht even na. 'Nee. Nee, die hebben we niet gevonden.'
Er ging een schokje van opwinding door Orsetta heen. Ze had een ingeving.
Ze pakte de foto's en bekeek ze opnieuw. 'Geen hardloopschoenen. Op die foto van de kleerkast zijn geen sportschoenen te zien,' zei ze met een triomfantelijke blik. Ze kon zich een voorstelling van Cristina's laatste avond maken. 'Ik denk dat ze is overvallen toen ze aan het joggen was, waarschijnlijk niet ver hiervandaan. We hebben geen sportschoenen gevonden, geen sportbroekje en geen sportbeha, en ik wed dat ze het derde paar Lottohardloopsokken droeg.'

Marco begreep wat ze bedoelde. 'Dus om zeven uur wees ze de uitnodiging van haar vrienden af en je denkt dat ze meteen daarna een eind is gaan hardlopen?'

Orsetta dacht na. 'Ja. Ze was op de fitnesstoer. Ze zei nee tegen hen omdat ze zich aan haar dieet wilde houden en ging waarschijnlijk bijna meteen hardlopen, voordat het donker werd. We kunnen dus zeggen dat ze waarschijnlijk is uitgegaan tussen zeven uur en negen uur, half tien.'

De twee rechercheurs zagen meteen het belang daarvan in. Ze hadden zojuist ontdekt hoe, wanneer en ongeveer waar Cristina Barbuggiani de laatste momenten van haar leven had doorgebracht, voordat ze haar moordenaar tegenkwam. Dat was een doorbraak. Nu konden ze nog eens naar hun getuigenverklaringen kijken en zich daarbij concentreren op iedereen die op de avond van 9 juni op korte afstand van Cristina's appartement was gezien.

Er zat Orsetta nog één ding dwars toen ze het aan de huisbaas overliet om het appartement weer af te sluiten: Jack King. En als Jack zelf haar niet wilde helpen de connectie tussen hem en Cristina's moordenaar op te helderen, zou het misschien nuttig zijn als ze een bezoek aan zijn vrouw bracht.

74

San Quirico D'Orcia, Toscane

Terry McLeod ging met zijn apparatuur naar zijn hotelkamer terug en pakte zijn koffer in. Als zijn gesprek met Nancy King slecht verliep, gooide ze hem zonder enige twijfel binnen een uur het hotel uit.

Hij keek in de badkamer, kleerkasten en nachtkastjes om er zeker van te zijn dat hij niets belangrijks had achtergelaten, maakte toen zijn koffer dicht en zette hem bij de deur.

De ervaren fotojournalist wist dat hij het meer van zijn foto's dan van zijn tekst moest hebben. Voordat hij mevrouw King ging opzoeken, repeteerde hij bij zichzelf de vragen die hij haar zou stellen. Hij zou eerst zeggen dat hij een serie over hotels en restaurants voor een nieuw tijdschrift aan het schrijven was en dat hij net als de inspecteurs van de Michelin-gids zijn identiteit geheim moest houden tot hij zich een beeld van de keuken en de hotelfaciliteiten had gevormd. Hij zou haar een of twee bladzijden gratis publiciteit beloven en dan zeggen dat hij nog wat informatie over het gezin wilde hebben, zoals: wanneer waren ze hier komen wonen, wat hadden ze met het hotel moeten doen om het te maken tot wat het nu was, hoe verliep hun leven in Italië? Allemaal niet-controversiële dingen. Daarna zou hij tot de kern van de zaak komen: waar was haar man op dit moment, waarmee hielp hij de Italiaanse politie precies, en werkte hij nu als zelfstandig adviseur? En natuurlijk: hoe ging het tussen hen samen?

McLeod vergewiste zich ervan dat de microcassette in zijn dictafoontje helemaal teruggespoeld was en stopte hem in zijn mouw om stiekem alles te kunnen opnemen wat ze zei.

De lunch van die zondag was ongelooflijk druk geweest en Nancy genoot van de welverdiende rust in de koele schaduw van de patio. Ze dommelde in, schrok na vijf minuten wakker en keek meteen waar Zack was. Toen ze haar ogen dichtdeed, was hij blij aan het fietsen geweest op zijn driewielertje.

'Zack, waar ben je, liefje?' riep ze terwijl ze door de tuin liep. Ze was niet in de stemming voor verstoppertje spelen. Dat had ze al tien keer gespeeld en ze had Paolo beloofd dat ze het specialiteitenmenu zou doornemen, terwijl hij en Gio een snelle trip naar Pienza maakten.

'Kom dan, schatje. Mammie heeft het erg druk. Laten we naar binnen gaan en chocolade nemen.' Omkoping werkte meestal wel, maar deze keer hield Zack blijkbaar voet bij stuk en liet hij haar wat langer zoeken. Omdat de kruk van de keukendeur te hoog voor hem was, wist ze dat hij ergens in de tuin moest zijn.

Ze zocht tussen de appel-, sinaasappel- en perzikbomen, op zoek naar zijn rode sandalen die achter een boomstam of zoiets vandaan kwamen. Maar ze zag niets. Als hij op zijn buik in de moestuin lag, zou ze boos zijn. Dat had ze hem uitdrukkelijk verboden. En als hij in de kruiden zat en ze weer in zijn mond stopte, had hij een groot probleem.

Nancy liep naar de delen van de tuin waar haar zoontje niet mocht komen en schreeuwde streng: 'Zack! Kom meteen tevoorschijn.'

Er kwam geen antwoord.

'Het spelletje is voorbij, Zack. Kom nou, alsjeblieft.'

Nancy's moederinstinct liet zich gelden. Ze keek de tuin door, over de paden, tussen de bomen.

Geen Zack.

En toen zag ze het.

Aan de rand van het terras, waar de grond was ingezakt en waar Vincenzo de hovenier de tijdelijke hekken opzij had gezet om de schade te inspecteren, lag Zacks omgevallen driewielertje.

75

FBI-kantoor, Brooklyn, New York

Jack en Howie haalden het meubilair uit een kantoor en spreidden allerlei kaarten op de vloer uit. Ze hadden van alles, van stafkaarten tot bus- en fietsroutes door Brooklyn en er was niet genoeg ruimte om ze op de muren te prikken. Ze waren het erover eens dat ze risico's moesten nemen. Ze konden onmogelijk heel Brooklyn doorzoeken en moesten hun teams dus naar delen sturen waaraan ze prioriteit toekenden.

Jack keek naar de Westside. Op Hunters Point – vanwaar de veerboten naar Manhattan vertrokken – stonden oude huizen met veel privacy. Naar het noorden toe, langs de East River, bij de Bridge, lag Williamsburg en dat was ook veelbelovend. Fulton Ferry en Brooklyn Heights kwamen ook in aanmerking.

Howie maakte soortgelijke keuzen: Prospect Park bij de dierentuin bood volop mogelijkheden. 'Wat zou je zeggen van Greenwood Cemetery, dicht bij de 278, veel grote huizen en hij kan daar ook goed van zijn restjes af komen.'

'Dat is een goede mogelijkheid,' zei Jack. 'Zet het boven aan de lijst.'

'En misschien Dyker Heights bij 72nd Street. Dat is een woonwijk, maar de huizen staan niet dicht op elkaar,' voegde Howie eraan toe. Met een zwarte markeerstift zette hij kringen om de wijken die in aanmerking kwamen.

Jack keek naar zijn kaart. Hij keek naar Brighton Beach en in het bijzonder Beach Avenue, waar hij zojuist was geweest. Hij stelde zich dat deel van de stad nu voor alsof hij er met een helikopter overheen vloog. Hij zag de auto's langzaam door de winkelstraten rijden, op zoek naar een parkeerplek. SUV's reden naar het strand. Een marcherend leger kantoorklerken bewoog zich als een kolonie mieren naar Manhattan. Dagjesmensen met broodjes, frisdrank en opgewonden kinderen trokken naar Coney Island. En toen kwamen zijn eerdere gedachten weer bij hem op: een hoertje zou nooit bereid zijn geweest een heel eind met een vreemde mee te rijden. En de moordenaar had haar natuurlijk niet langer in zijn auto willen hebben dan noodzakelijk was. Het kon daar niet ver vandaan zijn.

Jack blik bewoog zich naar links op de kaart. Een stukje afgezonderd groen trok zijn aandacht. Hij schoof zijn vingertop over Belt Parkway. De vierde afslag was die van Brooklyn Marine Park en de woonwijk Gerritsen. Flatbush Avenue ging aan de andere kant van Marine Park naar het noorden, een rechte weg helemaal tot aan de Brooklyn Bridge. 'Kom eens kijken,' zei hij.

Howie zat nog op zijn knieën en schuifelde naar hem toe.

'Hier, Marine Park,' zei Jack, en hij wees met zijn vinger naar de kaart. 'Dat is ideaal. Flatbush en de Belt vormen snelle uitvalsroutes. De wijk is afgezonderd en het vliegveld is om de hoek. Bovendien ligt de Beach er nog geen tien minuten vandaan en je wordt gedekt door heel Little Odessa. Die man zit daar ongeveer zo goed als het maar kan.'

Howie voelde dat zijn mond droog werd van opwinding. 'Evengoed zijn dat nog verrekte veel huizen om te doorzoeken.'

Jack stond op om zijn benen te strekken. Het bloed steeg naar zijn hoofd en een felle, withete pijn schroeide zijn slapen.

'Gaat het wel?' Howie keek fronsend naar hem op.

'Ja. Een beetje te vlug opgestaan,' loog Jack. Hij keek naar al die kaarten op de vloer en zei: 'We concentreren ons op de vrijstaande huizen, de huizen met een grote garage voor twee auto's. Hij zal een straat hebben gekozen waar hij gemakkelijk weg kan komen en van waaruit hij de omgeving goed in de gaten kan houden. Hij zal dus niet midden in een buurt zitten, maar aan de buitenkant.'

'We stellen meteen zoekteams samen. Ik geef ze een briefing zodra ze klaar zijn.'

Jack maakte zich daar zorgen over. Als de hele wijk volliep met politiewagens of zelfs burgerwagens, kon de dader in paniek raken. 'Ze moeten wel voorzichtig zijn. We weten dat hij camera's in het huis heeft, dus reken maar dat ze ook aan de buitenkant zitten. Als hij daar is, ziet hij ons waarschijnlijk aankomen.'

Howie stond met krakende knieën op. 'Zou het een eigen huis zijn of zou hij het huren?'

'Daar zit wat in. De man moet boven de veertig zijn, dus laten ze in de kiesregisters en de burgerlijke stand zoeken naar mensen van minstens vijfendertig. Laat iemand ook hypotheek- en bankgegevens doornemen en zich op die leeftijdgroep concentreren. Hij maakt vast gebruik van een valse identiteit en maakt zich daarmee jonger of ouder dan hij in werkelijkheid is.'

'En huren?' vroeg Howie.

'Onwaarschijnlijk,' zei Jack. 'Hij wil niet het risico lopen dat een huisbaas binnenkomt en al zijn speelgoed vindt.'

Howie wist niet of het zo simpel lag. 'Ik kan me gewoon niet voorstellen dat hij dat soort zieke dingen in zijn eigen huis doet. Zoals je altijd zegt: die man is voorzichtig. Hij moet van het ene op het andere moment weg kunnen komen. En hij zal niet willen dat als we een inval in het huis doen het spoor naar hem leidt.'

Er flitste weer een explosie door Jacks hoofd, maar ditmaal vertrok hij geen spier. 'Je hebt gelijk. Natuurlijk heb je gelijk,' zei Jack. 'Zet een team op de verhuurbureaus. Ik durf te wedden dat hij zijn huis in eigendom heeft, maar het kan zijn dat hij het in handen van een verhuurbedrijf heeft gegeven en het met een valse identiteit zelf terug heeft gehuurd. Met andere woorden, hij is tegelijk huisbaas en huurder.'

'Waarschijnlijk heeft hij ook een valse naam gebruikt toen hij als eigenaar dat bureau benaderde,' zei Howie.

'Precies,' beaamde Jack, die dat zenuwtrekje bij zijn oog weer voelde. 'Als hij het huis aan zichzelf heeft verhuurd, is dat een heel slimme truc. Ten eerste ontstaan er valse papieren. Met valse huurcontracten en nota's kun je bankrekeningen opzetten, creditcards aanvragen en een hele reeks valse identiteiten opbouwen.'

'Ik zie er wel wat in,' zei Howie, en hij liep naar een telefoon.

'En dan nog iets,' riep Jack. 'Waarschijnlijk zul je merken dat er een paar keer een andere huurder in het huis is gekomen. Dat zal dan ongeveer samenvallen met de sterfgevallen van onze slachtoffers. Na elk van de moorden ontdoet hij zich van zijn oude identiteit en neemt hij een nieuwe aan.'

'Ik ben zo terug,' zei Howie. Hij ging de kamer uit om Fernandez in te lichten.

Jack was blij dat hij alleen was.

Hij voelde dat het koude zweet hem uitbrak. De kracht in zijn benen leek af te nemen tot een plasje bij zijn voeten. Zijn zicht werd wazig.

Langzaam ademhalen, diep ademhalen, zei hij tegen zichzelf, en toen pakte hij een stoel voordat er een golf van zwartheid en misselijkheid over hem heen spoelde.

76

San Quirico D'Orcia, Toscane

Nancy rende naar de rand van het terras, waar Zacks fietsje lag en waar een gat van drie meter diep gaapte.

Ze kon niets zien.

De paniek diende zich aan.

Zonder om haar eigen veiligheid te denken klauterde ze over de losse aarde naar beneden, de diepe krater in. Hij was hier toch niet uit zichzelf naar beneden gegaan? En toen herinnerde ze zich dat ze hem eens op haar kaptafel had zien dansen toen ze hem even in de slaapkamer alleen had gelaten om in de aangrenzende badkamer naar het toilet te gaan.

Met kinderen van drie wist je het nooit.

'Zack! Zack, ben je hier beneden, schat?' schreeuwde ze.

Nancy keek in de duisternis van de oude uitgravingen die ze onder de tuin had ontdekt, de smalle opening naar een grot of zoiets, waarvan ze had gehoopt dat er een ondergrondse bron zou zijn maar waarvan ze nu hoopte dat het ondiep was en dat er niets was wat een gevaar voor haar zoon zou kunnen vormen.

'Zack!' schreeuwde ze opnieuw.

Nancy perste zich door de smalle opening. Ze tuurde en staarde in het donker.

Eindelijk kon ze hem zien. In het donker kon ze nog net de contouren van het gezicht van haar kind onderscheiden.

Hij keek doodsbang.

Ze ging langzaam naar hem toe. 'Wees niet bang, schat. Mammie is er,' zei ze. Maar toen ze naar voren schuifelde, stolde het bloed in haar aderen.

Zacks handen waren voor zijn lichaam gebonden. Om zijn hals zat een strop.

77

Brooklyn, New York

Tegen de tijd dat Howie terugkwam, had Jack zich enigszins hersteld.

'Je bent zo wit als een vaatdoek, jongen. Voel je je wel goed?' vroeg Howie.

'Misschien is het hier een beetje te warm. Er is hier geen frisse lucht,' zei Jack, die het moment graag achter zich wilde laten en verder wilde gaan met de dingen. 'Heb je sleutels voor me?'

Howie viste in zijn zak en gooide hem zijn autosleutels toe. 'Kalm aan, hè?'

Jack knikte en liep naar het parkeerterrein.

De klok tikte.

Ze wisten allemaal dat het een kritieke wedloop tegen de tijd was, met als inzet het leven van een jonge vrouw.

Achtenveertig uur op zijn hoogst, had de dokter gezegd toen hij de videobeelden had gezien.

Niet meer dan achtenveertig uur.

Jack had geen enkele officiële status in de FBI meer, geen insigne en geen wapen. Howie zou in zijn eentje de briefings moeten geven en de teams moeten samenstellen. Hij zou Marsh inlichten, en ze zouden de politie van New York bellen om de top daarvan op de hoogte te stellen. Daar zouden ze op hun beurt agenten van de ESU aanwijzen, hun equivalent van het SWAT-team, en uiteindelijk zou er onder leiding van de FBI een gezamenlijk arrestatieteam komen. Jack had ook voorgesteld Josh Benson en Lou Chester erbij te halen, twee instructeurs die in feite de leiding hadden van Rodman's Neck, de specialistische trainingsbasis van het politiekorps in de Bronx. Chester was zo ongeveer de beste sluipschutter ter wereld en Benson ging over de zwaarste trainingen voor operaties in de stad; als het op het bestormen van gebouwen en het redden van gijzelaars aankwam, kon je geen betere hebben dan hij. Agenten zouden op onderzoek uitgaan in alle delen van de wijk waarvan Jack en Howie dachten dat BRK er het soort dekking kon vinden dat hij nodig had. Intussen zou Jack naar Marine Park gaan. Dat was een groot gebied tussen Mill Basin en Gerritsen Beach, verspreid over het 61ste en het 63ste politiedistrict van New York, met betrekkelijk weinig criminaliteit. Het was oorspronkelijk een Hollandse nederzetting geweest waar de eerste getijdenmolen van Amerika was gebouwd. Sindsdien was het grote stuk moeras, bos, veld en akkerland onherkenbaar veranderd. Het was een woonwijk voor veel van de Italianen en joden van New York geworden. Ze woonden in huizen die voor het merendeel zestig of zeventig jaar geleden waren gebouwd.

Jack reed in noordelijke richting door Gerritsen, om de hoeken van Cyrus, Florence en Channel heen. Aan het eind sloeg hij rechtsaf naar Fillmore en manoeuvreerde om East 33rd en 34th heen. Hij raakte de weg een beetje kwijt en bleek op een gegeven moment naar het winkelcentrum Kings Plaza te rijden. Hij vloekte een paar maal, keerde en reed door Hendrickson en Coleman, vanwaar hij golfwagentjes over het fluweelzachte groen van de immense golfbaan van Marine Park kon zien rijden. Jack voelde zich gefrustreerd. Hij stapte uit en keek om zich heen. Ondanks de warme dag kwam er ergens een krachtige bries vandaan die richting Jamaica Bay ging. Hij hoopte dat de frisse lucht hem goed zou doen en dat misselijke gevoel zou bedwingen dat weer in hem op dreigde te komen.

Het was een beschaafde, fatsoenlijke buurt, respectabel en goed onderhouden. Niet dat ze hier in het geld zwommen, maar straatarm was de buurt zeker niet. Kortom, het was het soort buurt waar mensen zich met hun eigen zaken bemoeiden en op zichzelf leefden. Hier is hij niet, dacht Jack, het is hier te open, er staan te veel huizen, er zijn te veel ramen waardoor iemand je kan zien.

De gedachten krioelden door Jacks hoofd; beelden van het naakte, stervende meisje in de zwartheid van een angstaanjagende kamer. Hij was nu vast niet ver bij die kamer vandaan.

Hij leunde in de auto achterover, maakte aantekeningen en reed terug in de richting vanwaar hij was gekomen. Hij reed door een straat met mensen die hun gazon maaiden en hun auto wasten, toen zijn mobieltje ging. Het was Howie.

'Ik heb een mogelijk adres voor je.'

'Ga verder.' Jack stopte weer en pakte zijn notitieboekje.

'Fernandez heeft de verhuurbureaus gedaan. Nultkins, een erg oud bureau in Brooklyn, verhuurt al bijna twintig jaar hetzelfde huis. De huisbaas is een alleenstaande man, en volgens de gegevens verhuurt hij het alleen maar aan andere alleenstaande mannen. Het voldoet helemaal aan jouw profiel.'

Er ging een huivering van opwinding door Jack heen. 'Ik heb een pen. Geef me het adres.'

78

San Quirico D'Orcia, Toscane

Het touw wordt plotseling strak om Zacks nek getrokken, alsof het in het donker over iets heen is gegooid en hij er elk moment mee kan worden opgehangen.

'Doe wat ik zeg of ik vermoord hem,' zegt een man die ze niet kan zien.

Nancy kijkt strak naar het gezicht van haar zoon.

Haar ogen wennen enigszins aan het donker. 'Ik zal doen wat je wilt, maar doe mijn kind niets,' smeekt ze.

Zacks gezicht heeft vuile strepen, want hij heeft gehuild en Nancy kan zien dat hij pijn lijdt en ongelooflijk bang is. Ze wil verschrikkelijk graag naar hem toe rennen en hem dicht tegen zich aan houden.

'Doe langzaam twee stappen naar voren en draai je dan om, zodat je met je gezicht naar het daglicht staat,' zegt Spider tegen haar. 'En vouw dan je handen samen achter je rug.'

Nancy werpt een laatste blik op Zack voordat ze gehoorzaamt. Ze vindt het dapper van hem dat hij niet schreeuwt, maar als ze naar voren komt, ziet ze tot haar schrik dat Zacks mond is dichtgeplakt met breed kleefband en dat hij bijna geen lucht krijgt.

'Doe hem niets, alsjeblieft. Alsjeblieft, doe mijn kind niets,' smeekt ze opnieuw.

Spider geeft geen antwoord. Smeekbeden om hulp of genade hoort hij nooit. Hij wikkelt het brede plakband vlug om haar polsen en handen, haalt dan een stanleymes uit zijn zak, schuift met zijn duim het vlijmscherpe, driehoekige lemmet naar buiten en snijdt de band af.

Is dit een van die dingen waar Jack over praat? Is dit het begin van verkrachting en moord? O god, wat zal er met mijn kind gebeuren?

Spider slaat zijn armen om haar heen en spant band over haar mond. Ze trekt instinctief haar hoofd weg en de tape komt half over haar neus en half over haar mond terecht. Spider scheurt de tape weg en Nancy geeft een schreeuw.

'Stoute Sugar!' schreeuwt hij tegen haar en hij geeft een klap in haar gezicht.

Nancy gilt, maar de tape komt terug en smoort haar gil. Ze kan bijna niet ademhalen en zuigt wanhopig lucht door haar neus naar binnen.

Spider gebruikt zijn mes om de tape door te snijden. Dan houdt hij haar aan haar gebonden handen vast en tast in het duister naar iets.

Plotseling voelt Nancy een prik in haar bovenbeen. Spider steekt een injectienaald diep in de ader en laat hem daar hangen. Hij kijkt ernaar als een jager die glimmend van trots naar de speer kijkt die zijn prooi heeft geveld.

Diep naar binnen. Diep, diep!

Hij knijpt het laatste beetje lidocaïne uit de houder en vraagt zich af of de dosis zo effectief zal zijn als hij wil.

En of de dosis niet te groot is, want dan zal ze sterven.

79

Marine Park, Brooklyn, New York

Jack probeerde er zoveel mogelijk als een toerist uit te zien. Hij pakte het kaartenboek dat hij had gebruikt, zette zijn zonnebril op en stapte uit Howies auto. Hij liep langs de weg tegenover het huis dat Fernandez hem had genoemd. Het stond op een T-kruising, waarbij de poot van de T een doodlopende straat was. Met afgewend gezicht liep Jack aan de overkant voorbij. De zonnebril en het kaartenboek hielpen hem bij een huis te komen waarvan hij hoopte dat hij het als observatiepost en dekking zou kunnen gebruiken. Hij liep een smal pad aan zijn rechterkant op en klopte op de deur. Een kleine vrouw van achter in de zestig deed open. Ze had wit krulhaar en een goudkleurige bril en zag eruit alsof ze de rol van oma kon spelen in welk soort film dan ook. 'Goedemorgen,' zei hij.

'Ik koop niets,' zei de vrouw meteen.

Jack glimlachte. 'Ik verkoop niets, mevrouw. Mijn naam is Jack King en ik heb uw hulp nodig.' Hij greep in zijn zak en haalde Howies kaartje tevoorschijn. 'Ik ben een vroegere FBI-agent en ik werk met deze man samen. Ik probeer hem te helpen een heel ernstig misdrijf op te lossen, en daarvoor moet ik in uw huis komen.'

'U komt hier niet binnen,' zei de oude dame. Ze duwde het kaartje naar hem terug. 'U ben een van die oplichters. Ik ken uw type.'

Jacks mobiele telefoon ging over in zijn zak, maar hij negeerde hem. 'Alstublieft. Alstublieft, neemt u het kaartje aan,' smeekte hij. 'Ik ben echt niet een van de schurken. Neemt u het aan en gaat u uw huis weer in. Doet u de deur op slot en belt u deze man. Hij zal u vertellen waarom de FBI uw hulp nodig heeft. Ik wacht hier wel.'

De vrouw zette haar bril omhoog en keek in Jacks gezicht.

'Alstublieft, mevrouw,' zei hij opnieuw.

Ze pakte het kaartje aan en ging naar binnen. Hij hoorde dat ze de deur op slot deed. Het was pijnlijk voor Jack om te wachten, en hij kwam sterk in de verleiding om zich om te draaien en naar het huis bijna recht achter hem te kijken, het huis waarin het stervende meisje zich misschien bevond. Hij had gezien dat alle huizen hier in de buurt groot genoeg waren om een kelder te hebben. De omgeving voelde goed aan. Zoiets zou een moordenaar als BRK uitkiezen.

De deur van de oude dame ging open en ze verscheen opnieuw. 'Komt u binnen,' zei ze, nu veel vriendelijker.

Jack ging naar binnen en liet haar de deur dichtdoen. In de hal rook het naar gekookte aardappelen en goedkoop vlees.

'Ik neem net wat koffie, meneer King. Wilt u ook?'

'Graag,' zei Jack, blij dat hij binnen was, 'maar eerst moet ik u een vraag stellen en dan moet u me naar boven brengen, naar uw slaapkamer.'

De oude dame glimlachte. Het was lang geleden dat Yoana Grinsberg een aantrekkelijke vreemde man in haar huis had binnengelaten en hij graag meteen naar boven wilde.

80

San Quirico D'Orcia, Toscane

Terry McLeod begon zich kwaad te maken.

Afgezien van Maria, het domme maar aantrekkelijke meisje van de receptie, leek het hele hotel uitgestorven. Verdraaid! Als hij echt voor een horecatijdschrift had gewerkt, had hij dit hotel een nul voor service gegeven.

De lunch was al een tijdje voorbij en McLeod trof niemand in het restaurant aan. Alle serviesgoed, bestek en tafellakens waren weggehaald.

Hij ging verder met zoeken en vond een wagen vol vuil linnengoed bij de achtertrap. Daar leidde hij uit af dat de twee kamermeisjes die ze in dienst hadden op een bovenverdieping aan het werk waren. Ze verschoonden bedden en haalden gebruikte handdoeken weg.

Hij duwde de zwaaideur naar de keuken open. Een tienerjongen met een schort voor, zijn gezicht rood van het inspannende werk, keek op van het dweilen van de vloer. 'Sì?' zei hij.

'Hallo daar. Ik zoek mevrouw King. Enig idee waar ik haar kan vinden?'

Giuseppe hield op met dweilen en haalde zijn schouders op. Toen bedacht hij opeens iets en zei: 'Mevrouw King is misschien met haar zoontje in de tuin.'

'Oké, bedankt,' zei McLeod. 'Mag ik daarlangs?' Hij wees naar de keukendeur die naar de privétuin leidde.

Giuseppe ging er beschermend voor staan, met de dweil als wapen. 'Nee, niet daarlangs. Het spijt me. Dat is privé. Als u bij de receptie wacht, zal ik mevrouw King vertellen dat u haar wilt spreken.'

McLeod keek hem woedend aan. Verdomme, een nul was nog een te hoog cijfer voor dit etablissement. Als hij zijn zin kreeg, ging de tent dicht.

81

Marine Park, Brooklyn, New York

Spider werkt zijn prooi dieper de duisternis in.

Hij heeft Nancy King en haar kind dagenlang geobserveerd. Hij heeft hen op veilige afstand gevolgd en zorgvuldig gelet op alles wat ze deden. Hij had gezien dat het avontuurlijke kind steeds afdwaalde van de overbezette moeder, die voortdurend in tweestrijd verkeerde tussen haar werk en haar moederlijke plichten.

Spider heeft hun auto gevolgd met de oude Fiat-camper die hij had gekocht om de jonge vrouw die hij in Livorno had uitgekozen te ontvoeren, doden en in stukken te zagen. Omdat hij die camper had, hoefde hij geen huizen te huren of hotelkamers te nemen. Het voertuig bezorgde hem een onnaspeurbare vrijheid en de gelegenheid om bij zijn slachtoffers te zijn. Het meisje uit Livorno was in de camper gedood. Hij glimlachte bij de herinnering aan het goede verloop van die kleine escapade. Het had alleen maar een functionele moord hoeven te zijn, maar het was ook verrassend leuk geweest. In het begin van de avond had hij op een stil landweggetje geparkeerd gestaan om de omgeving te verkennen, toen hij haar in zijn spiegeltje had zien lopen. Haar gezicht was rood van het joggen geweest en ze had in de richting van de achterkant van de camper gelopen. Hij was opgewonden toen hij zag hoe mooi ze was.

Helemaal jouw type. Donker haar, tenger gebouwd, mooi figuur. Moeder zou haar goedkeuren.

Hij stapte uit met een wegenatlas in zijn hand. Hij kon zien dat er niemand in de buurt was. Er waren geen nieuwsgierige ogen die haar konden redden. Hij zwaaide met de wegenatlas en vertelde dat zijn vrouw en hij verdwaald waren, kon ze hem op de kaart laten zien waar ze waren? Hij maakte de achterdeur van de camper open om er wat licht bij te hebben en gaf haar de wegenatlas. Toen ze haar vinger over de kaart bewoog, greep hij haar van achteren vast en maakte met een zakdoek vol chloroform een eind aan haar worsteling. Hij gooide haar achter in de camper.

Hij was van plan geweest hetzelfde met Nancy King te doen, maar zij was niet zo dom. Ze was nooit alleen. Behalve 's nachts.

De afgelopen paar dagen, toen Nancy en Zack in hun bedden sliepen, was Spider op nog geen honderd meter afstand van hen geweest. Hij had het ondergrondse deel van hun tuin zorgvuldig voorbereid op wat hij ging doen. Hier in de vochtige, stinkende duisternis had hij zijn gereedschap verborgen: speciaal aangepaste elektronica, enkele stukken touw, dikke rollen stevige tape, een verzameling vlijmscherpe messen, een botzaag van veertig centimeter en een automatisch pistool. Het vuurwapen kwam uit de Porta Portese in Rome. Wat de plaatselijke bevolking de *mercato delle pulci* noemde. Er zijn daar meer dan vierduizend kramen en in de meeste wordt illegale handel bedreven. Het is niet alleen de grootste vlooienmarkt van Europa, maar ook een van de bekendste illegale verkooppunten voor alles van vervalste merkkleding tot drugs en wapens.

Spider schijnt met zijn zaklantaarn en ziet dat de lidocaïne zijn uitwerking op Kings vrouw heeft. Haar benen knikken onder haar. Straks zal het verdovende middel maken dat ze niet meer kan bewegen, om van lopen nog maar te zwijgen. Hij duwt haar en het kind verder, dieper de zwartheid van de catacombe in, dichter naar hun lot toe.

82

Marine Park, Brooklyn, New York

Jack stond ongeduldig in Yoana Grinsbergs keukentje. Ze stond erop dat ze het water in de ketel opnieuw aan de kook zou brengen.

'Hoe kan ik helpen?' zei ze, opgewonden bij het idee dat ze met de FBI mocht samenwerken. Jack hoopte dat ze hem de juiste antwoorden op zijn vragen zou geven, en snel ook. 'Kent u de man aan de overkant? Op nummer vijftien?'

'Eigenlijk niet. Ik heb hem van tijd tot tijd gezien, maar nooit gesproken.'

'Hoe lang woont hij hier?' vroeg Jack, die aanvoelde dat hij geduld met de oude dame moest hebben.

Yoana fronste haar wenkbrauwen zo diep dat haar gezicht een landkaart van rimpels werd. 'Vijftien, misschien twintig jaar. Stel je voor. Al die tijd en we hebben niet eens een praatje over het weer gemaakt.'

De puzzelstukjes kwamen bij elkaar. Jack vroeg door. 'Heeft hij een gele auto, een vierdeurs Japans model, waarschijnlijk drie of vier jaar oud?'

Yoana schudde haar hoofd. 'Nee, hij niet. Zo'n auto heeft hij niet.'

'Weet u dat zeker?'

'Ik ken mijn auto's,' zei Yoana, glimlachend bij herinneringen aan vroeger. 'Ik was als kind al gefascineerd door auto's. Mijn man heeft eens een Buick gehad. Een Oldsmobile; die was mooi. Ik geloof dat die stomme fabriek ze niet meer maakt.'

Jack was teleurgesteld. Aan de andere kant was ze oud en kon ze zich vergissen. 'U weet het echt zeker?' drong hij aan.

'Absoluut,' zei Yoana. 'De man aan de overkant heeft een Hyundai. Die komt niet uit Japan, maar uit Zuid-Korea. En trouwens, hij is niet geel, maar wit. Ik weet geen Japanse auto's hier in de buurt. Meneer Cohen had er een...'

Jack onderbrak haar. 'Sorry dat ik u niet laat uitspreken, maar het zou een vergissing van ons kunnen zijn. We zoeken een Hyundai. Weet u precies welk type hij heeft?'

Yoana aarzelde geen moment 'Een Hyundai Accent SE. Niets bijzonders, niet eens lichtmetalen velgen. Ik heb dat altijd een beetje vreemd gevonden.'

'Waarom?' vroeg Jack voorzichtig. 'Wat was vreemd?'

'Nou,' begon Yoana aarzelend. 'Nou, zoals ik al zei, ken ik zijn naam niet. Hij is er bijna nooit en ik heb hem nooit gesproken, maar hij heeft altijd persoonlijke nummerborden. Vroeger dacht ik dat hij autohandelaar was, maar toen zag ik dat hij de nummerborden soms veranderde voordat hij een andere auto nam.'

Er ging een golf van opwinding door Jack heen. Zijn telefoon ging weer, maar hij negeerde hem opnieuw. Wie het ook was, wat ze ook wilden, het kon niet zo belangrijk zijn als dit. 'Yoana, je weet zeker niet toevallig welk nummer hij tegenwoordig heeft, hè?'

Ze glimlachte. Ze vond het leuk om de FBI te helpen; ze stelden zulke gemakkelijke vragen. 'Doe niet zo mal. Natuurlijk wel. Dat is B-898989.'

83

San Quirico D'Orcia, Toscane

Vlak achter de ingang is de catacombe bedekt met zachte aarde, maar als je zo'n zeven meter door de smalle opening hebt gelopen, verandert de bodem in harde rots, lava en samengepakte aarde. Spider schijnt met zijn zaklantaarn op de muren. Die zijn vochtig en groen van een ondergrondse stroom die van de helling boven hen komt. Hij zoekt naar het punt waar de smalle doorgang scherp naar links gaat en uitkomt in een veel bredere kamer met een hoog plafond, met een verhoging waarop een marmeren tombe staat. De lucht heeft hier al zijn frisheid verloren. Ze komen nu dieper in de steriele duisternis, waar niets groeit. Spider voelt zich volkomen thuis in de muffe geur van onvruchtbaar land. De geur van de dood.

Hij duwt de vrouw en het kind naar de achterkant van de catacombe en dwingt hen met hun rug tegen de tombe te gaan zitten, waarin zich de resten van een militair en zijn familie uit de de' Medici-tijd bevinden.

De kleine Zack, zijn handen nog voor hem gebonden, kruipt naar zijn moeder toe en legt zijn hoofd op haar knieën, wanhopig op zoek naar bescherming en geruststelling. Nancy's polsen zijn nog gemeen strak achter haar rug gebonden, maar het doet haar nog veel meer pijn dat ze haar zoon niet kan troosten of aanraken. Ze buigt haar lichaam over hem heen en wrijft met haar gezicht over zijn rug, zoals een dier bij een gewond jong doet.

Spider drukt op een toets van zijn laptop om hem uit de standby te halen. Het apparaat komt zoemend tot leven en legt meteen contact met de wi-fi hotspot van het hotel, die zich bijna recht boven zijn hoofd bevindt. Hij kijkt eerst bij Webmail en logt dan in op zijn eigen intranetsysteem.

Als op het scherm een opname verschijnt die met een plafondcamera van Lu Zagalsky's lichaam wordt gemaakt, ziet hij haar gezicht en huivert hij van de voorpret. Het zal nu niet lang meer duren. Straks zal hij op een geweldige manier voor zijn lange wachten worden beloond. Er verspreidt zich een tinteling vanuit zijn hals, over het zweet heen dat op zijn ruggengraat verschijnt.

Spider voelt de dood in de lucht.

Meervoudige dood.

84

Marine Park, Brooklyn, New York

898989.

Het autonummer is hetzelfde als de code die BRK aan Daher verstrekte om hem toegang tot de videobeelden te geven. Jack graaft in zijn geheugen. Waar doet het hem aan denken?

HA, HA, HA!

Daar doet het hem aan denken. De H is de achtste letter van het alfabet, maar de negende is niet de A. En dan weet Jack het.

Hi, hi, hi.

BRK zegt gedag. Weer een van die misselijke grappen van hem.

Jack belt Howie, vertelt wat hij zojuist heeft ontdekt en hoort dat het een halfuur zal duren voor het arrestatieteam helemaal gemobiliseerd is en zijn posities in Marine Park heeft ingenomen. Hij hoopt dat die vertraging niet fataal is.

Yoana Grinsberg praat aan een stuk door. Ze leidt hem de trap op naar haar slaapkamer aan de voorkant van het huis, vanwaar hij nummer 15 in het oog hoopt te kunnen houden. De kamer ligt vol oude kleren en tijdschriften en is veel te warm. Een vaas muffe potpourri die al maanden geleden vervangen had moeten worden, verspreidt een aardse geur. Jack ziet dat ze dubbele sloten op de ramen heeft en vermoedt dat de uiterst voorzichtige mevrouw Grinsberg ze in geen jaren open heeft gehad, niet sinds haar man is gestorven. Hij drukt zijn gezicht tegen de ruit. Zelfs als hij de ramen openmaakte, zou het uitzicht nutteloos zijn. Een stel grote bomen op beide hoeken belemmert zijn zicht. Hij kan het huis aan de overkant nauwelijks zien.

Het heeft geen zin,' zegt hij. Hij gaat de kamer uit en de trap weer af. 'Evengoed bedankt, mevrouw. Uw medewerking wordt op prijs gesteld.'

Als hij de deur achter zich dicht doet, bedenkt Jack dat hij Howies auto misschien moet gebruiken om de weg te versperren als blijkt dat BRK in het huis is en er opeens vandoor gaat. Terwijl hij over dat eindspelscenario nadenkt, gaat zijn mobiele telefoon weer.

Op het schermpje ziet hij Nancy's mobiele nummer.

Jack heeft een probleem; dat weet hij. Ze wordt woedend als blijkt dat hij haar telefoontjes heeft genegeerd.

'Hallo,' zegt hij met gefronste wenkbrauwen. Hij bereidt zich voor op een uitbarsting.

'Hallo, Jack,' zegt een mannenstem langzaam.

'Met wie spreek ik?' Hij kijkt nog eens op het schermpje.

Spider laat een kort lachje horen. 'O, ik denk dat je dat wel weet, hè?'

Een bom van withete pijn explodeert in Jacks hoofd. Hij moet grote moeite doen om het ondenkbare te denken.

'Je vrouw is hier bij me. Wil je haar spreken?' Spider rukt de tape van Nancy's mond, en ze haalt diep adem. 'Jack!' zegt ze zwakjes. 'Jack, hij heeft Zack en...'

Spider legt zijn hand over haar lippen. 'Het spijt me, King, maar je vrouw is momenteel niet op haar best. Ik heb haar volgespoten met verdovende middelen en daardoor heeft ze een beetje moeite met praten.' Hij klemt de telefoon tussen zijn oor en schouder en vervangt de tape over Nancy's mond. 'Weet je, Jack, je zou echt beter voor je jonge gezin moeten zorgen. Vind je ook niet?'

Jack zegt niets. Zijn hoofd bonkt en hij is misselijk. Maak hem niet kwaad, één verkeerd woord en ze zijn allebei dood. Blijf afstandelijk en professioneel, word niet emotioneel.

'Geef antwoord op mijn vraag!' eist Spider. 'Ik zei: zou je niet beter voor je gezin moeten zorgen?'

Jack begrijpt het spel, en hij weet dat hij niets anders kan doen dan het meespelen. 'Ja,' zegt hij nederig. 'Ik had beter voor hen moeten zorgen. Mijn gezin is me erg dierbaar. Ik zal doen wat je wilt, maar je moet me beloven dat je hun geen kwaad zult doen.'

'Geen beloften,' zegt Spider, 'maar ik ben blij te horen dat jij en ik dezelfde opvattingen over het gezin hebben.'

Jack knijpt zijn ogen dicht en hoopt dat er helderheid in zijn hoofd komt, dat hij scherp kan blijven en opgewassen is tegen wat er gaat gebeuren.

'Ik zie dat je in de straat bij mijn huis in Brooklyn bent,' zegt Spider, die naar de beelden van zijn buitencamera's op het scherm van zijn laptop kijkt. 'Goed zo, je bent wat vroeger dan ik had verwacht. Ik was van plan je daar zelf heen te leiden als de tijd er rijp voor was. Als de wereld getuige was geweest van weer een moord die Jack King niet had kunnen verhinderen.'

Jack is geschokt. Hij kijkt naar het huis, op zoek naar een camera.'

'In de bomen, King. De camera's zitten in de bomen. Ze krijgen stroom van mijn buitenverlichting.' Spider kijkt naar Nancy en Zack en dan weer naar Jack op zijn laptop. 'Het was mijn bedoeling dat die prachtige Arabische tv-zender over vierentwintig uur nieuw materiaal zou vertonen, zeg maar een dubbele primeur. Eerst zou ik ze de laatste, fatale aflevering geven van het verhaal van het ellendige Russische hoertje dat jij en die idioten van de FBI niet konden redden. En dan, Jack, had ik iets smeuïgers in gedachten.' Spider lacht duister, kijkt strak naar Jacks gezicht en zegt dan: 'Op de volgende exclusieve beelden zou de dood van je lieftallige vrouw te zien zijn.'

Jacks zelfbeheersing begeeft het. 'Als je hen ook maar...'

'Tut, tut, Jackie, jongen. Bederf nu niet al je goede werk, al je professionele terughoudendheid, door onbeleefd te worden. Je moet weten dat ik haar ga vermoorden, anders zou het geen zin hebben dat ik jou helemaal naar Amerika bracht en dat ik helemaal naar Italië ben gekomen, hè?'

Jacks hart slaat nu in dubbel tempo. Hij beseft nu dat hij het slachtoffer is geweest van BRK's zorgvuldig georkestreerde plan om hem bij zijn gezin vandaan te lokken en machteloos te laten toezien hoe ze worden afgeslacht. Maar waarom?

Spider glimlacht als hij Jack moeizaam de puzzelstukjes aan elkaar ziet leggen. 'Je bent erin getuind, King. Die moord in Italië was alleen maar een list om je uit je laffe schuilplaats te krijgen, en natuurlijk kwam je; als een gehoorzame hond die een standje heeft gekregen. Toen moest die arme lieve Sugar uit haar graf verrijzen om bij je debiele vriendjes bij de FBI de zekerheid te laten postvatten dat ik weer aan het werk was. En ten slotte legde ik wat levend aas neer om jou naar de stad terug te halen waaruit je was weggevlucht. En hier zijn we dan, een beetje eerder dan ik had gedacht, maar bijna precies zoals ik had gepland.'

'Waarom doe je dit?' vraagt Jack, vechtend tegen weer een golf van misselijkheid. 'Ik begrijp niet waarom jij je voor mijn gezin interesseert.'

'Ach, Jack, je moest eens weten hoe lang ik heb gewacht tot je die vraag zou stellen.' Opnieuw laat Spider zijn woorden wegsterven voordat hij vergaat. 'Zegt de naam Richard Jones je iets?'

Jack kan die naam niet thuisbrengen. Zijn hersenen googelen 'Richard Jones'; misschien 'Dick Jones' of 'Dickie Jones'? Er komt niets bij hem op. 'Sorry. Die naam zegt me niets.'

'Dat dacht ik al,' zegt Spider. 'Maar voor mij betekent die naam alles. Letterlijk alles. Dertig jaar geleden kwam Richard Jones om het leven bij een verkeersongeluk. Hij werd overreden door de politiewagen die op weg was naar een valse melding. Kun je je dat voorstellen? De politie heeft hem gedood. Ze waren op weg naar een misdrijf dat niet eens was gepleegd.'

De naam laat een zwak, dissonant belletje rinkelen in Jacks pijnlijke geheugen.

'Richard Jones,' zegt Spider, wiens stem nu overslaat van emotie, 'was mijn vader. Toen hij werd doodgereden, was het nog maar een paar weken geleden dat zijn vrouw, mijn moeder, aan kanker was gestorven. Die vervloekte moordenaar van een politieman maakte mij een wees, liet me zonder ouders stranden in dit stinkende leven en maakte dat ik in een godvergeten weeshuis terechtkwam. Heb je het al in de gaten, meneer de FBI-man? Die moordenaar achter het stuur, die achterlijke smeris die nooit een tik op zijn vingers heeft gehad omdat hij mijn vader had vermoord, was jouw vader. Begrijp je het nu?'

Het begint langzaam tot Jack door te dringen. Fragmenten uit de geschiedenis van zijn familie flakkeren door zijn gedachten, maar het totaalbeeld staat hem nog niet voor ogen. Er ontploft weer een bom in zijn hoofd. Hij slaat zijn handen voor zijn gezicht en leunt tegen Howies auto. De pijn is ondraaglijk en hij is bang dat hij het bewustzijn verliest.

'Mijn vader,' snikt Spider, 'werd zo hard door die politiewagen geraakt dat toen zijn lichaam niet meer over de weg rolde, en het verkeer niet meer over hem heen reed, zijn hoofd finaal gescheiden was van zijn romp. Kun je je dat voorstellen? Kun je dat?'

Jack is sprakeloos, zijn geest bevroren van schrik, zijn zenuwen brandend van oude pijn, zijn zintuigen overbelast en op het punt zich af te sluiten.

Spider strijkt met de rug van zijn hand over zijn ogen en kijkt weer naar Nancy en Zack. Ze is nu helemaal bewusteloos en de jongen drukt zich nog steeds tegen haar aan. Hoewel zijn mond is dichtgeplakt, kan Spider zien dat de jongen jengelt als een angstig hondje. Hij richt zijn aandacht weer op de telefoon. 'Ik weet dat je dom bent, King, dus ik zal je ook de rest maar vertellen. Ik zag in de krant dat je vader met pensioen ging. Eerst dacht ik dat het over jou ging. Je zult wel begrijpen dat ik alle berichten over jou heb gelezen. Ik volg alles wat je verkondigt, bijvoorbeeld dat je me bijna te pakken hebt, wat trouwens grote onzin is. En toen keek ik nog eens. En hoewel jij daar met een heleboel andere smerissen op de foto staat, zie ik dat het over je vader gaat.'

Spider kijkt naar Jack op het beeldscherm, blij dat hij zichtbaar geschokt is. 'Waarschijnlijk weet je niet, Jackie, jongen, dat de politie van New York nooit de naam heeft bekendgemaakt van de bestuurder van de auto die mijn vader heeft doodgereden. Je kunt je dus wel voorstellen hoe ik me voelde toen ik dat stuk las. Je vader leutert maar door over de geweldige carrière die hij heeft gehad, maar zegt ook dat hij al zijn onderscheidingen en promoties zou inleveren als hij daarmee één verkeersongeluk kon voorkomen dat dertig jaar geleden in Brooklyn is gebeurd, een ongeluk dat het leven kostte aan een jonge voetganger.'

Langzaam herinnert Jack zich de dag waarop zijn vader met pensioen ging. Zijn vader had gezegd dat hij zich schuldig voelde, al was het duidelijk een ongeluk geweest. Evengoed had hij publiekelijk zijn spijt willen betuigen om schoon schip te maken.

'Ik betreur je verlies,' zegt Jack zonder een spoor van oprechtheid.

'Dank je,' zegt Spider sarcastisch. 'Dat betekent veel voor mij, want ik weet dat jij je eigen vader door een vergelijkbaar tragisch ongeluk hebt verloren. Hoe lang is dat nu geleden? Ongeveer vijf jaar, nietwaar?'

Op Jacks gezicht is weer te zien dat hij geschokt is.

'O, wat zou ik nu graag tegenover je staan,' zegt Spider, terwijl hij zich dichter naar de laptop toe buigt. 'Wat zou ik je graag in de ogen kijken en je precies vertellen wat voor gevoel het was om je oude vader onder de wielen van míjn auto te horen rollen, om te horen hoe zijn schedel uit elkaar sprong als een watermeloen.'

Jacks hoofd gonst van ruis. Zijn knieën knikken.

Spider houdt het computerscherm tussen zijn handen. Hij wil van de kracht van dit moment genieten en trommelt met de vingers van zijn goede hand tegen de zijkant. 'En Brenda, je moeder, vertel eens, denk je nog wel eens aan haar?'

Jack kijkt verward.

'O, kom nou, meneer de politieman. Dacht je nu echt dat ze in haar slaap aan een hartaanval is gestorven? Als-je-blieft...' Spider ziet dat Jack met beide handen naar zijn hoofd grijpt, overmand door verwarring en verdriet. 'Echt niet. Dat was ik weer. Je had haar nooit alleen in dat grote huis moeten achterlaten, weet je.

Als liefhebbende zoon had je haar bij jezelf en je lieftallige vrouw hier in huis moeten opnemen.' Spider zwijgt even om de volle betekenis van zijn woorden op Jack te laten inwerken. 'Het doet er niet toe. Je hebt nu andere dingen aan je hoofd. Maar straks ga ik je vrouw vermoorden. En dan zal ik je vertellen welk lot je zoon te wachten staat.'

De woede gaat in Jack tekeer en stuwt de adrenaline door zijn lichaam. Zijn hoofd wordt een beetje helderder. Blijf professioneel, hou hem aan de praat. Zodra hij ophoudt met praten, gaat hij moorden. Vraag hem iets, wat dan ook.

'Waarom?' zegt Jack. De misselijkheid zakt weg en hij heeft zichzelf weer onder controle. 'Ik begrijp niet waarom je mijn vrouw en kind kwaad zou willen doen.'

Spider veegt een zweetdruppel van zijn gezicht. 'Ik zal je iets vertellen. Je vader pakte me alles af wat ik had. Hij maakte een wees van mij, en waarschijnlijk maakte hij me ook tot wat ik nu ben. Hij verwoestte mijn verleden, heden en toekomst. Nu ga ik dat met je gezin doen.' Spider kijkt naar Zack en ziet dat het kind zijn hoofd nog onder de beschermende arm van zijn moeder heeft. 'Ik heb je ouders gedood, en nu ga ik je vrouw doden, en dan ga jij sterven doordat je probeert je zoon te redden. Een passend einde voor jou. En dit jongetje hier zal door het leven gaan met al het verdriet, alle angst, alle ellende die ik heb ondergaan. Elke ochtend zal hij wakker worden zonder ouders, en dan zal hij zich afvragen waarom hem ooit zoiets is overkomen.'

Jack kan zich niet meer inhouden. 'Monster!' Zijn hoofd is nu zo helder als kristal. Hij gaat een stap dichter naar de camera in de boom toe. 'Ik verzeker je dat ik je tot in alle uithoeken van de wereld zal opsporen. Ik vermoord je.'

Spider liet een vaag lachje horen. 'Idioot, snap je het dan niet? Jouw wereld eindigt vandaag. Je hebt geen tijd meer.'

Een geluid op straat leidt Jack af, en even later komt de eerste politiewagen de hoek om.

'Houdt je vrouw van je, Jack? Al die vrouwen hielden van mij. Ze hielden zoveel van me dat ze hun leven voor me gaven. Welke man zou ooit meer kunnen verlangen? En nu zal jouw vrouw voor jou sterven.'

De eerste auto komt met gierende banden tot stilstand en Jack steekt zijn hand op om Howie tegen te houden, die met zijn grote lijf aan de passagierskant uitstapt.

Spider kijkt vlug naar het scherm van de laptop. 'Ik zie dat je vrienden er al zijn. Dat is goed. Het betekent dat het feest kan beginnen. We zijn nu klaar met praten. We kunnen het afmaken.'

Howie loopt naar Jack toe. Hij blijft kalm maar kijkt bezorgd.

Jack legt zijn hand over het mondstuk van de telefoon. 'Hij is het. Hij heeft Nancy en Zack en hij gaat ze vermoorden. Terug!'

Howie loopt naar de anderen terug. Jack weet dat hij het commandovoertuig in kennis zal stellen en dat alles wordt uitgesteld tot de situatie duidelijker en hopelijk minder riskant is.

'In mijn huis zul je het hoertje aantreffen naar wie je zocht. En omdat het verrassend slim van je was dat je haar zo gauw hebt gevonden, zal ik je belonen. Jij mag haar doden. Jij mag je handen om haar keel leggen en de laatste adem uit haar lichaam knijpen.'

'Jij bent gek,' zegt Jack. 'Dat gaat niet gebeuren.'

'Nee, nee, ik ben niet gek, helemaal niet. Een beetje wreed misschien, maar zeker niet gek. En het gaat gebeuren, want als je haar niet doodt, dood ik niet alleen je vrouw maar vermink ik ook je zoon. Misschien laat ik hem toekijken terwijl zijn moeder eerst sterft, maar dan snij ik een beetje in hem, zeker genoeg om hem een persoonlijk, zichtbaar souvenir te bezorgen van de tijd die we met elkaar hebben doorgebracht. Misschien kun je je wel voorstellen welke lichaamsdelen van hem ik dan weghaal?'

Jacks hart bonkt weer. Hij slaat met zijn vuist op Howies auto.

Spider glimlacht als hij dat ziet. 'Rustig, rustig, Jack. Nou, dan gaan we verder. Je hebt maar vijf minuten de tijd om haar te doden. Als je er langer over doet, bewerk ik je vrouw en kind met mijn mes en zaag. Later op de dag kun je het allemaal op internet bekijken. Technologie is verbazingwekkend, hè? Wat jammer dat ik niet de tijd heb om je het hele verhaal van de Spin en zijn Web te vertellen.'

Jack strompelt om de auto heen, een en al razernij en haat.

'O ja, nog een paar laatste regels. Laat je telefoon aan; je weet dat ik tegen je wil praten. Om het een beetje interessanter te maken moet ik je vertellen dat er boobytraps in het huis zijn. Ik kan ze van hieruit in werking stellen, of jij kunt dat per ongeluk ook doen. En bedenk ten slotte dit: als je niet bij het meisje komt en haar niet doodt, laat ik jullie allebei in de lucht vliegen en werk ik daarna hier de zaken af. Is dat duidelijk?'

'Ja. Ja, het is duidelijk,' zegt Jack. Hij spuwt de woorden uit.

'Goed,' zegt Spider. 'Mijn moeder zei altijd dat je tot tien moet tellen voordat je iets belangrijks doet. Dus daar gaan we dan. Tien!'

Jack doet koortsachtige pogingen vat te krijgen op de situatie.

'Negen.'

Ludmila is misschien al dood.

'Acht.'

Zo niet, dan laat BRK ons vast niet allebei levend uit het huis komen.

'Zeven.'

Misschien is ze daar niet eens en is dit gewoon een van zijn trucs.

'Zes.'

Misschien is ze daar wel en zijn er geen explosieven in het huis aangebracht. Misschien bluft hij alleen maar.

'Vijf.'

Misschien zitten er inderdaad explosieven in het huis en vliegt alles de lucht in zodra ik een stap over de drempel zet.

'Vier.'

Zal hij Zack echt verminken? Is er ook maar enige kans dat ik mijn zoon kan behoeden voor de pijn en verwondingen die hij zegt hem te zullen toebrengen?

'Drie.'

Wat er ook gebeurt, hij zegt dat hij Nancy gaat vermoorden.

'Twee.'

Mijn gezin is mijn wereld, mijn leven, mijn alles.

'Eén.'

Alsjeblieft, God, laat me ze niet teleurstellen.

'Nul.'

85

'Howie! Howie! Geef me je pistool!' schreeuwt Jack.

De FBI-man vraagt niet wat er gebeurt. Hij trekt zijn pistool uit de holster en gooit het naar Jack.

Jack steekt het pistool achter zijn riem, rent om de hoek van het doodlopende straatje en komt bij de voorkant van het huis.

Hij staat nu tegenover een grote dubbele garage aan het eind van een kort pad.

Die deur zit natuurlijk op slot.

Zo blijven een zware houten voordeur en een erkerraam over, en die kunnen allebei voorzien zijn van boobytraps.

Het moet het raam zijn.

De gordijnen zijn dicht.

Dichte gordijnen kunnen een lelijke verrassing verbergen.

Jack draait zich snel om en kijkt naar de tuin.

Sierkeien om een bloembed heen. Die zijn te gebruiken.

Hij pakt de grootste kei op en gooit hem door de onderste ruit van het raam. Hij wacht af.

Er gebeurt niets.

Het raamkozijn en de vloer daarachter moeten veilig zijn.

Jack trekt zijn jasje uit, slaat het om zijn rechteronderarm en gebruikt het om zoveel glas weg te slaan dat hij zijn lichaam door de opening kan persen.

Als hij tijd had gehad, zou hij het glas hebben weggehaald en zijn jasje op de puntige randen hebben gelegd terwijl hij naar binnen klom.

Maar hij heeft geen tijd.

Hij hijst zich op en voelt glasscherven in zijn handen en knieën prikken als hij naar binnen klimt.

Hij slaat het gordijn weg als dat om hem heen valt, maar het blijft tegen hem aan hangen en hij valt stuntelig op de vloer.

Voor zijn gevoel heeft hij al een minuut verloren van de vijf die hij heeft gekregen.

Nog tweehonderdvijftig seconden. Dat is alles.

In de kamer staan geen meubelen en ligt ook geen vloerbedekking. Hij loopt over de houten vloer en blijft bij de deur staan.

Die zit op slot.

En Jack is er zeker van dat er ook een boobytrap op zit.

Hij doet een stap achteruit, haalt de veiligheidspal van Howies pistool over en lost een schot op elk van de scharnieren.

Er gebeurt niets.

Hij richt het pistool op het slot en schiet opnieuw.

Er volgt een harde explosie.

De deur vliegt in brand en stukjes van het metalen slot vliegen als granaatscherven op Jack af.

Er scheurt iets door de zijkant van zijn gezicht. Het prikt en brandt.

Hij voelt dat zijn knieën knikken en hij steekt zijn hand uit.

Spider kijkt geamuseerd toe.

Nog één minuut en twintig seconden.

Misschien komt King op tijd bij het meisje aan. En dan wordt het interessant!

Spider schudt Nancy heen en weer. 'Wakker worden en kijken! Je krijgt je mislukkeling van een man weer te zien.'

Nancy is versuft. Ze kan het computerscherm nauwelijks helder voor ogen krijgen.

Jack, wees voorzichtig. Alsjeblieft, ga niet dood. Alsjeblieft, laat ons niet doodgaan.

Haar gedachten lopen in elkaar over. Ze is duizelig en alles om haar heen is een waas.

Het verdovende middel golft door haar heen, sleept haar mee in een nevel van bewusteloosheid.

Zack, waar is Zack? Waar is mijn kindje?

Jack hervindt zijn evenwicht en rent dan door de vlammen.

Waar?

Waar nu?

De huiskamer is leeg.

Hij ziet een deur naar de keuken en loopt die kant op.

De keuken zal op de garage uitkomen en de keldertrap moet daar ook ergens zijn.

De keuken heeft drie deuren.

Een naar de tuin?

Een naar de garage?

En de derde? Naar de kelder?

Jack bestudeert deur drie. Hij neemt aan dat de deur op slot zit. Hij kijkt vlug naar de ronde knop. Die is van koper en heel anders dan de andere knoppen die hij heeft gezien.

Het is niet goed, Jack. Koper is de beste geleider van elektriciteit die bestaat. Hij heeft die knop op het lichtnet aangesloten. Als je hem aanraakt, word je levend geroosterd.

De deur is van dik grenenhout. Hij weet dat hij hem niet met zijn schouder open kan krijgen.

Jack kijkt de keuken rond. De werkbladen zijn leeg, afgezien van een messenblok en een rode plastic afwaskom.

Die kom!

Hij pakt hem en vult hem met water. Dan gaat hij, met Howies pistool weer achter zijn broeksriem, een eindje van de deur vandaan staan en gooit water over de knop.

Ergens achter de deur hoort hij geknetter, en dan een 'fffuddd'-geluid, hopelijk het geluid van een elektrisch apparaat dat kortsluiting maakt.

Het is veilig.

Nietwaar?

Als hij zich vergist, zal het water op de vloer en bij de deur hem elektrocuteren.

Hij moet het risico nemen.

Hij trekt de Glock van Howie en schiet de koperen knop en het slot weg.

Nog vier schoten om met de zware scharnieren af te rekenen.

Jack schopt tegen het versplinterde grenenhout en het geeft mee. De deur valt de donkere kelder in.

Jack stapt over de drempel.

De duisternis in.

Spider kijkt op zijn horloge.

Er zijn twee minuten verstreken.

'Kijk! Jackie doet echt zijn best. Lief, hè?' Hij trekt aan Nancy's haar en duwt haar gezicht naar het computerscherm.

Nancy blijft bewusteloos. Het middel is in haar hersenen doorgedrongen en ze heeft nergens meer weet van. Haar lichaam is slap en weet niet wat er met haar, haar man en haar kind gebeurt.

'Wakker worden! Wakker worden en kijken, kreng!' Spider slaat haar. 'Vervloekt hoerenkreng, je moet dit zien.' De woede laait in hem op. Hij wil met de computer tegen haar ellendige gezicht slaan. Hij wil het mes gebruiken. Hij moet in haar snijden om de pijn te verlichten die klaarwakker is en in hem rondkruipt.

Dood haar nu, en de pijn is weg!

Nee!
Beheers je.
Je moet je beheersen. Moeder zal je helpen.
Moeder is dichtbij.
Je kunt de vrouw later doden.
Haar langzaam doden.
Haar mooi doden.
Maar niet nu.
Nu moet je haar en het kind vergeten en zien hoe Jack King sterft.

De versplinterde deur glijdt de keldertrap af als een op hol geslagen slee. Hij dreunt tegen iets in het donker en komt tot stilstand.

Weer een deur, denkt Jack. Hij is tegen een tweede deur gekomen, onder aan de trap, en die deur zal ook op slot zitten.

En vergeet niet dat het meisje is vastgebonden. Waar wou je haar mee bevrijden?

Jack gaat vlug de keuken weer in en pakt een groot vleesmes uit het blok op het aanrecht. Hij gaat naar de keldertrap terug en zet een paar voorzichtige stappen in de duisternis.

Die tweede deur zal ook van een boobytrap zijn voorzien. Raak hem niet aan. Raak de muren ook niet aan. Misschien is een leuning met een tweede elektrische apparaat in de kelder zelf verbonden.

Jack gaat weer een stap de krakende houten trap af.

En dan nog een stap.

Plotseling zakt de grond onder hem weg. De hele trap stort in.

Jack slaat met zijn hoofd tegen iets hards. Een doffe pijn stampt door zijn rug en borst. Alles duizelt hem en hij voelt dat zijn geest verslapt.

Vecht ertegen! Vecht ertegen! Je moet bij bewustzijn blijven.

Spider lacht harder dan ooit sinds hij een kind was.

Dit is geweldig!

Pure slapstick!

Die idioot is net een clown in een circus. Hij valt met volmaakte timing over alles heen.

Hij kijkt op zijn horloge.

Drie minuten verstreken.

'Ik denk niet dat je mannetje het redt,' zegt hij tegen Nancy, die nog bewusteloos is.

'Jammer dat je dit niet kunt zien. De definitieve vernedering van je man. Het is echt een lust voor het oog.'

Er komt iets nog mooiers bij Spider op.
Hij kan het kind laten kijken.
Ja, dat zou zelfs nog passender zijn.
Het kind van Jack King dat gedwongen wordt de vernedering en dood van zijn vader te aanschouwen.
Dank je, moeder, jij weet er altijd het beste van te maken.
Spider steekt zijn hand naar de jongen uit.
Maar hij is er niet.
Het kind is weg.

Jack weet niet hoe diep hij is gevallen. Hij weet alleen dat hij zowel het mes als het pistool heeft verloren toen de trap instortte en hij naar beneden viel.
Tijd. Je hebt niet veel tijd meer!
Hij krabbelt overeind.
Hij ziet licht.
Hij staat met zijn gezicht naar de verkeerde kant. Hij kijkt over de trap naar de keuken. Jack draait zich om en wacht een paar seconden om rustiger te worden en zijn ogen aan het duister te laten wennen.
Langzaam gaat het zwart over in grijs en kan hij de kelderdeur nog net onderscheiden. Hij reikt omlaag en betast de vloer bij zijn voeten.
Zijn hand komt tegen versplinterd hout.
Concentreer je, Jack. Je hebt niet veel tijd meer.
Jack legt al zijn gevoel in zijn vingertoppen.
Aarde, grond, hout, stof... metaal.
Metaal!
Hij heeft het mes.
Hij tast naar het lemmet.
Tijd, Jack. Je hebt niet veel tijd meer!
Jack reikt weer omlaag.
Geen pistool.
Hij kan het pistool niet vinden.
Hij houdt op met zoeken, staat op en loopt bij de kapotte trap vandaan.
Voor hem, op maar enkele centimeters afstand, bevindt zich de kelderdeur.
Met daarachter leven of dood voor Ludmila Zagalsky.
Jack haalt diep adem. Hij is bang dat het zijn laatste ademtocht is.
Als er een boobytrap op die deur zit, is alles voorbij.
Hij dreunt met zijn schouder tegen de deur.
Die komt niet in beweging.
Hij put diep in zijn mentale reserves en legt zijn hele gewicht in zijn schouder.

De deur kraakt.

Jack dreunt er opnieuw tegenaan.

Hij voelt dat de deur beweegt, al is het nauwelijks merkbaar.

'Aaargh!' schreeuwt Jack, en hij stort zich met al zijn gewicht tegen de deur.

Het slot bezwijkt en hij valt halsoverkop de kamer in. Zijn handen en knieën glijden over de bekleding van zwart plastic.

Jezus christus! Wat is dit? Waar ben ik nou?

Jack staat op en ziet dat de muren en ook het plafond bekleed zijn met zwart plastic. Het is of hij plotseling in een van zijn eigen nachtmerries is terechtgekomen. En dan ziet hij haar. Het naakte, stervende lichaam van Ludmila Zagalsky, languit voor hem. De vrouw die hij van Spider moet doden.

Spider gaat niet achter het kind aan. In plaats daarvan houdt hij zijn vinger boven de knop op het apparaatje dat het ontstekingsmechanisme bedient. Zijn vingers jeuken om het hele huis in de lucht te laten vliegen.

Hij ziet dat Jack de kettingen onderzoekt en glimlacht als hij hem ziet ontdekken dat ze met dikke, metalen ringen zijn verbonden die met bouten in de betonnen keldervloer zijn verankerd.

Er zijn vier minuten verstreken.

Spider draait het apparaatje keer op keer om in zijn hand.

Wacht, Spider. Het wordt nog veel mooier als je je beheerst en wacht.

'Dat is mijn mes, King,' zegt hij voor de grap als het licht op het staal in Jacks hand glinstert. 'Je mag toch echt geen dingen lenen zonder mijn toestemming.'

Spider kijkt gretig toe terwijl Jack de leren banden op Sugars handen en benen doorsnijdt.

Hij gaat haar niet doden; die idioot wil haar bevrijden, zoals te verwachten was.

Spider werpt weer een blik op Nancy en ziet dat ze nog bewusteloos is.

'Wakker worden!' Hij wil dat ze bij bewustzijn is als hij haar doodt. Misschien doodt hij haar tegelijk met haar man.

Nancy's oogleden fladderen. Ze heeft mooie lippen, ziet hij, mooi om te kussen als hij de laatste adem uit haar lichaam zuigt.

Hij schudt met de afstandsbediening in zijn hand. 'Wakker worden!' Spider trekt Nancy overeind.

Haar ogen gaan een klein beetje open. Juist zo ver dat Spider kan zien dat ze bijkomt. Hij legt zijn vinger weer op de knop.

Terry McLeod laat zich heus niet commanderen door een keukenjongen met een dweil. Hij loopt door het hotel terug en gaat dan naar het afgeschermde deel van de tuin dat privé is.

Respect. De jeugd van tegenwoordig heeft geen respect.

Hij steekt zijn hand over het hekje, maakt de sluiting los en duwt het open.

Mevrouw King, ik moet toegeven dat ik niet eerlijk tegen u ben geweest. Ik ben geen toerist, maar een internationaal vermaarde schrijver van reisverhalen en fotograaf, en ik ben hier om een artikel over uw fraaie etablissement te schrijven. Nu zou ik u graag een paar vragen willen stellen.

McLeod repeteert zijn tekst en is er zeker van dat ze als was in zijn handen zal zijn. Maar dan moet hij haar wel vinden. De keukenjongen zei er zeker van te zijn dat ze in de tuin was, en dus moet ze in de tuin zijn. Hij zoekt in de boomgaard en de mooie kruidentuin, waar een strak bijgeknipte ligusterhaag omheen is gezet.

Niets.

Dan zoekt hij in de moestuin. Hij loopt behoedzaam tussen de uien, tomaten, komkommer en radijs door. Hij komt bij de plaats waar de grond wegvalt. Die plaats is niet nieuw voor hem; hij heeft er door zijn kijker naar getuurd toen hij zijn positie had ingenomen op de helling in de verte, en hij heeft het ook van dichtbij gezien toen ze hem erop betrapte dat hij in haar tuin aan het rondsnuffelen was. Maar wat hij nu ziet, schokt hem diep.

Op de grond ligt het kind van King.

Zijn mond is dichtgeplakt met tape. Zijn handen zijn voor zijn lichaam gebonden. En om zijn hals heeft hij een eind touw.

Jack snijdt de laatste band door.

Hij weet dat hij nu niet meer terug kan. Kan hij werkelijk doen wat er van hem verlangd wordt? Kan hij haar werkelijk doden? Zal hij daarmee werkelijk zijn zoon redden?

Welke keuze is er?

Jack weet alleen zeker dat zijn eigen leven en dat van het arme meisje dat slap voor hem ligt aan een zijden draadje hangen.

In de wetenschap dat al zijn bewegingen worden gadegeslagen, draait Jack zich langzaam om, op zoek naar een camera. Hij ziet er een bijna op ooghoogte, aan een muur rechts van hem.

Hij haalt de telefoon tevoorschijn, drukte op de HOLD-toets en klemt hem tussen zijn schouder en oor. 'Jones, kun je me horen?'

Een ogenblik is het stil. Jack vraagt zich af of de moordenaar verrast is omdat hij zijn eigen naam heeft horen noemen.

'Ik hoor je, Jack,' zegt Spider met een blik op zijn horloge.

Vier minuten en vijftig seconden.

'Je hebt tien seconden om het meisje te doden.'

'Het spel is veranderd. Laat me mijn vrouw en kind horen, en dan vermoord ik dit meisje op welke manier je maar wilt. Ik geef niets om haar. Als je mijn gezin maar laat gaan.'

Spider kijkt naar Jack op het beeldscherm en ziet wanhoop in elke lijn op zijn gezicht.

Zou hij haar echt kunnen doden? Misschien, heel misschien. De liefde van een ouder is sterk. Het is mogelijk dat hij tot alles bereid is, zelfs tot het doden van de vrouw die hij heeft geprobeerd te redden, om een kans te krijgen dat zijn zoon in leven blijft.

'Luister goed,' zegt Spider. Hij rukt de tape van Nancy's mond en houdt de mobiele telefoon dicht bij haar. Tegelijk grijpt hij haar haar vast en geeft er een venijnige ruk aan.

Jack huivert als hij Nancy hoort gillen. Hij voelt dat de woede weer in hem oplaait. 'Nu mijn zoon. Ik wil mijn zoon horen.'

Hoewel hij weet dat het kind weg is, kijkt Spider instinctief in het duister van de catacombe. 'Nee, King. Schiet nu op. Of anders hoor je straks door deze telefoon dat ik je vrouw vermoord, en dan hoor je ook je zoon. Dan hoor je hem schreeuwen onder mijn mes.'

Jack laat de telefoon vallen.

Doe het nu! zegt hij tegen zichzelf. Hij tast over de met zwart plastic bedekte vloer en doet er schijnbaar een eeuwigheid over om de telefoon op te rapen. Niets, niets ter wereld is zo belangrijk voor hem als het leven van zijn vrouw en kind.

Jack staart in de camera, zijn ogen boordevol haat, zijn geest een en al angst en verwarring.

Hij loopt naar de andere kant van de bondagetafel, zodat de camera zowel het meisje als hem goed kan zien.

Doe het! Het is je enige kans om hen in leven te houden.

Spider buigt zich naar het scherm toe.

Jack gebruikt zijn linkerhand om haar van Lu's hals weg te strijken en duwt dan haar hoofd achterover. 'God, alsjeblieft, vergeef me dit,' zegt hij. Langzaam haalt hij het vlijmscherpe keukenmes over haar keel. Het is een bloederige snede.

Spiders gezicht is niet meer dan een paar centimeter van het scherm verwijderd, maar hij kan nog steeds niet geloven wat hij ziet. Zijn mond valt open bij het besef van wat er gebeurd is.

Jack King heeft haar de keel doorgesneden.

Het bloed stroomt. Hij zit eronder.
Hij heeft haar keel doorgesneden.

McLeod klimt in de krater beneden hem en rent naar het kind toe.

Godallemachtig, wie kon zoiets doen?

'Rustig maar, jongen, maak je geen zorgen. Het komt allemaal goed.'

De ogen van het kind zijn wijd open van paniek. Zijn gezicht is vuurrood en McLeod kan zijn borst op en neer zien gaan. Blijkbaar heeft hij moeite met ademhalen.

Het kleverige plakband is een aantal keren om de mond van de jongen geslagen en zit aan zijn haar geplakt. Er is geen pijnloze manier om het weg te halen. McLeod draait Zack om en zoekt naar het eind van de tape. Hij vindt een overlapping achter het rechteroor van het jongetje. Hij krabt er met zijn nagels over tot er een hoekje los komt.

'Sorry, mannetje, dit gaat een beetje pijn doen.'

McLeod grijpt het kind stevig met zijn linkerarm vast en trekt aan de tape. Het eerste stuk plakband komt gemakkelijk los omdat het over zichzelf heen geplakt zit, maar de laatste lus trekt plukken dun blond haar uit het achterhoofd van het kind mee. Zacks hele lichaam schudt van de pijn als de tape wordt losgetrokken.

McLeod pakt hem bij zijn bevende schouders vast en kijkt hem recht aan. 'Dapper zijn, jongetje, nog een beetje meer en het komt van je gezicht.'

Het kind heeft grote ogen van angst en McLeod weet dat hij dit het best zo snel mogelijk kan afwerken.

Hij legt zijn ene hand op Zacks gezicht en trekt het laatste stuk breed plakband weg.

Zack huilt en hapt naar lucht zodra de tape van zijn mond weg is.

'M-m-m-mammie!' snikt hij. McLeod houdt hem dicht tegen zich aan.

Het kind huilt al wat minder hard en McLeod strijkt over zijn gezicht en troost hem. 'Rustig maar, jongen. Ik ga dat nare plakband van je handen halen, en dan gaan we je mammie zoeken.'

'Als-s-stublieft, help mammie,' smeekt Zack.

'Waar is ze?' vraag McLeod. Hij krijgt vat op de tape die om de polsen van het jongetje zit. 'Waar is je mammie?'

Zack knikt naar de dunne, zwarte spleet in de helling en zijn lichaam begint weer te trillen. 'Mammie is daarin.'

McLeod trekt het laatste stuk tape van de polsen van de jongen. Zijn huid is rood en schrijnend, maar zo te zien zijn de handen en polsen niet beschadigd.

'Ik ga je mammie helpen, Zack,' zegt hij, 'maar eerst brengen we jou in veiligheid. Goed?'

Zack is te bang om antwoord te geven. Hij kijkt voortdurend naar het gat in de helling.

McLeod tilt hem in zijn armen en drukt hem tegen zich aan. Dan loopt hij naar de grondverzakking terug. Het is lastig klimmen, want de aarde verschuift en glijdt onder zijn voeten weg.

Buiten adem bereikt hij de top van de krater en zet hij Zack neer. 'Ren naar het huis, jongen! Ren en haal hulp.'

McLeod tikt Zack op zijn achterste, en dan rent het kind zo hard als het kan naar de veilige hotelkeuken. McLeod zakt de helling weer af, vastbesloten Nancy King te vinden.

Spider heeft bijna geen besef van tijd meer. Hij kijkt naar Jack die Lu's bloederige hoofd in zijn handen wiegt.

Hij kan nog steeds niet geloven wat hij zojuist heeft gezien.

Hij drukt op een toets van de laptop en de camera zoomt in op de hevige stroom bloed. Het druipt door Jacks handen en stroomt op de tafel en de vloer.

Hij heeft haar halsslagader doorgesneden. Zoveel bloed kan alleen uit een grote slagader komen.

Op het scherm ziet hij Jacks lichaam heen en weer schudden. Hij probeert de snikken te bedwingen die diep uit zijn borst komen.

Jack gaat een halve stap achteruit en Spider kan nu duidelijk het bloed op Lu's hals en gezicht zien. Jack steekt zijn rechterarm onder haar oksels en zijn linkerhand achter haar knieën, tilt haar op en houdt haar dicht tegen zich aan.

Er komt een verontrustende gedachte bij Spider op. Zijn kind. King heeft niet naar zijn kind gevraagd.

Hij kijkt naar de afstandsbediening in zijn linkerhand.

Er is iets mis. Hij kan zijn kind en zijn vrouw niet zijn vergeten.

Op het scherm valt Jack op zijn knieën, met Lu nog in zijn armen. Het lijkt of hij bidt, of hij haar lichaam tegen zich aan houdt en om vergeving vraagt voor wat hij heeft gedaan.

Plotseling valt er een straal wit licht over de vloer, recht in Spiders gezicht.

'Politie!' schreeuwt een vrouwenstem. 'Sta op met je benen gespreid. Nu! Of ik schiet.'

Orsetta Portinari heeft de plaatselijke politie bevolen La Casa Strada in het oog te houden, zoals ze dat ook heeft gedaan met de plaats delict in Livorno, de koeriersposten bij stations in Milaan en Rome en zelfs de plaats waar pakjes in ontvangst worden genomen in haar eigen hoofdbureau.

Haar baas had geëist dat het Italiaanse onderzoek werd gescheiden van het Amerikaanse, en Orsetta wilde dat alle relevante plaatsen in de gaten werden gehouden. Intussen liet ze zich leiden door haar oude intuïtieve ingeving dat Jack King zelf de connectie tussen BRK, Italië en Amerika was. En hoezeer het idee haar ook tegenstond, kon ze, nu Jack het land uit was, haar nieuwsgierigheid alleen bevredigen door weer een onaangekondigd bezoek aan zijn vrouw te brengen.

'Sta op of ik schiet!' zegt ze opnieuw. Ze is zich er scherp van bewust dat ze weliswaar een volledige vuurwapentraining heeft gevolgd maar nog nooit een schot heeft gelost buiten de schietbaan.

Spider staat langzaam op. 'Goed. Oké. Niet schieten.'

De straal van de zaklantaarn is fel maar smal. Orsetta kan zijn gezicht zien, maar van zijn schouders ziet ze alleen de contouren.

In het duister ontgaat haar een cruciale beweging.

Spider brengt zijn rechterhand naar de rand van het marmer, en niet om zichzelf te steunen bij het opstaan, zoals zij denkt.

Maar om zijn automatische pistool op te pakken.

Met één snelle beweging vuurt hij een salvo op haar af.

Orsetta gaat instinctief opzij, maar ze is veel te langzaam.

Haar rechterschouder brandt van pijn. Door de inslag van de kogel tolt ze rond en valt ze neer. Haar eigen wapen vliegt uit haar hand.

Spider is er zeker van dat hij haar meermalen heeft geraakt. Ze ligt er roerloos bij, maar hij is er nog niet van overtuigd dat ze dood is.

Er is nog tijd genoeg om haar te doden. Hij zal haar afmaken met een schot door het hoofd. Maar op dit moment is ze niet belangrijk.

Spider kijkt weer op het scherm van de laptop.

Waar is King?

Die bidt nog. Nou, Jackie, jongen, geen enkele god kan je nu nog redden.

Spider wacht niet langer. Hij drukt op de rode knop en er komt een daverende explosie uit de luidsprekers van de laptop.

86

Jack verstrakt zijn greep op Lu en bereidt zich voor op zijn volgende manoeuvre.

De vingers en palm van zijn rechterhand bloeden hevig, want hij heeft er met het keukenmes in gesneden toen hij met zijn rug naar de camera stond en het deed voorkomen alsof het hem niet meteen lukte de telefoon op te rapen. Jack wist dat hij diep genoeg moest snijden om de bloedstroom een streep van bloed over de hals van het meisje te laten vormen wanneer hij deed alsof hij haar keel doorsneed. Door Lu in zijn handen te wiegen kon hij het bloed overal verspreiden en het doen lijken alsof haar een dodelijke verwonding was toegebracht.

Nu hij daar op zijn knieën zit, weet hij dat de tijd even snel wegstroomt als het bloed uit zijn hand. Met één behendige beweging laat hij zijn schouder zakken, valt naar voren en rolt zichzelf en Ludmila zo ver mogelijk onder de zware houten bondagetafel.

Ze liggen nog maar net onder de plaat eikenhout met chromen poten, als de explosie de kamer uit elkaar scheurt.

Jack smoort Ludmila met zijn grote lichaam.

Hout, steen en stof vliegen in het rond.

Het puin valt op Jacks onbeschermde hoofd en rug, hagelt op hem neer alsof hij met ijzeren honkbalknuppels wordt geslagen, slaat in zijn nek, benen en rug.

Hij houdt Ludmila dicht tegen zich aan en deze keer bidt hij echt.

Spiders computerscherm wordt grijs.

Het stof en puin belemmeren zijn zicht.

Hij pakt de laptop en houdt hem in een andere stand om weer beeld te krijgen.

Waar zijn ze? Ik moet hun gezichten zien!

Er gaat een elektrische tinteling van verwachting door Spider heen.

‘Waar zijn hun lichamen?’

Hij had de camera’s in de kelder voorzien van behuizingen van versterkt glas, zoals cameraploegen gebruiken. Zulke camera’s zijn bestand tegen explosies en zelfs treinongelukken.

Hij tuurt aandachtig naar het plasmascherm.

Langzaam vult het zich met rode en oranje vlammen.

Het vuur van de hel. Misschien zullen die vlammen Kings stinkende lichaam verteren.

Spider zet de computer neer.

Ze zijn dood. King en het meisje zijn dood.

Nu kan ik de politievrouw en Kings vrouw afmaken.

Spider kijkt naar Nancy, en dan naar Orsetta. Ze liggen allebei in foetushouding.

Als lammeren op de slachtbank.

Hij draait zich om en wil zijn pistool pakken.

Maar dat lukt hem niet.

De eerste kogel treft hem in het gezicht.

Zijn oren suizen van het schot. De tweede en derde kogel maken gaten in zijn buik.

Spider valt achterover en klapt met zijn hoofd tegen de tombe.

De vierde en vijfde kogel versplinteren zijn ribbenkast en scheuren zijn hart tot moes.

Pas als hij er absoluut zeker van is dat de man dood is, laat Terry McLeod de Beretta van de politievrouw vallen.

Howie Baumguard en het ESU-team waren nog op een afstand toen de explosie kwam.

Howie had beseft dat BRK de camera's op afstand bediende en durfde geen aanvalsbevel te geven, want dat zou het leven van Jack en Lu Zagalsky in gevaar kunnen brengen.

Maar na de explosie gold dat allemaal niet meer.

Het ESU-team werkt, zoals gewoonlijk, vanuit een Radio Emergency Patrolwagen, maar zelfs elementaire REP's zijn erop uitgerust om belegeringen en kleine explosies te doorstaan. Als Howie op het huis af rent, heeft hij de met pistolen gewapende troepen bij zich, en het reddingsteam haalt al een verzameling gereedschap uit de wagen, zoals brandblussers, draadscharen en het soort opblaasbare luchtzakken dat wordt gebruikt om zware gewichten van lichamen te tillen.

Agenten met krachtige schijnwerpers op hun wapens gaan als eersten naar binnen. Ze worden gevolgd door hun gewapende dekking. Daarna komt het bevrijdingsteam.

Zodra ze de vlammen zien, gaan ze uit elkaar en leggen de mannen met de brandblussers een deken van schuim.

Even later, als de gasboiler ontploft, gaat de hartslag van het ESU-team nauwelijks omhoog. Zulke dingen verwachtten ze.

De vlammen worden meteen gesmoord in wolken van schuim. Er is geen teken van paniek. Howie Baumguard houdt zich kalm afzijdig. Hij laat de experts hun werk doen. Hij heeft de ESU-tovenaars mensen uit verwrongen metaal zien halen na zware auto-ongelukken, bomexplosies en instortingen van gebouwen. Het zijn de besten. Ze hebben overal gewerkt, van de bomaanslag in Oklahoma tot de orkaan in New Orleans. Als iemand Jack en Lu levend uit deze puinhoop kan halen, dan zij.

'Draagbaar licht hierheen!' schreeuwt iemand.

Door de felle lichtbundel wervelt een baksteenrode mist van stof en stukjes steen en pleisterkalk. De experts laten hun blik over het puin gaan.

Op nog geen twee meter afstand van de deur ligt een piramide van hout en gasbetonblokken.

'Meer schuim!' schreeuwt een teamlid als het vuur weer oplaait bij de deuropening.

Onder aan de keldertrap staat Bernie, het enige specialistische lid van ESU dat Howie liever niet ziet.

Bernie is een bloedhond.

Gespecialiseerd in het vinden van lijken.

Orsetta heeft twee kogels in het spierweefsel van haar rechterschouder gekregen en bloedt hevig. Door de val is ze bewusteloos geraakt. Nu ze bijkomt, is ze te zeer gedesoriënteerd om te kunnen bewegen. In films rennen politiehelden die worden neergeschoten altijd gewoon door, alsof ze alleen maar door een bij zijn gestoken. In het echt is het anders. De meeste kogelinslagen gooien je omver, en dan blijf je liggen tot de ziekenbroeders je oprapen en wegvoeren. Het kost Orsetta zelfs al grote moeite om overeind te gaan zitten.

'Gaat het?' vraagt McLeod. Hij heeft zijn beide handen nog om het pistool en richt het nu naar de grond.

Orsetta knikt. Een ogenblik kan ze geen woord uitbrengen.

'Hij is dood. Ik denk dat hij dood is.' McLeod wijst met het pistool naar het lichaam dat tegen de tombe ligt.

Orsetta dwingt zich om te gaan staan. Ze doet dat door haar rug tegen de muur op te schuiven.

Eindelijk kan ze praten. Haar stem is schor maar kalm. 'Ik ben van de politie... Geeft u me mijn wapen.' Nogal onhandig haalt ze haar legitimatiebewijs uit haar achterzak. 'Geeft u het me heel voorzichtig,' voegt ze eraan toe.

McLeod is een ervaren schutter. Hij heeft herten, konijnen en allerlei vogels gedood, maar hij heeft nooit eerder een mens neergeschoten. Zijn handen schudden nu alsof hij een cocktail aan het mixen was. Hij houdt het pistool bij de loop vast en geeft het aan Orsetta. De politievrouw kijkt er even naar en richt het dan op Spiders in elkaar gezakte lichaam.

Ze neemt geen risico. Eén stuiptrekking van die klootzak en ze pompt het magazijn in hem leeg.

'Terug,' zegt ze tegen McLeod. 'Er ligt een vrouw op de grond. Ga kijken of je haar kunt helpen. Ik hou hem in de gaten.'

'Ja, goed,' zegt McLeod nerveus. Hij loopt om de tombe heen en ziet meteen dat het Nancy King is die daar ligt.

Orsetta hoort stemmen en voetstappen achter zich. Ze komen van de ingang van de catacombe. Ze beseft dat haar gehoor is aangetast door de schoten. Haar hart roffelt en ze dreigt haar evenwicht te verliezen.

Door de nevel hoort ze dat de stemmen Italiaans spreken. We zijn veilig, zegt ze tegen zichzelf.

Het knetteren van een politieradio galmt door de catacombe en dan schijnen er lichtbundels van zaklantaarns door de duisternis. Iemand zegt tegen haar dat alles goed komt. Ze voelt een geruststellende hand, en vingers die het pistool voorzichtig uit haar hand pakken. In het felle licht van een schijnwerper ziet ze dat McLeod tape van Nancy Kings handen verwijdert.

Dan verslapt haar geest en laat ze zich in elkaar zakken.

Ze doen er twintig minuten over om de lichamen van Jack en Lu in het puin van het gebouw te vinden.

'Hier!' roept ESU-veteraan Wayne Harvey. 'Ze liggen hieronder.' Door de explosie zijn delen van het plafond naar beneden gekomen en het water stroomt uit opengescheurde buizen langs de muren. De stroom is uitgevallen en de felle stralen van zaklantaarns en helmlampen kruisen elkaar als mensen naar Harvey toe klauteren. Tien handen graaien in de berg baksteen, hout en gasbeton.

'Ik zie iemand!' schreeuwt hij. Hij kijkt neer op Lu Zagalsky's bebloede, naakte en bewusteloze lichaam.

De bondagetafel heeft het grootste deel van de explosiekracht geabsorbeerd. Er zit nog geen barst in de dikke eikenhouten plaat, maar de poten van de tafel zijn uiteindelijk bezweken onder het gewicht van alles wat er van het plafond omlaagkwam.

Howie Baumguard trekt de tafel weg en ziet Jacks verwrongen lichaam beschermend over het meisje liggen.

'Zuurstof en brancards!' schreeuwt Harvey. Hij trekt een handschoen uit om op Lu's hals te voelen of haar hart nog klopt. Hij kijkt op zijn horloge.

'Ze leeft nog, al scheelt het niet veel. Leg iets over haar heen en haal haar hier zo snel mogelijk weg.'

'Oké, jongen, we zijn bij je,' zegt Howie. Hij knielt in het puin naast Jack neer en trekt brokken beton weg alsof het ongewenste kussens op zijn bank zijn. 'We hebben je hier zo weg.'

Jack is nauwelijks bij bewustzijn. Hij is nog te diep geschokt om te kunnen praten.

'Hé, man! Dat is erg!' zegt Howie, die plotseling de gewonde hand van zijn vriend ziet. 'Broeder! We hebben hier iemand nodig, en snel ook, verrekte snel!'

'Ik kom eraan!' antwoordt een kalme stem ergens in de duisternis. Een straal van een helmlamp schittert in Howies ogen, verblindt hem even, en dan staat Pat O'Brien naast hem. 'Ik zie hem. Ga daarvandaan, dan kan ik erbij.'

Howie gaat een stap opzij en struikelt over onzichtbare stukken baksteen en beton. Hij verzwikt zijn enkel.

'Hij bloedt als een rund,' zegt hij, wijzend. 'Kijk naar zijn hand, zijn rechterhand.'

O'Brien schijnt omlaag met zijn lamp, werpt één blik op de hand en weet meteen wat hij moet doen. Hij laat een rugzak van zijn schouder glijden, trekt rubberen handschoenen aan en veegt de wond vlug schoon met een antiseptisch verbandgaas, zodat hij zich een oordeel kan vormen over de grootte, de vorm en de ernst van de wond.

'Je vriend heeft gelijk. Je hebt daar een fikse bloeding, jongen,' zegt O'Brien. Hij draait Jacks hand in zijn eigen hand om en vraagt zich af hoeveel bloed de man al heeft verloren. Hij steekt zijn hand weer in de rugzak en haalt er nu een drukverband, steriele spray en een hechtsetje uit. De wond pompt nog bloed en zit vol gruis en stof. Hij spuit er steriele spray op, plukt er met zijn pink zoveel mogelijk fragmenten uit en gaat dan met naald en draad aan het werk. Op de ESU-training heeft hij niet leren borduren, maar O'Brien kan het beter dan menig dameskransje.

Jack kijkt strak naar het meisje, dat nu op een brancard wordt gelegd en een infuus krijgt aangelegd. Hij herinnert zich de nachtmerrie die hij in de Holiday Inn heeft gehad, toen hij had gedroomd dat hij haar kwam redden en dat hij in een kamer vol politie en ziekenbroeders was, net als deze kamer. Hij graaft dieper in de spelonken van zijn geheugen en diept beelden op van de andere nachtmerries, beelden van een zwarte kamer, een sectie, de waterleidingbuizen en bloed op de vloer. Zoals de psychiater had gezegd, had zijn onderbewustzijn jarenlang geen rust gehad. Het was steeds aan de plaats delict blijven denken, had de psychologische profielen verwerkt, had steeds geprobeerd hem te dwingen niet aan dagelijkse afleidingen te denken en zich weer met de zaak bezig te houden.

'Ik wil hier een rugplank en dragers!' schreeuwt O'Brien door de kamer.

'Gaat het met hem?' zegt Howie op een meter afstand.

'Ik denk het wel,' zegt O'Brien.

'Ik red het wel,' kan Jack uitbrengen. Zijn keel is rauw en zit vol stof.

O'Brien schijnt met zijn licht in Jacks ogen, trekt de oogleden wijd open en kijkt naar de dilatatie. 'Ja, je redt het wel. Je hebt een emmer bloed verloren, maar je bent een grote kerel, dus je hebt nog wel wat over.'

Jack tilt zijn onbeschadigde hand op en geeft Howie een teken dat hij dicht bij hem moet komen. 'Hé, ik weet dat alles hier in puin ligt, maar laat ze zoveel mogelijk in stand houden. Alles. Laat de technische recherche hier zo gauw mogelijk komen. Dit is het; hier heeft hij zijn slachtoffers in stukken gezaagd. Ik heb deze hel in mijn nachtmerries gezien; zorg dat we hier iets vinden.' Howie kijkt naar de ravage. Het lijkt wel een bomaanslag in Beiroet, maar hij weet dat de technische recherche iets zal vinden. Geen enkele delinquent kan zich ooit van alles ontdoen.

O'Brien trekt Howie opzij, want zijn collega's komen eraan. Ze leggen de rugplank neer en manoeuvreren Jack erop. 'Hij heeft wat injecties nodig. Tetanus en de rest,' zegt hij tegen het team dat Jack optilt. 'Let op de bloeding. Ik heb alleen de diepere sneden over de vingers dichtgemaakt. Ze kunnen het in het ziekenhuis weer openmaken en alles goed schoonmaken.'

De mannen knikken, tillen Jack op de krakende plank van de vloer en lopen naar de deur. Lu Zagalsky is al boven. Ze is met dekens en een ESU-jas bedekt en wordt in allerijl naar een helikopter gebracht die op de nabijgelegen golfbaan staat te wachten. Ziekenbroeders hebben een intraveneus vochtinfuus bij haar aangelegd en ze zeggen onder elkaar dat ze een goede kans maakt het te overleven, al zullen de artsen waarschijnlijk pas over vierentwintig uur weten of ze er blijvend letsel, bijvoorbeeld nierschade, aan overhoudt.

Als ze Jack buiten krijgen, is hij weer helemaal bij bewustzijn. Hij tuurt in het zonlicht en zuigt langzaam frisse lucht in zijn longen. Hij ziet Howie uit de ravage van het huis naar buiten komen en geeft hem opnieuw een teken dat hij dichterbij moet komen. 'Nancy, Zack, zijn ze...' Hij kan niet verder.

Howie maakt de zin voor hem af. 'Ze zijn ongedeerd. Ze zijn allebei volkomen veilig.'

Jack slikt en voelt hoe de angst als lood naar het diepst van zijn maag zakt. 'En BRK?'

'Dood als een pier. Ik weet niet alle details, maar een heilige ziel heeft hem naar de eeuwige jachtvelden geschoten.'

'Jammer,' zegt Jack.

'Jammer?' vraagt Howie verbaasd.

'Ja, jammer. Ik wilde het genot smaken hem vijf jaar in de dodencel te zien wegrotten. En dan had ik op de voorste rij willen zitten, met een zakje popcorn, om hem geëlektrocuteerd te zien worden.'

Orsetta kan nauwelijks zonder hulp overeind staan, maar het lukt haar het met kogels doorzeefde lichaam van Spider een schop te geven voordat de ziekenbroeders Nancy, Zack en haar in een helikopter afvoeren die klaarstaat om hen naar een ziekenhuis in Siena te brengen.

Als ze eenmaal in de lucht zijn, maken de broeders een eind aan het bloeden van Orsetta's schouder en geven ze Nancy zuivere zuurstof om haar te helpen de effecten van de lidocaïne te overwinnen. Binnen enkele minuten is ze helder genoeg om te begrijpen dat Jack in leven is. Het Toscaanse landschap glijdt surrealistisch onder de laagvliegende helikopter door. De hele vlucht houdt ze Zack dicht tegen zich aan; ze spreken geen van beiden. Ze probeert nog steeds te begrijpen wat er allemaal is gebeurd, maar van één ding is ze zeker: het zal nu allereerst zaak zijn haar zoon te helpen de traumatische gebeurtenissen van die dag te verwerken. De helikopter daalt en er gaat een golf van misselijkheid door haar heen als ze landen. Ze wil heel graag de stem van haar man horen en precies van hem vernemen hoe hij eraan toe is. En als ze er zeker van is dat hij er goed doorheen is gekomen, wil ze hem er ook heel graag aan herinneren dat het zondag 8 juli is. Hun trouwdag.

Maar ze weet dat die plagerijen nog even moeten wachten. Op dit moment heeft ze niet eens een telefoon. Die ligt nog in de bloederige duisternis van de catacomben, naast het lijk van de meest gevreesde seriemoordenaar van Amerika.

Wat mij niet vernietigt, maakt mij sterker

Friedrich Nietzsche

Epiloog

Drie maanden later

San Quircio D'Orcia, Toscane

Voor het eerst in de drieënhalf jaar dat ze daar wonen, zijn er geen toeristen en vreemden in La Casa Strada. Toch zijn alle kamers bezet.

Het feest was een idee van Nancy. En iedereen is het erover eens dat het een heel goed idee is.

Het is nog warm genoeg om een drankje te nemen op het terras met uitzicht op de historische, golvende schoonheid van de Val D'Orcia. De gasten vinden rust en schoonheid in het uitzicht waarmee ze zijn gezegend. Massimo, Orsetta, Benito en Roberto zijn uit Rome gekomen. Ze staan bij elkaar en praten Italiaans op mitrailleursnelheid, terwijl serveersters hun de beste wijnen brengen die Toscane te bieden heeft. Terry McLeod is ook uitgenodigd, en deze keer hoeft hij niet te liegen en te bedriegen.

Nancy kijkt naar de enige plek die haar nog steeds een onbehaaglijk gevoel geeft. Zodra de technische recherche in juli uit haar tuin weg was, heeft ze Capello, zijn team van hoveniers en hun materieel laten komen. Ze liet de ingang van de catacomben dichtmaken met genoeg beton om heel Manhattan te bedekken, maar toch huivert ze nog als ze ernaar kijkt. Haar blik valt op haar zoontje Zack, die op zijn driewielertje over het terras rijdt. Ze verliest hem geen moment meer uit het oog. Sinds het incident is hij stiller dan zijn ouders hem ooit hebben meegemaakt, en hij wil nog steeds elke nacht in hun bed slapen. Maar hij is aan de beterende hand en als hij in het heldere zonlicht speelt, komt er weer een glimlach op zijn gezicht.

Haar huis is geen plaats delict meer. En ze wil er nooit meer aan herinnerd worden dat het dat ooit is geweest.

Nancy laat Jacks arm even los om in de keuken te gaan kijken hoe lang het nog duurt voor het diner klaar is. Paolo bereidt een speciaal feestmaal van zes gangen, met aan het eind Jacks favoriete *zabaoine*. De geur van gebraden varkensvlees verspreidt zich door de herfstlucht en vergroot de eetlust van de wachtende gasten.

Howie heeft de plaatselijke wijnen steeds van de hand gewezen en houdt het op bier. Hij is in zijn eentje gekomen, maar heeft goede hoop dat Carrie en hij voor Kerstmis weer bij elkaar zijn.

Joe Marsh, hoofd van het FBI-kantoor in New York, heeft zijn agenda vrijgemaakt en is de Atlantische Oceaan overgestoken om erbij te zijn. Jack steekt onhandig zijn linkerhand uit als ze elkaar op een hoek van het zonovergoten terras ontmoeten. Er zit dik verband om zijn rechterhand en hij zal fysiotherapie moeten ondergaan om de zenuwbeschadiging die hij door de messnede heeft opgelopen, ongedaan te maken.

'Doet het nog pijn?' vraagt Marsh als ze staan te praten.

'Een beetje,' zegt Jack, en hij wriemelt met zijn vingertoppen. 'Maar mijn trots is meer gekwetst.'

Marsh kijkt hem vragend aan. 'Wat bedoel je?'

'Nou, om je de waarheid te zeggen neem ik het mezelf nog steeds kwalijk dat ik de strategie van BRK niet heb doorzien. Als me dat wel was gelukt, had ik ons allemaal veel verdriet bespaard.' Hij kijkt op om er zeker van te zijn dat Nancy niet in de buurt is, want hij heeft strikte instructie gekregen niet over de zaak te praten. 'BRK zette dat Kearney-incident in scène omdat hij een tijdje niet had gedood en bang was dat we hem waren vergeten. Door het exact twintig jaar na het vinden van Sarahs lichaam te doen, kon hij er vrij zeker van zijn dat we de daad aan hem zouden toeschrijven, maar voor alle zekerheid schreef hij mijn naam op het pakje met haar schedel.' Jack zwijgt even, terwijl Marsh een drankje pakt van een dienblad dat hem door een serveerster wordt voorgehouden. 'BRK gokte erop dat het FBI-onderzoek daardoor weer zou worden geopend en hij weer in de schijnwerpers kwam te staan. Hij gokte er ook op dat als hij in Livorno, hier in de buurt, zou doden, de Italianen mij zouden willen overhalen om niet meer voor hotelhouder te spelen, maar me met de politiezaak bezig te houden.' Jack knikt naar het groepje Italiaanse rechercheurs. 'Orsetta had gelijk. Ik was de olifant in de kamer. Ik kon dat alleen niet zien.'

Marsh fronst zijn wenkbrauwen. 'Jij was een olifant?'

Jack glimlachte. 'Ja, ik was de schakel tussen Amerika, Italië, Sarah Kearney, BRK en het meisje Barbuggiani. Alleen kon ik dat zelf niet zien. Jarenlang hebben mensen tegen me gezegd dat ik de zaak-BRK niet persoonlijk moest opvatten, dus misschien was ik daar inderdaad mee opgehouden.'

Marsh beaamde dat en nam een slokje van zijn witte wijn. 'Terwijl we achteraf weten dat deze laatste affaire wel degelijk persoonlijk was. BRK wilde jou in New York terug hebben om je in het oude huis van zijn vader te vermoorden. Tegelijk daarmee wilde hij je onbeschermde gezin aanvallen.'

'Ja, dat is het wel zo'n beetje. Hij stuurde ons van hot naar her in Amerika, terwijl de grote show hier in Italië zou worden opgevoerd.' Jack trekt een grimas als hij beseft hoe weinig het had gescheeld of de seriemoordenaar had heel wat personen aan zijn dodenlijst kunnen toevoegen. 'En laten we niet vergeten dat die rottige psychopaat ervan heeft genoten om al die plannen te maken. Hij moet jarenlang over die moorden hebben gefantaseerd. Ik denk dat Sarahs gedenkdag hem het laatste duwtje gaf om te proberen zijn fantasie in werkelijkheid om te zetten.'

'Bijna klaar,' roept Nancy, haar blik afkeurend op Jack en Marsh gericht.

Carlo loopt stilletjes naar zijn bazin toe en fluistert discreet in haar oor, zoals alleen de beste maître d'hôtel dat kan. Ze knikte en geeft haar serveersters opdracht ieders glas bij te vullen.

'Dames en heren,' zegt Nancy. Ze verheft haar stem om hun aandacht te trekken. 'Jack en ik willen jullie allemaal bedanken voor jullie komst. Jullie weten vast wel dat jullie allemaal nu een bijzonder plekje in ons hart innemen. Maar voordat we ons glas heffen en toosten op het geweldige feit dat we allemaal levend en wel zijn, wil ik dat jullie onze allerspeciaalste gast hartelijk verwelkomen.' Ze wacht even en wijst dan naar het hotel achter haar.

Iedereen kijkt in de aangewezen richting.

Over de patio loopt voorzichtig, met hulp van krukken, Ludmila Zagalsky. Op haar gezicht tekent zich een brede, gelukkige glimlach af.

Een halve stap achter haar loopt een lange jonge Tsjetsjeen met een vriendelijke glimlach. Hij ondersteunt haar met zijn hand.

Als het applaus is weggestorven, vergewist Joe Marsh zich ervan dat hij niet voor de anderen hoorbaar is. Dan legt hij zijn hand op de schouder van zijn gastheer. 'Jack, ik zal er niet omheen draaien: ik wil je weer in het team hebben. We hebben een zaak in de Verenigde Staten waarbij we je hulp heel goed kunnen gebruiken.'

Dankwoord

Ik dank alle mensen die *Spider* tot een boek hebben gemaakt:

Massimo Del Frate, een van de grootste en sympathiekste dramaproducers van Italië deed me onder een lunch ideeën voor deze roman aan de hand. Hij, zijn assistent Benedetta en ongetwijfeld vele niet met naam genoemde anderen waren ook zo goed me te helpen met de structuur van de Italiaanse politiediensten.

Mijn vrouw en kinderen hebben kostbare gezamenlijke tijd opgegeven om mij dit boek te laten schrijven, herschrijven en nogmaals herschrijven. Ik dank jullie voor jullie liefde, geduld en steun.

Stephanie Jackson van Dorling Kindersley was zo goed me met alle juiste mensen in contact te brengen – Steph, bedankt voor de extra moeite die je deed als het eigenlijk niet hoefde.

Luigi Bonomi zou een badge moeten dragen met 'beste agent ter wereld'. Bedankt voor je inspiratie, begeleiding en commerciële vaardigheden – niemand doet het beter.

Richenda Todd hielp enorm met het onomwonden, genadeloze en briljante advies dat ze me in een vroeg stadium gaf.

Beverley Cousins van Penguin zegende me met een overvloed aan nauwgezetheid, scherpzinnigheid, verbeeldingskracht en geweldige humor – Bev, het is een groot genoegen om van jou te leren! Ik bedank ook Rob Williams, Liz Smith, Claire Phillips en de rest van het team bij Penguin. Ik heb enorm veel respect en waardering voor jullie harde werken en grote vaardigheden.

Ik dank ook Leonid Zagalsky in Moskou, die me zijn achternaam leende, over de Russische secties adviseerde en me eraan herinnerde waarom je geen drinkspelletjes met Russen moet spelen!

Nicki Kennedy en Sam Edenborough van ILA verdienen speciale aandacht door alle internationale hulp die ze me hebben gegeven, evenals Jack Barclay van Everett, Baldwin, Barclay.

In de loop der jaren ben ik geïnspireerd door ontmoetingen met psychologische profilers zoals Roy Hazelwood en Robert Ressler van de FBI en Paul Britton en Mike Berry in Groot-Brittannië. Ook heb ik veel geleerd van eminente politiefunctionarissen als Don Dovaston in Groot-Brittannië, die veel pionierswerk op het terrein van profilering bij seriekindermoorden heeft verricht, en Dan Crompton, een politiecommandant die zijn deuren voor de media durfde te open terwijl de meeste anderen ze stevig dichthielden.

Ook ben ik de grote patholoog-anatoom van het Britse ministerie van Binnenlandse Zaken dankbaar, wijlen professor Stephen Jones, die me veel over dood en waardigheid heeft geleerd.

Mijn laatste dank gaat uit naar al die echte helden die in het echte leven op monsters jagen. Goddank dat jullie er allemaal zijn.